Nic

Après quinze années passées chez M6, Nicolas Beuglet a choisi de se consacrer à l'écriture de scénarios et de romans. *Le Cri* (2016), *Complot* (2018) et *L'Île du diable* (2019) composent sa première trilogie autour de l'inspectrice Sarah Geringën. Avec *Le Dernier Message*, mettant en scène une nouvelle héroïne, l'inspectrice écossaise Grace Campbell, il inaugure un autre cycle qui se poursuit avec *Le Passager sans visage*, paru chez XO en 2021. Il vit à Boulogne-Billancourt avec sa famille.

LE CRI

ÉGALEMENT CHEZ POCKET

NICOLAS BEUGLET

LE CRI

EDITIONS

© XO Éditions, 2016.
ISBN : 978-2-266-27986-4
Dépôt légal : janvier 2018

À mes trois amours, Caroline, Eva et Juliette.
Depuis et pour toujours.

« [...] Mes amis s'éloignaient et,
seul, tremblant d'angoisse,
je pris conscience du grand cri
infini de la nature. »

Edvard Munch relatant l'instant
qui lui a inspiré son œuvre *Le Cri*.
La Revue Blanche, Tome IX, 1895.

Sarah claqua la porte derrière elle. Essoufflée par ses propres cris, elle demeura debout, sans bouger, reprenant sa respiration.

Le silence du couloir n'était plus troublé que par le bourdonnement étouffé d'une télévision encore allumée à cette heure avancée de la nuit.

Le cœur battant trop vite, elle chemina vers la cage d'escalier, lentement, certaine qu'il allait rouvrir la porte d'une seconde à l'autre, lui déclarer qu'il l'aimait et n'avait jamais aimé qu'elle, que cette tromperie était une erreur, une faiblesse qui ne se reproduirait plus jamais.

La minuterie automatique parvint à son terme et le couloir plongea dans l'obscurité. Elle se figea. Elle devait patienter encore quelques secondes, il finirait par sortir et, après des excuses balbutiantes qu'elle ferait mine de n'accepter qu'à moitié, tout redeviendrait comme avant.

Mais à l'inquiétude succéda l'angoisse. La porte de l'appartement restait close, le couloir aussi sombre que silencieux. Le visage effleuré par la tremblante lueur orangée de l'interrupteur, Sarah chercha l'appui d'un mur.

Il y a encore quelques minutes, elle s'appliquait à repeindre ce qui deviendrait un jour la chambre du bébé, espérant ainsi peser sur le cours du destin. Elle ne pouvait pas se trouver là, comme une victime hébétée d'un accident de la route.

Réfugiée dans la pénombre, elle patienta, s'imaginant qu'il craignait de la retrouver en colère et voulait attendre qu'elle se calme. Mais le rai de lumière qui jusque-là filtrait sous la porte de leur appartement disparut. Il ne sortirait plus.

Saisie d'un vertige, elle s'adossa à la paroi du couloir avant de trouver la force de faire quelques pas à l'aveugle vers l'escalier.

Au rez-de-chaussée, une brutale bourrasque de vent cogna contre les vitres de l'entrée de l'immeuble. Dehors, la neige tombait en oblique devant les halos blêmes des lampadaires.

Sarah inspira une grande goulée d'air, releva le col fourré de sa parka, essuya les larmes qui coulaient le long de ses joues parsemées de taches de rousseur.

Puis elle franchit le seuil. Le froid lui fouetta le sang et les mèches de ses cheveux fauves virevoltèrent devant son visage.

Le trottoir était recouvert d'une épaisse couche de neige et, au bout de la rue, une pelleteuse entamait son travail de déblayage de la chaussée en repoussant sur les côtés de la route des masses blanches formant une muraille de poudreuse. Oslo était entré dans l'hiver.

Derrière le rideau humide qui brouillait sa vision, Sarah chercha sa voiture et la devina quelques mètres plus loin. Un nuage de vapeur s'échappa de sa bouche et elle entreprit de se frayer un chemin jusqu'à son SUV. Ses pas malhabiles s'enfonçaient dans la neige fraîche jusqu'à ce que les flocons se tassent sous sa semelle et crissent.

Elle songea que, en plus de ne pas la rattraper pour lui demander pardon, Erik ne s'inquiétait même pas de savoir où elle irait en pleine nuit. Comme si, pour lui, ils étaient déjà devenus des étrangers, chacun menant sa vie de son côté. Comme si l'événement de ce soir n'avait été que l'accélérateur d'une rupture qu'il mûrissait depuis longtemps. Comment était-ce possible ? Après tout ce qu'ils avaient traversé ensemble ?

Les souvenirs l'étranglèrent, lui coupant les jambes. Les dernières années de leur vie défilèrent dans sa tête. Le jour où on lui avait annoncé son infertilité dans cette salle aux murs blancs qui sentait l'éther, son effondrement, puis les paroles pleines d'espoir et de courage d'Erik, son mari, les premières prises de Clomid pour stimuler l'ovulation suivies des inavouables incontinences urinaires, la répétition des rapports sexuels programmés et sans désir jusqu'au dégoût, les lancinantes et paniquantes réunions familiales : « Alors, vous en êtes où avec le bébé ? » Au bout d'un an, toujours rien. Pas une once d'espoir. Les premiers doutes d'Erik qui s'entendent au ton de sa voix, le passage aux douloureuses piqûres de Gonalf, l'arrivée du deuxième enfant de sa sœur, la décision de passer à la FIV, l'atteinte à l'intimité qui devient de moins en moins acceptable, cette salle froide, exiguë, à 8 heures du matin, cuisses ouvertes, en attendant que son mari ait terminé de se masturber dans lc cagibi d'à côté et que l'on vienne vous injecter sa semence sélectionnée à coups de seringue. Le nouvel espoir, la peur et de nouveau la déception. Les larmes. L'épuisement nerveux. La perte de sens de la vie. Ces conseils absurdes qui vous serinent que le stress et l'appréhension ont une influence négative sur la fécondation, comme on dit à un enfant terrorisé par un chien que les animaux flairent la peur et en profitent pour attaquer.

Et puis cette envie irrésistible de déballer les adorables bodys, les minuscules chaussons et les doudous qui prennent la poussière dans une chambre vide et inanimée. Et, par-dessus, la crainte de ne plus trouver la force de tout recommencer si, par malheur, le processus échouait.

Accroupie dans la neige, les mains croisées sur son ventre, Sarah laissait son corps s'engourdir, comme si la douleur mordante du froid pouvait anesthésier sa souffrance.

C'est alors qu'une mélodie électronique creva le silence nocturne.

Sarah releva soudainement son visage rougi par l'air gelé. L'espace d'une seconde, elle crut que c'était Erik qui la rappelait. Mais son fol espoir se brisa lorsqu'elle reconnut la sonnerie de son téléphone professionnel.

Elle considéra le téléphone et, pour la première fois de sa carrière, ne décrocha pas.

Elle se redressa, atteignit sa voiture et s'y engouffra, prête à démarrer pour se rendre chez sa sœur, avant que sa volonté ne lui fasse défaut et qu'elle se laisse engourdir par le froid jusqu'au sommeil.

Mais elle venait à peine d'enclencher le contact que son téléphone sonna de nouveau. S'ils insistaient, c'est que quelque chose de grave avait dû se passer. Mais que pouvait-il y avoir de plus grave que sa situation à elle ?

De nouveau, elle ignora l'appel. La sonnerie reprit de plus belle.

Sarah appuya ses avant-bras sur le volant. Une succession de décisions contradictoires défilèrent dans sa tête puis, les mains tremblantes d'émotion, la gorge encore nouée, elle décrocha.

— J'écoute.

L'effort qu'elle venait de fournir pour paraître normale avait été si intense qu'une nausée lui souleva le ventre. Elle se reposa sur l'appuie-tête en fermant les yeux.

— Inspectrice Geringën ?

La voix de l'homme était rapide et inquiète.

— Oui.

— Je suis l'officier Dorn, du district de Sagene. Désolé de vous déranger à une heure pareille, madame, et d'avoir insisté, mais... on a été appelés pour un décès, banal en apparence, mais, compte tenu de ce qu'on a trouvé sur place, je crois qu'on va avoir besoin de votre expertise.

Au départ, Sarah écouta l'officier d'une oreille distraite. L'effort de compréhension était d'autant plus pénible que l'officier lui paraissait troublé, presque confus.

— Où cela s'est-il passé, dites-vous ?

En entendant la réponse, Sarah ferma les yeux. Le dernier lieu dans lequel elle avait envie de se rendre aujourd'hui.

— OK, calmez-vous et détaillez-moi les différences entre ce que le gardien de nuit vous a dit au téléphone et ce que vous venez de constater sur place.

Elle nota les informations dans un coin de sa tête en ne songeant qu'à une chose : trouver un argument pour lui permettre de reporter sa présence à plus tard.

— D'accord, maintenant, en quoi ces traces vous paraissent-elles suspectes ?

Quand l'officier lui fit une description rapide d'une marque « bizarre » et du discours embrouillé des employés, l'instinct de Sarah se réveilla.

Elle cala le combiné sur ses cuisses et se passa les mains sur le visage. Quand elle reprit l'appareil, le ton de sa voix était déjà un peu moins tremblant.

— Bon, écoutez. Vous protégez la scène et vous faites intervenir la police scientifique. Je préviens le légiste.

Ce n'est qu'après avoir raccroché qu'elle se renversa sur son siège en poussant un soupir. Allait-elle vraiment avoir la force d'assumer son engagement ? La résistance physique ne lui faisait pas peur. Mais tiendrait-elle le choc moralement ? Rien n'était moins sûr. Surtout là où elle était attendue.

*

Sarah jeta un œil sur le tableau de bord de son 4 × 4 : − 4 °C, 5 h 56 du matin, 36 km/h. Dehors, les rues recouvertes de neige ressemblaient à des canyons blancs d'où ne dépassaient que les rétroviseurs des voitures garées le long des trottoirs. Pas un passant ne s'était encore aventuré dehors, et de rares lumières commençaient à éclairer les fenêtres des appartements. Dans la lueur des phares, Sarah distingua le panneau indiquant la direction de la Sentralstasjon. Elle arrivait au lieu de rendez-vous convenu avec le légiste.

Elle réalisa alors qu'elle n'avait aucune idée de ce à quoi elle ressemblait. Non pas qu'elle fût coquette, au contraire, elle avait pour habitude de n'user d'aucun artifice, surtout dans le cadre de son travail. Ni blush, ni fond de teint, ni rouge à lèvres, ni bagues, seulement

16

son alliance. En revanche, elle refusait que l'on lise sur son visage l'empreinte des fortes émotions qu'elle venait de traverser. Profitant d'un arrêt à un feu rouge, elle se dévisagea dans le rétroviseur intérieur.

Il lui sembla avoir vieilli de dix ans. Ses yeux rougis par les larmes étaient gonflés et ses pattes-d'oie lui parurent plus marquées. Quant à sa peau laiteuse, elle avait pris une teinte blême, presque maladive. Alors, pour une fois, elle s'autorisa une tricherie. Elle souleva l'accoudoir central et y retrouva un élastique, un gloss et un crayon à maquiller qu'elle conservait justement pour les urgences.

Elle dessina un fin trait d'eye-liner qui soutenait le bleu de ses yeux, puis, d'un geste précis, elle appliqua un discret voile de gloss rosé sur ses lèvres et termina en nouant ses cheveux d'un élastique comme le feu repassait au vert.

Alors qu'elle tournait autour du dernier rond-point avant la gare, les halos aux couleurs orangées des lampadaires laissèrent place à un éclairage blafard. Elle repéra vite le légiste, qui détonnait dans le décor.

L'esplanade extérieure de la gare était réputée pour être un lieu de regroupement de drogués et d'ivrognes à la démarche hasardeuse. La silhouette du légiste ne fut donc pas difficile à identifier. C'était la seule à conserver une position droite. De taille modeste, la capuche de sa parka rabattue sur la tête, il soulevait une jambe après l'autre, une valisette à la main, et guettait les rares voitures qui passaient. Derrière lui, un groupe d'individus bruyants se rapprochait.

Sarah ralentit à hauteur et se pencha côté passager pour ouvrir la portière. Alors qu'elle s'apprêtait à se redresser, elle vit un des rôdeurs se détacher du groupe et pousser le légiste dans le dos. Le médecin trébucha et des rires moqueurs éclatèrent. Sarah composa un code sur le clavier de sa boîte à gants, saisit son arme de service à l'intérieur et sortit du véhicule. Le légiste s'était redressé et avançait vers elle d'un pas tranquille, comme si de rien n'était. Les insultes se firent plus violentes et une bouteille vint se briser par terre, juste à côté de lui. Pourquoi ne se dépêche-t-il pas ? se demanda Sarah en contournant la voiture, son arme dissimulée derrière la cuisse. Elle savait mieux que personne jusqu'où ces délinquants étaient capables d'aller.

Une voix éraillée et agressive cria au « vieux » de leur balancer son sac sous peine de se faire saigner comme un porc. Au même moment, Sarah aperçut le visage du médecin dans la lumière d'un lampadaire. Un homme d'une bonne cinquantaine d'années à la peau rougie par le froid, mais dont les rondeurs laissaient deviner un bon vivant. Placide, il lui fit signe qu'il arrivait et continua d'avancer sur l'esplanade sans se presser. Est-ce qu'il avait pris conscience de la menace ?

— Tu l'auras cherché, connard ! braila le même individu qui lui avait ordonné de lâcher sa sacoche.

Et il fondit sur le légiste en poussant un cri enragé. Sarah crut distinguer le reflet d'une lame dans sa main. Instinctivement, elle positionna son arme le long de sa hanche. Le médecin ne changea rien à son rythme de promeneur. Sarah arma son bras, bloqua sa respiration et ajusta son tir pour viser dans les jambes. Elle s'apprêtait à faire feu quand l'homme au couteau glissa et tomba à la renverse sur les dalles gelées de l'esplanade.

Le légiste s'engouffra dans la voiture sans se presser. Sarah rentra à son tour et démarra.

— Bonjour, inspectrice Geringën, lança le légiste en retirant ses gants. Docteur Thobias Lovsturd.

Ignorant sa main tendue, Sarah hocha à peine la tête, contrôla ses rétroviseurs et fit demi-tour. Le médecin haussa les épaules, rabattit sa capuche et chercha le regard de l'inspectrice tandis que les insultes lancées par les voyous s'écrasaient contre les vitres de la voiture.

— Excusez-moi de vous avoir causé ce moment de tension. Mais, si je m'étais mis à courir, je me serais retrouvé les deux pattes en l'air et ces types auraient joué au foot avec ma tête. Alors j'ai continué à marcher en pariant sur les effets de l'alcool pour sauver ma peau. Et comme je l'avais prévu, ces abrutis imbibés n'ont pas pensé au verglas et se sont mis à courir. Et puis vous savez quoi, si j'avais dû mourir, c'est que ça aurait dû arriver !

Le médecin termina sa démonstration en consultant du coin de l'œil l'inspectrice silencieuse.

— C'est donc vrai ce qu'on dit sur vous... Vous êtes une taiseuse. Mais ce n'est pas grave, je fais souvent la conversation pour deux. Cependant, si cela vous dérange, n'hésitez pas à me le dire, les morts m'ont mal habitué.

Pas mécontent de sa plaisanterie, il secoua la tête.

— Bref, merci beaucoup d'avoir fait ce détour pour passer me chercher. C'est effectivement plus rapide comme ça depuis qu'il faut remplir tout un tas de papelards pour emprunter une voiture de service !

Il rabattit sa capuche et frotta l'arrière de son crâne chauve. Puis il ouvrit sa valisette pour y prendre un mouchoir. Sarah reconnut l'odeur caractéristique du camphre. Ce baume que les médecins légistes s'appliquent sous le nez pour camoufler l'odeur des corps qu'ils dissèquent.

Elle entrouvrit la fenêtre et enclencha son clignotant pour rejoindre la Ring 3, la voie rapide qui menait au nord d'Oslo.

— Vous savez, je suis ravi de pouvoir enfin vous rencontrer. J'ai si souvent entendu parler de vous ! Et si je peux vous faire une confidence, vous ne ressemblez pas du tout à ce que j'avais imaginé.

Il termina par un bref rire de connivence. Le nom de Sarah Geringën était apparu la première fois dans son service lorsqu'elle avait été chargée de reprendre l'enquête sur le tueur en série Ernest Janger, surnommé plus tard l'Ambulancier. La traque piétinait depuis deux ans et le nombre de femmes disparues s'élevait désormais à six victimes. Cette affaire était la honte de la police nationale. Sarah venant de brillamment conduire l'arrestation d'un autre assassin particulièrement complexe à cerner, ses supérieurs avaient eu l'idée de mettre à profit son sens de l'analyse et son acharnement sur l'affaire qui inquiétait le Tout-Oslo.

Elle avait commencé par ordonner que l'ensemble des autopsies soient refaites selon un protocole plus précis et plus fouillé que le travail fourni en première main. Lovsturd, alors nouvellement promu médecin en chef de l'Institut médico-légal, s'était rappelé combien lui et ses collègues avaient pesté contre ce supplément de travail.

Mais, en relisant les rapports de ses camarades, il avait dû reconnaître certaines approximations, notamment dans les appellations chimiques des substances trouvées sur les victimes. Et spécialement un produit qui avait fait toute la différence dans la résolution de l'enquête.

Toujours est-il que cette inspectrice Geringën, qu'il n'avait jamais vue, lui était apparue comme une femme sèche, au physique rebutant. Et finalement, il devait admettre qu'il était loin du compte.

Curieux d'en savoir plus sur elle, il se mit en tête de la faire réagir. Ne serait-ce que pour entendre le son de sa voix.

— Dites-moi, ce n'est pas à Gaustad que Janger se trouve ? Ça va lui faire drôle s'il vous voit.

C'était bien l'une des raisons pour lesquelles Sarah n'avait aucune envie de se rendre là-bas aujourd'hui. Mais elle avait encore moins envie d'engager la conversation sur le sujet.

Le légiste l'observa, incapable de deviner derrière ces yeux d'un bleu de glace, si elle pensait à autre chose ou si elle l'ignorait. Mais Thobias n'était pas du genre à se laisser décourager.

— En tout cas, je n'ai jamais eu l'occasion de vous le dire, mais bravo pour la façon dont vous avez coincé ce malade l'année dernière. C'était sacrément malin de votre part de faire le lien entre les traces de détergents retrouvés sur les corps des victimes et la présence récurrente de cette ambulance sur les lieux quelques minutes avant chaque enlèvement. Vous avez dû vous en taper, des lectures et des relectures de témoignages, pour mettre le doigt là-dessus. Parce que j'imagine que c'est pas le premier truc que les témoins devaient raconter.

Loin de là, avait envie de lui répondre Sarah. Puisque cette ambulance n'était apparue dans les rapports que lorsqu'elle avait elle-même réinterrogé tous les témoins et passé des heures à en recouper les similarités, même les plus anodines. Comme cette ambulance que les témoins citaient vaguement comme décor de fond sans jamais insister sur ce détail.

— Et puis cette intervention, disons, musclée que vous avez menée chez lui le jour de l'arrestation. Je sais que pas mal d'agents ne se sont toujours pas remis que vous ayez décidé d'entrer la première et réussi à neutraliser Janger aussi vite. J'imagine que votre passé dans les FSK[1] n'y est pas pour rien.

— Ce qui m'intéresse aujourd'hui, c'est ce qu'on va trouver ce matin.

La voix de Sarah venait de vibrer dans l'habitacle pour la première fois. Thobias Lovsturd, qui ne s'y attendait plus, sursauta et, intimidé, il préféra se taire quelque temps.

Sarah supportait mal de reparler de son passage au sein des forces spéciales. Leur division était certes très bien entraînée, mais sous-équipée pour contrer rapidement des actes terroristes. La tuerie d'Anders Breivik en avait été selon elle la tragique illustration. Leurs trente minutes de retard pour arriver sur l'île d'Utøya à cause d'un problème de moteur étaient pour Sarah et nombre de ses collègues de l'époque la cause directe de la mort de trente adolescents sur les soixante-dix-sept victimes. À la suite de ce qu'elle qualifiait d'inavouable échec, elle avait ainsi quitté la division pour rejoindre la police nationale en qualité d'inspectrice. En espérant que l'analyse et la perspicacité permettraient au final de sauver plus de vies que les interventions de dernière minute mal calibrées.

1. Forsvarets spesialkommando. Unité de forces spéciales.

Lorsqu'ils quittèrent la quatre voies de la Ring 3 et empruntèrent une route rurale qui serpentait entre les sapins ployant sous la neige, Sarah enclencha le mode 4 × 4 de son véhicule et alluma les phares anti-brouillard. Ici, les flocons avaient cessé de tomber pour laisser place à une dense couche de brume.

Alors que le chemin se déroulait avec incertitude, le thermomètre indiquait désormais – 3 °C et du givre étendait ses cristaux sur les bords du pare-brise. Le légiste regarda par la fenêtre.

— Ce n'est pas banal, une affaire dans un endroit pareil.

Sarah passa une mèche de cheveux derrière son oreille dans un froissement rigide de sa parka. Thobias se massa la nuque, attentif au paysage.

Ils progressaient dans une zone boisée et quasi inha-bitée, en dehors de quelques pavillons de vacances que l'on apercevait parfois entre les arbres. La route se sépara en deux et Sarah emprunta le chemin qui montait à travers la forêt. Les phares peinaient à percer le brouillard et butaient contre les congères qui s'éle-vaient à mi-hauteur du véhicule. De temps en temps se dévoilaient les contours d'un arbre dont les branches ressemblaient à des doigts osseux saupoudrés de neige.

On n'entendait plus que le bruit des roues craquant sur la neige glacée et, soudain, il surgit devant eux dans la lumière des phares, son imposante silhouette se découpant dans la brume. D'abord, ils distinguèrent la tour gothique en brique et sa coupole en métal surmontée d'une flèche de clocher. Puis, telles des sentinelles, les façades crénelées des ailes du bâtiment émergèrent à leur tour du rideau vaporeux, les sommets de leurs murs enneigés disparaissant dans l'obscurité.

L'endroit aurait pu paraître abandonné, si les flashes bleus des gyrophares de deux voitures de patrouille et d'une camionnette de la police scientifique n'avaient pas électrisé les murs de l'établissement.

Sarah s'arrêta. Le moteur du 4 × 4 ronronnait sous le capot, le pot d'échappement toussant des ronds de fumée.

— Nous y voilà, annonça le légiste d'une voix que Sarah trouva hésitante.

Elle remit la voiture en marche et ils passèrent sous l'arche en fer forgé du portail d'entrée. Sarah y devina l'inscription partiellement recouverte par la neige : « Hôpital psychiatrique de Gaustad ».

Sarah coupa le moteur. À l'extérieur, l'air glacé cernait la voiture comme une meute prête à fondre sur sa proie.

— Bon, allons-y.

Thobias Lovsturd quitta l'atmosphère tiède du véhicule et s'avança vers l'entrée de l'établissement en pestant contre ce froid de cadavre.

Les mains sur le volant, Sarah chercha à calmer les palpitations de son cœur en contrôlant son souffle. Mais l'exercice eut l'effet inverse de ce qu'elle espérait. Le nœud d'angoisse se resserrait autour de sa gorge comme si un bourreau invisible prenait plaisir à l'étrangler. Pourquoi ? Pourquoi devait-elle venir ici aujourd'hui ?

Elle ouvrit la boîte à gants en composant son code secret sur le clavier numérique. À l'intérieur du rangement se trouvait une paire de menottes qu'elle glissa dans sa poche arrière. Derrière son pistolet HK P30 se cachaient un gyrophare, un paquet de chewing-gums vert et un tube d'anxiolytiques. Elle considéra un instant le paquet de chewing-gums et le pistolet avant d'opter pour un cachet et de verrouiller la boîte à gants.

Elle ajusta le col de son pull, ferma sa parka jusqu'en haut et sortit de la voiture. À quelques pas devant elle, dans la nuit, le légiste évoluait avec difficulté dans la neige, une vapeur blanche s'échappant de sa bouche à chaque expiration.

Sarah lui emboîta le pas, éclairée par l'effet stroboscopique des gyrophares et de quelques lumières filtrant des fenêtres de l'hôpital.

Les semelles de ses bottes écrasaient avec prudence la poudreuse lorsqu'une lamentation jaillit d'une des fenêtres éteintes du premier étage.

— Eh bien... souffla le légiste alors que Sarah venait de le rejoindre. Je passe ma vie avec des morts, mais, très honnêtement, je ne sais pas si j'aurais eu le cran de travailler dans un asile. Surtout celui-ci...

Lors de ses études de psychologie criminelle, Sarah avait effectivement appris que l'établissement de Gaustad détenait le sinistre record d'Europe de lobotomies. Dans les années quarante, trois cents patients y en avaient subi une. À l'époque, on pensait que l'on pouvait soulager les personnes atteintes de schizophrénie, d'épilepsie ou de dépression en sectionnant une partie des fibres nerveuses de leur cerveau.

Sarah se rappelait le processus barbare consistant à insérer la pointe d'un pic à glace vers le haut, entre le globe oculaire et la paupière, jusqu'à ce qu'il cogne sur la paroi osseuse. D'un coup de marteau, le praticien lui faisait traverser la boîte crânienne pour pénétrer dans le lobe frontal du cerveau. Il s'emparait alors des poignées dont était muni le pic à glace et exécutait des mouvements de balayage qui tranchaient une partie des terminaisons nerveuses. Dans la majorité des cas, le malade était uniquement sous anesthésie locale et perdait connaissance soit de douleur, soit à la suite des convulsions provoquées par l'ablation de ses fibres nerveuses.

Certains patients décédaient au cours de l'opération, et ceux qui se réveillaient étaient condamnés à un état végétatif, sans plus aucune imagination, curiosité ou envie. Mais pour les médecins, ils étaient guéris. Leur agressivité ou les crises qui les faisaient tant souffrir avaient effectivement disparu. Et on renvoyait chez eux ces individus qui ne représentaient plus aucun risque pour la société.

Sarah avait appris plus tard que le gouvernement américain de l'époque avait vu dans cette opération une solution pour diminuer le temps de séjour des malades mentaux dans les hôpitaux, et par conséquent une source d'économie budgétaire. Il avait donc officiellement encouragé la lobotomie.

Pressée d'entrer dans cet hôpital pour en ressortir au plus vite, Sarah accéléra le pas et distança le légiste, moins agile qu'elle. En passant sous l'ogive sculptée du porche d'entrée, elle eut l'impression de franchir le seuil d'une église.

Refoulant autant que possible la peur qui montait en elle, elle poussa résolument l'un des doubles battants en bois ouvragé de la porte d'entrée et pénétra dans un hall d'une hauteur de cathédrale. En face d'elle, à une vingtaine de pas, un imposant comptoir d'accueil en acajou à gauche duquel s'élevait un escalier circulaire. Tout au fond du hall, dans l'axe de l'accueil, une porte vitrée derrière laquelle on apercevait des silhouettes vêtues de blouses blanches. Et, partout dans l'air, une entêtante odeur de détergent.

Une hôtesse d'accueil s'était levée à l'arrivée des visiteurs. Elle devait tout juste cumuler une vingtaine d'années et son sourire déplacé en de telles circonstances trahissait son manque évident d'expérience.

Sarah traversa le vestibule, les talons de ses bottes martelant le carrelage usé en damier de marbre blanc et noir. De façon aussi froide que l'avait été sa démarche, elle présenta sa carte d'inspectrice du Service national des enquêtes criminelles.

— Bonjour, madame… Geran… pardon, Geringën. Le professeur Hans Grund est dans son bureau, il vous attend, déclara la jeune femme avant d'entamer un geste d'accompagnement vers l'escalier.

— Dites-lui de descendre.

Le légiste, qui avait suivi Sarah, adressa un sourire gêné à l'hôtesse.

— Bien… je… je l'appelle, répondit-elle en se rasseyant pour composer un numéro sur le cadran de son téléphone.

Sarah affina son observation du hall et comprit que la forte odeur de produits d'entretien n'était pas seule responsable de son inconfort. L'hôpital semblait figé dans le passé. Tant et si bien que, sans l'écran d'ordinateur qui dépassait du meuble de l'accueil, on aurait pu se croire à la fin du XIXe siècle. Les marches de l'escalier, lui aussi en bois d'acajou, étaient patinées, le plafond voûté s'élevait à la façon d'une coupole de chapelle et le sol en damier achevait de dater le lieu du siècle précédent.

Sarah aperçut du mouvement derrière la porte vitrée située au fond du hall. Du personnel installait à des tables des individus en tenue vert pâle. Parmi l'un deux se trouvait probablement celui que Sarah avait entendu pousser ce cri déchirant alors qu'elle s'apprêtait à entrer dans l'hôpital. Était-ce ce petit homme

28

voûté aux mouvements vifs et au regard fuyant, ce jeune garçon élancé à la démarche pataude et endormie, ou cette femme ? Elle devait avoir une quarantaine d'années. Elle était isolée à une table vide, l'air sombre, les cheveux emmêlés, les joues creuses. Sarah croisa son regard et n'y décerna aucune folie, seulement de la solitude et de la détresse.

Sarah sentit ses yeux brûler de larmes refoulées et détourna le regard juste avant qu'une voix l'interpelle.

La femme la considéra un instant, puis se détourna.

— Inspectrice Geringën !

La porte blindée qui donnait sur le hall venait de s'ouvrir sur un homme d'une quarantaine d'années, le menton cerclé d'une barbe rousse. Il portait la chemisette bleu clair aux épaulettes noires de la police et se dirigeait vers Sarah d'une démarche alerte.

— Officier Dorn. C'est moi qui vous ai appelée, déclara l'homme dont Sarah remarqua les cernes et l'air préoccupé.

C'était bien lui qu'elle avait identifié quand elle avait reçu l'appel. Un jour, il avait fait venir ses jumelles rousses au commissariat pour leur faire visiter l'établissement. Elle avait apprécié le soin qu'il prenait à leur expliquer avec des mots appropriés les responsabilités de chacun.

Sarah le salua d'un mouvement de tête et attendit qu'il poursuive. L'officier connaissait la réputation de l'inspectrice et ne fut pas étonné de son silence. Il savait aussi qu'elle ne s'embarrassait pas de politesses et attendait qu'on aille droit au but.

Il jeta un coup d'œil en direction de l'hôtesse derrière l'accueil et parla à voix basse. À leurs côtés, le légiste tendit l'oreille.

— Donc, à 5 h 23 ce matin, on a reçu un appel d'Aymeric Grost, le gardien de nuit de l'hôpital. Il avait l'air nerveux et parlait de manière confuse. Il nous a expliqué qu'un des patients de l'asile s'était suicidé. Son directeur était injoignable, alors il avait pris la responsabilité de nous appeler. Quand on est arrivés, il avait l'air désolé. Il nous a expliqué qu'on était certainement venus pour rien. Que le patient était mort d'une simple crise cardiaque.

Sarah fronça les sourcils.

— Pourquoi a-t-il parlé de suicide alors ?

— En fait, il était dans la salle vidéo en train de surveiller les écrans. Et puis tout d'un coup, il a vu un des patients s'agripper le cou et se tortiller dans tous les sens jusqu'à ce qu'il arrête de bouger. Il a cherché à joindre les deux infirmiers de garde, qui n'ont pas répondu, puis le directeur, injoignable lui aussi. Alors, il a appelé au commissariat et a décrit ce qu'il avait vu en disant qu'un patient venait de se suicider sous ses yeux.

— Les deux infirmiers ont confirmé cette version ? demanda Sarah.

— Oui, ils m'ont raconté qu'ils étaient occupés aux tâches de nuit quand ils ont entendu des cris. Ils étaient à l'autre bout du bâtiment. L'un des infirmiers était en pleine piqûre et n'a pas pu venir tout de suite. Et l'autre, le temps qu'il débarque dans la cellule d'où provenait le bruit, le patient était mort.

— Et l'appel du gardien de la vidéosurveillance ? Ils ne l'ont pas entendu ? s'étonna Sarah.

— Si, mais dans l'urgence, ils ont privilégié le patient. Mais ça n'a pas suffi, le type était déjà décédé.

— Sauf que ça n'a aucun sens ! s'exclama le légiste. On ne peut pas se tuer en s'étranglant. La perte de connaissance entraîne forcément un relâchement de la strangulation. C'est quoi cette histoire ?

Le légiste chercha le soutien de l'inspectrice. Mais elle fit signe à l'officier Dorn de poursuivre.

— C'est évidemment ce que les infirmiers m'ont expliqué dès que je suis arrivé, reprit-il. Ils en ont rapidement déduit que le patient avait eu une crise d'angoisse suivie d'une crise cardiaque. Mais leur collègue de la surveillance, qui a été engagé il y a seulement quelques jours, a paniqué et n'a pas attendu leur diagnostic avant de contacter la police pour déclarer ce qu'il croyait être un suicide. Voilà comment je suis arrivé ici.

— En tout cas, si pour eux, il s'agit d'une crise d'angoisse, elle devait être sacrément carabinée. Vous imaginez, pour qu'un type ait envie de s'étrangler de ses propres mains ? s'étonna Thobias.

Dorn masqua mal son agacement. Mais Sarah s'étant fait la même réflexion que le légiste, elle attendit la réponse de l'officier.

— J'ai fait la remarque aux infirmiers, qui m'ont rappelé que nous étions dans un asile psychiatrique et que les attaques de démence n'étaient malheureusement pas rares.

L'officier Dorn termina son récit, l'air embarrassé. Le légiste soupira comme s'il voulait signifier qu'on l'avait dérangé pour rien.

— OK, je me suis peut-être emballé aussi, reprit Dorn, mais franchement, si je vous ai appelée, inspectrice, c'est parce que je les ai tous trouvés tellement nerveux et hésitants que je me suis dit qu'il valait mieux être prudent. Et puis, je ne sais pas, même si ça semble logique maintenant, ça ne m'a pas plu qu'ils changent de version entre l'instant où ils nous appellent et celui où on arrive. Et puis il y a aussi cette marque sur le front... C'est bizarre.

Sarah convenait que la situation n'était pas limpide. Sans qu'elle y trouve pour autant une dimension suspecte.

— Où sont les trois surveillants de cette nuit ?

— Les deux surveillants Elias Lunde et Leonard Sandvik ont été isolés l'un de l'autre et vous attendent pour être interrogés si vous le voulez. Le gardien de nuit, Aymeric Grost, est dans une autre chambre de l'hôpital. Vous verrez, il est jeune et ne travaille à Gaustad que depuis deux semaines. La police scientifique de son côté est déjà en train de procéder aux relevés comme vous me l'avez demandé. Quant au directeur, je crois qu'il vient d'arriver, je n'ai pas encore eu le temps de le voir. Je suis désolé, peut-être que je n'aurais pas dû être aussi alarmiste au téléphone.

Sarah ne lui en voulait pas. Elle n'en voulait jamais à ceux qui choisissaient le doute pour guide. Et puis, à bien y réfléchir, elle se demandait même si elle ne préférait pas être là plutôt que de se morfondre dans les bras de sa sœur. En tout cas, elle essayait de s'en convaincre.

Elle allait demander à l'officier de la conduire au cadavre, mais un homme de haute stature et vêtu d'un costume gris se profila dans l'escalier en acajou.

Il descendait les marches d'un pas dynamique, dévoilant vite une physionomie allongée et des tempes grisonnantes qui lui donnaient un air élégant. Son regard franc surligné de sourcils broussailleux était celui d'un homme habitué à diriger. Il considéra Sarah et le légiste avec solennité.

— Professeur Hans Grund, je suis le directeur de l'établissement. Désolé que l'on vous ait au final dérangés pour rien, mais, au fond, c'est tout à l'honneur de mes équipes d'avoir cru bien faire.

Le directeur, qui avait tendu le bras, fut désarçonné en constatant que Sarah gardait les mains enfoncées dans les poches de sa parka. C'était l'une de ses règles. Ne jamais avoir de contact physique avec les personnes concernées de près ou de loin par une affaire. Plusieurs études psychologiques avaient prouvé qu'un simple effleurement pouvait influencer le jugement d'une personne sur une autre. Mais si professionnelle fût-elle, elle n'en était pas moins humaine. Elle lui adressa un bref salut d'un hochement de tête.

Le temps que le directeur suspende son geste, Sarah repéra que la chair sous l'ongle de son pouce droit était à vif. D'un coup d'œil, elle observa ses mains et ne releva aucun ongle rongé. Il n'était pas dans ses habitudes de se mordiller la peau des doigts. La mort de ce patient avait dû déclencher une vive émotion chez lui.

— Thobias Lovsturd, médecin légiste, intervint le petit homme en constatant le trouble du directeur face au mutisme de l'inspectrice.

— Enchanté. Et veuillez me pardonner si je ne suis pas aussi affable que je devrais l'être, mais la mort d'un de mes patients, si naturelle soit-elle, me peine toujours.

— Où est le corps ? demanda Sarah.

Les rides du directeur se plissèrent sous l'effet de la vexation.

— Soit, si je comprends bien, maintenant que vous êtes là, autant aller jusqu'au bout de la procédure. Cela

33

dit, je pense que l'affaire ne vous prendra guère de temps. Par ici, s'il vous plaît.

Grâce au badge qu'il portait autour du cou, le directeur ouvrit la porte métallique que Sarah avait repérée sur la gauche en entrant. Elle lui emboîta le pas, suivie du légiste et de l'officier Dorn. À l'odeur de détergent se mêla un parfum d'éther. Hans Grund se tourna un instant vers Sarah sans s'arrêter de marcher.

— Je comprends que ce genre d'endroit puisse vous mettre mal à l'aise, inspectrice. Moi-même, je me souviens que lors de mes premiers stages en hôpital psychiatrique, je me suis demandé si j'étais vraiment fait pour ce métier. Mais j'ai compris plus tard que c'était parce que j'avais du mal à appréhender ces gens. Après avoir étudié en détail leurs pathologies et leur fonctionnement, la bizarrerie a laissé place à l'intérêt et à l'envie de les aider.

Si tu savais pourquoi je suis effectivement mal à l'aise ici, tu te tairais, aurait voulu lui répliquer Sarah. Mais elle ne faillit pas à son économie de langage. Silence qui ne fit qu'accroître l'embarras du directeur.

Ils empruntèrent un long couloir au sol luisant qui donnait de part et d'autre sur plusieurs pièces vides. De l'une d'elles, située plus avant dans le couloir, provinrent soudain des éclats de voix. Le directeur ne parut pas s'en soucier, mais Sarah dut accélérer le pas pour le suivre. Arrivé devant la pièce d'où provenait le bruit, Hans Grund s'y engouffra en priant le groupe de bien vouloir l'attendre un instant.

Dans ce qui ressemblait à une salle de jeux, si l'on en croyait les nombreux patients attablés en train de jouer aux cartes, un homme en blouse verte se débattait alors que deux infirmiers se donnaient une peine de tous les diables pour le maintenir. Il criait qu'il ne voulait pas prendre ses pilules, qu'il refusait qu'on l'empoisonne, que ça lui donnait l'impression de mourir chaque fois. Le directeur s'approcha d'une démarche calme, comme s'il savait exactement ce qu'il fallait faire pour régler la situation. Sarah l'observa, curieuse de voir comment il allait s'y prendre.

— Bonjour, Geralt…, lança Hans Grund.

L'homme se démenait dans tous les sens. Les infirmiers étaient rouges d'effort et l'agacement commençait à se lire sur leurs visages. Le directeur leur fit signe de lâcher le patient qui s'agita encore quelques instants avant de se calmer. Hans Grund tira deux chaises. Il invita le patient à s'asseoir à côté de lui, comme deux copains. De là où elle était, Sarah n'entendait pas ce qu'ils se disaient, mais elle fut étonnée de voir Hans Grund et le patient sourire après quelques secondes. L'échange ne dura pas plus d'une minute. Le directeur finit par tendre un verre d'eau au patient qui avala un cachet. Les deux hommes se serrèrent la main et le professeur regagna le couloir.

— Le corps est un peu plus loin, se contenta-t-il de dire.

*

En chemin, Dorn confia à Sarah un badge électronique qui lui permettrait de circuler dans tout l'établissement. Il en profita pour lui remettre aussi un talkie-walkie muni d'une oreillette. L'hôpital était vaste et cela faciliterait grandement leurs échanges. Sarah n'avait pas l'intention de s'attarder, mais elle accepta le matériel par principe de précaution.

En passant près d'une porte close, ils entendirent quelqu'un qui sanglotait en appelant « mon bébé ? » d'une voix étonnée de ne pas recevoir de réponse. Mal à l'aise, Sarah couvrit la plainte de sa voix.

— La victime présentait-elle des risques cardiaques ?

— Oui… D'ailleurs, il était suivi. Mais à son âge, on ne peut malheureusement pas toujours lutter contre la fatalité.

— Quel âge ?

— Soixante-seize ans.

Dorn les avait désormais devancés et ouvrit une porte donnant sur un couloir plus moderne muni de néons, dont la lueur laiteuse se reflétait sur des dalles de PVC. Tout au bout du très long couloir, deux agents de police montaient la garde.

— Pour quelle raison ce patient était-il interné ici ? s'informa Sarah qui voulait cerner au mieux le profil de la victime avant que la découverte du cadavre ne vienne parasiter son raisonnement.

— Pour de récurrents troubles de la personnalité. Délire, paranoïa… Mais ce n'était pas un patient dit « sensible ». Par rapport à d'autres pensionnaires, j'entends.

— Si l'on en croit votre surveillant, il a essayé de s'étrangler. Ce n'est quand même pas commun, répliqua Sarah.

Le directeur rajusta le nœud de sa cravate.

— Effectivement, mais ça m'étonne de sa part. Il était plutôt calme.

— Un effet secondaire de l'un de ses traitements ?

— On ne peut rien exclure, mais je ne pense pas. Il suivait la même prescription depuis des années et il n'y avait aucune contre-indication en ce qui le concernait. Nous sommes très vigilants sur ce point.

— Un mauvais dosage ?

Le directeur secoua la tête.

— Je suis médecin avant tout, inspectrice : la médication de mes patients est mon obsession. Et je suis intraitable sur ce point avec mes infirmiers. Depuis que je suis ici, il n'y a jamais eu d'erreur de dosage. Je ne prétends pas que ça ne peut pas se produire, mais c'est fort peu probable.

Le groupe passa devant une chambre depuis laquelle on entendait un patient chanter une mélodie douce qui se termina par une insulte d'une grossièreté inédite. Thobias répéta l'injure à mi-voix, comme intimidé par la qualité du propos. Mais Sarah remarqua que le directeur ne souriait pas. Pire, il sembla contrarié par ce qu'il venait d'entendre. Il tira un carnet de sa poche intérieure, nota l'heure et inscrivit quelques mots avant de ranger son pense-bête.

— Ceux qui étaient de garde cette nuit ont peut-être malgré tout commis une erreur qu'ils n'osent pas vous avouer de peur de perdre leur emploi. Comme ceux qui ont peut-être oublié de donner son traitement à ce patient particulièrement... créatif.

Le directeur adressa un regard étonné à Sarah.

— Je ne sais pas comment cela se passe avec vos supérieurs, mais ici, je ne suis pas un tyran. Nous sommes une équipe, je suis leur entraîneur, pas leur arbitre. Quand mes employés ont un problème, ils viennent m'en parler. Leonard et Elias auraient fait de même s'ils avaient commis une faute. Non, cet homme est parti de sa belle mort, si j'ose dire. Je crois qu'il n'y a rien d'autre à chercher. Mais je vous laisse constater par vous-mêmes.

— Une dernière question. Combien y a-t-il de secteurs dans votre établissement ?

— Trois. Le secteur A est réservé aux patients qui ne présentent pas de danger évident pour eux ou pour les autres. Ceux de la zone B demandent une attention plus soutenue et ne peuvent pas vivre en groupe trop grand. Ceux de la zone C sont logiquement qualifiés de dangereux, même si je n'affectionne guère ce terme. L'incident de cette nuit a eu lieu dans la zone A, devant laquelle nous venons d'ailleurs d'arriver.

Deux officiers de police bloquaient le passage et ne s'effacèrent que lorsque Sarah présenta sa carte d'inspectrice de la police d'Oslo.

— Vous pouvez y aller, inspectrice Geringën, dit l'agent, un colosse blond aux cheveux coupés en brosse dont le nom – Nielsen – était épinglé sur sa vareuse.

Sarah posa le badge de l'hôpital sur le capteur électronique. On entendit le bruit d'un verrou et la porte s'ouvrit sur un couloir plongé dans la pénombre. Aucun des néons du plafond n'était allumé et l'unique source de lumière provenait d'une étrange lueur bleue irradiant d'une ouverture située sur la gauche.

— Ils en sont encore au polilight, précisa le légiste en désignant la lumière bleutée d'un coup de menton.

Le directeur allait suivre Sarah et le légiste, mais le géant blond aux mains épaisses lui bloqua l'accès.

— Désolé, monsieur, c'est une scène protégée.

Le battant de la porte se referma dans un claquement sourd.

Sarah aperçut une momie blanche revêtue de chaussons Stérigène, qui sortait de la pièce d'où filtrait le halo bleu. La silhouette immaculée déposa un tube en plastique sur un chariot et y colla une étiquette avant de regagner la salle.

Sarah fit quelques pas et avisa le contenu du chariot. Des gants tactiles et des surchaussures étaient à disposition. Elle s'équipa tandis que le médecin légiste enfilait une combinaison intégrale qu'il venait de sortir de sa valise.

En terminant d'ajuster l'un de ses gants, Sarah entra dans la cellule. L'éclairage du polilight lui donnait toujours l'impression d'évoluer dans un aquarium. Dans la pénombre azurée, deux techniciens en combinaison étaient en plein travail. Le premier, au fond de la pièce, venait de s'accroupir près d'un lit. À l'aide d'une pince, il saisit quelque chose sur le sol et le déposa dans un flacon.

Le second technicien, chaussé de lunettes aux verres orange, portait en bandoulière un appareil ressemblant à un petit radiateur. La lumière bleutée provenait du tuyau raccordé au boîtier que le policier dirigeait avec méthode sur les murs, le sol et le plafond.

Par terre, des repères jaunes numérotés signalaient des indices. L'un des plots se trouvait à côté d'une silhouette adossée au pied du lit dont les traits étaient dissimulés par la pénombre. Sarah s'approcha. La chambre formait un carré. Un lit était donc collé au mur de droite et des toilettes et un lavabo se trouvaient à l'opposé. C'était le seul mobilier.

— C'est bon pour moi.

La voix étouffée était celle d'une femme, la technicienne portant le polilight. Elle éteignit son appareil et s'accroupit près d'un fil électrique.

— Attention. J'allume !

La lumière des quatre projecteurs disposés aux coins de la pièce embrasa l'obscurité. C'est à ce moment qu'elle le vit.

Le cadavre lui faisait face, adossé au pied du lit, les jambes tendues vers l'entrée. Sa tête livide penchait sur le côté. La peau ridée par les années, vêtu d'une blouse vert pâle, les pieds nus, ses yeux écarquillés semblaient regarder une chose épouvantable, et sa bouche, ouverte, était pétrifiée dans une expression de terreur. Ses lèvres retroussées vers l'intérieur dévoilaient des dents gâtées et une langue déjà gonflée. Des filets de cheveux clairsemés recouvraient son front d'un voile gras.

Sarah prit quelques secondes pour assimiler l'hideuse vision et s'accroupit pour observer de plus près les stigmates de strangulation violacés sur le cou boursouflé et fripé de la victime. Elle y distingua nettement des traces de doigts. Malgré son allure de vieillard, le pauvre homme n'avait pas fait semblant.

Thobias Lovsturd entra dans la pièce, revêtu de sa combinaison.

— Alors, ça donne quoi, madame l'inspectrice ?

De son index ganté, Sarah écarta la frange de cheveux gras collés sur le front de la victime. Elle comprit pourquoi l'officier Dorn avait parlé d'une marque bizarre.

Trois cicatrices de la taille d'un demi-doigt chacune mutilaient le front exsangue de la victime. Elles se confondaient presque avec la couleur de la peau, mais un liseré blanc et une légère aspérité permettaient d'en tracer les contours. Mises bout à bout, ces trois marques formaient l'inscription « 488 ».

3

Le médecin au crâne dégarni s'accroupit à son tour et passa un doigt ganté sur les trois chiffres.

— Ce sont de vieilles cicatrices. Et ça n'a pas été réalisé dans les règles de l'art. Je doute que cet homme ait lui-même demandé à ce qu'on lui grave ça.

Le légiste éclaira les oreilles et les yeux du mort à l'aide d'une lampe.

— Quelques vaisseaux capillaires ont éclaté dans les globes oculaires à la suite d'une compression des voies respiratoires supérieures, mais ils ne sont pas si nombreux. Il n'y a aucun saignement d'oreille, la face est à peine congestionnée…

Puis, l'index et le pouce en forme de pince, le médecin palpa le cou sous la pomme d'Adam.

Sarah remarqua son air dubitatif.

— Et surtout je ne décèle *a priori* aucune fracture de l'os hyoïde. L'étranglement n'est effectivement pas la cause de la mort.

Le légiste poursuivit son examen en auscultant patiemment les membres du cadavre.

— Je ne vois aucune trace de coup ou de blessure, reprit Thobias, très concentré. À part ces bleus au creux du bras gauche, à l'endroit où on devait le piquer pour ses traitements, précisa le légiste en pointant du doigt les taches violacées sur le haut de l'avant-bras du cadavre. Mais dans un endroit pareil, ça n'est pas anormal… Voilà, pour le moment, c'est à peu près tout ce que je peux dire.

— Alors, la cause de la mort selon vous ? se résolut à demander Sarah.

— Je n'exclus rien, reprit le légiste. Pas même l'empoisonnement accidentel. Je pourrai vous confirmer tout ça après l'expertise toxicologique et l'examen des organes. Si vous y tenez, en tout cas.

— Croisez vos relevés avec ceux des techniciens scientifiques et vérifiez si les traces de doigts sont bien celles de la victime. Puis transportez le corps à l'hôpital et informez-moi des conclusions de l'autopsie.

Thobias approuva avec une moue étonnée.

— Bien vu, les traces de doigts qui pourraient ne pas être celles de la victime, dit-il. C'est ce genre de détail qui fait la différence avec vos collègues…

Sarah n'écouta le compliment que d'une oreille distraite. En attendant les conclusions du légiste, elle espérait que le directeur aurait une explication à lui fournir sur ces chiffres gravés sur le front de la victime.

Elle se redressa, mémorisa une dernière fois la chambre puis sortit.

Un des deux policiers scientifiques venait de quitter la pièce et déposait un sachet en plastique sur un chariot.

— Les relevés d'empreintes sur le corps de la victime, vous les avez faits ? lui demanda Sarah.

— Oui, les bandelettes sont là, répondit le technicien en désignant une boîte en plexiglas étiquetée de la mention « victime ». Et les traces papillaires sont exploitables.

Sarah se retourna vers le légiste pour l'informer, mais il la devança.

— C'est bon, inspectrice, j'ai entendu. Tout ce dont j'ai besoin est là...

Sarah lui répondit d'un signe de la main et jeta ses gants dans un conteneur jaune marqué du logo biorisque. Puis elle retira ses surchaussures qu'elle jeta au même endroit et se retourna une dernière fois vers la chambre de la victime. Quelque chose la dérangeait, mais elle ne parvenait pas à déterminer quoi exactement.

Elle s'attarda de nouveau sur le maigre et triste mobilier – le lit, le lavabo et les toilettes – et comprit ce qui la gênait. Il n'y avait ni serviette ni savon et le lit n'était recouvert par aucun drap. Comme si personne ne vivait vraiment dans cette chambre.

Elle rejoignit le directeur qui l'attendait de l'autre côté de la porte. Il releva ses lunettes sur son nez d'un geste rapide puis écarta les bras, l'air de dire : alors, vous voyez, c'est bien ce que je vous avais dit.

— Où sont les effets de la victime ? demanda Sarah.

— C'est-à-dire ?

— Je ne sais pas : serviette, draps, vêtements de rechange, brosse à dents, savon...

— Je suis désolé de vous le rappeler, inspectrice, mais nous ne sommes pas dans un hôpital classique, déclara-t-il en la regardant par-dessous ses lunettes. Par conséquent, nous avons l'obligation de priver nos patients de toute tentation suicidaire. Cela me semble aller de soi.

— Le secteur A est réservé aux patients qui ne présentent pas de danger évident pour eux ou pour les autres. Ce sont vos propres paroles, il y a moins de cinq minutes…

Hans Grund lissa sa cravate en secouant la tête, un plissement au coin des lèvres. S'agissait-il d'un geste trahissant le malaise d'un menteur pris en flagrant délit ou le mouvement d'humeur d'un directeur agacé par l'irrévérence d'une inspectrice qui lui faisait perdre son temps ? Sarah était pour le moment incapable de trancher.

— J'ai effectivement dit cela, répondit le directeur en approuvant la remarque de Sarah, mais nous ne sommes pas ici dans une usine à psychiatrie où les malades sont élevés en batterie. En prenant mes fonctions à Gaustad, j'ai mis un point d'honneur à adapter les règles en fonction de chaque cas, et ce, dans un seul but : le bien-être de mes patients. 488, c'est ainsi qu'on l'appelait ici, avait besoin d'un environnement rassurant et calme comme celui de l'aile A où nous sommes actuellement et où les patients ne sont pas agressifs. Mais, en même temps, il pouvait avoir des tendances suicidaires que je ne pouvais ignorer. Pour son cas particulier, j'ai donc opté pour un compromis : le secteur A, mais avec l'équipement des chambres du secteur B.

Hans Grund avait parlé avec plus de calme que Sarah ne l'aurait cru et elle trouva même son discours aussi intelligent que crédible. D'autant qu'elle l'avait vu à l'œuvre avec le patient récalcitrant tout à l'heure et ne pouvait qu'admettre que Hans Grund avait sincèrement l'air soucieux du bien-être de ses patients. Mais d'autres questions chatouillaient encore la curiosité de Sarah.

— Vous le surnommiez 488, mais quel était son vrai nom ?

Hans Grund se frotta le menton d'un air embarrassé.

— Eh bien… je… Comment dire, je l'ignore.

Sarah ne fut cette fois pas assez prompte pour dissimuler son étonnement.

— Oui, je sais, cela paraît improbable, mais je vais vous expliquer pourquoi, se justifia le directeur. Seulement, pas ici. Dans mon bureau, si cela ne vous dérange pas.

Ils retraversèrent les couloirs qu'ils avaient empruntés pour venir.

— Existe-t-il une vidéosurveillance des chambres ? demanda Sarah.

Hans Grund secoua la tête.

— Oui, mais les caméras n'enregistrent rien. Question d'éthique et de respect de l'intimité, y compris chez les personnes un peu particulières de notre établissement.

Cela faisait partie des informations que Sarah vérifierait plus tard.

— Pourquoi n'étiez-vous pas joignable lorsque votre gardien de nuit vous a appelé ?

— J'étais dans l'avion. Je suis rentré cette nuit d'un séminaire de psychiatrie aux États-Unis. D'ailleurs, pour ne rien vous cacher, je suis en arythmic circadienne, comme on dit dans notre jargon. Donc, ne m'en veuillez pas si je manque parfois d'à-propos.

Ils parvinrent au passage bordé de portes vitrées qui donnaient sur un patio et gravirent l'escalier en colimaçon. Sarah eut cette fois la sensation d'avoir traversé une barrière temporelle la ramenant réellement au XIXe siècle. Un parquet patiné par les années s'étendait tout le long d'un couloir voûté et exigu aux murs blanchis à la chaux, éclairé par des lustres en fer forgé surmontés d'abat-jour en forme de tulipe.

Le directeur ouvrit l'une des nombreuses portes qui ponctuaient ce couloir d'une autre époque.

— C'est ici. Je vous en prie.

Sarah masqua sa surprise en découvrant l'intérieur du bureau.

*

La première comparaison qui lui vint à l'esprit fut celle d'une chapelle royale. En face de l'entrée, à l'autre bout de la pièce, derrière un monumental bureau rappelant un autel, s'élevait une étroite fenêtre encadrée de rideaux qui auraient trouvé leur place sur une scène de théâtre. Au-dessus trônait un crucifix en bois qui guidait le regard vers le haut plafond en croisée d'ogives.

Un calice en argent surmonté d'une patène décorait une alcôve aménagée au centre d'une écrasante bibliothèque contre le mur de gauche. Sur le mur de droite, une place d'honneur avait été réservée à un tableau dont la blancheur cadavérique du sujet principal captait l'attention. Un homme nu, de dos, plongeait une gaffe dans une rivière sombre. Assis de chaque côté du nocher, deux personnages sinistres au visage voilé disparaissaient sous des étoffes drapées.

Le dernier élément de mobilier se composait d'une armoire en bois foncé dont les portes étaient sculptées

46

de figures que Sarah ne pouvait identifier de là où elle était.

Une odeur de cigare froid flottait dans l'air et la grisaille de l'aube neigeuse anéantissait la lumière que diffusait la lampe à abat-jour vert posée sur le bureau.

Le directeur traversa la pièce en foulant un moelleux tapis brodé de figures mythologiques, les yeux dirigés vers le sol, comme s'il réfléchissait à ses prochaines paroles.

— Vous êtes croyante, inspectrice ?

Étonnante question, songea Sarah. D'autant qu'elle n'était pas là pour discuter théologie. Mais pour ne pas décourager cette envie de parler qui pouvait conduire à des confidences plus utiles, elle décida de répondre. Quoique en formulant sa pensée de la façon la plus concise.

— Je pense qu'il est dangereux de préférer croire plutôt que d'avoir envie d'être libre.

Le directeur, qui venait de prendre place derrière son bureau, leva la tête, surpris. Il jouait avec un gros cube à photos en plexiglas.

— Vous devez avoir beaucoup lu ou réfléchi pour formuler une pareille réponse.

— Certes, mais j'aimerais encore mieux lire le dossier du patient.

— Ah oui, c'est ça. Je vous disais que le jetlag me ralentissait le cerveau... et puis, je vous le confesse, cette mort subite me perturbe plus que je ne le laisse paraître auprès de mes employés.

Hans Grund se leva et ouvrit l'armoire en bois située derrière lui. Cette fois, Sarah put identifier les formes sculptées sur les portes. On y reconnaissait des visages grimaçants d'espèces de démons mêlés à des figures angéliques aux visages contrariés.

Le directeur tira un dossier d'une étagère et le tendit à Sarah.

Sarah prit le dossier et s'assit sans que le directeur le lui ait proposé. Elle repoussa derrière son oreille une mèche rousse qui tombait devant ses yeux et ouvrit la chemise en carton.

Elle n'y trouva qu'une dizaine de feuillets répertoriant différents traitements contre l'agressivité reçus par le patient et quelques vagues annotations sur son comportement taciturne. Nulle part il n'était fait mention de son identité ni de la raison de sa présence entre ces murs.

— Vous pouvez m'expliquer ? interrogea Sarah.

Le directeur baissa les yeux et s'éclaircit la gorge.

— Écoutez, je vais être honnête avec vous, je ne sais pas qui est cet homme et ici personne ne le sait. Voilà pourquoi son dossier est si maigre.

— Vous pourriez être plus précis ?

— Cet homme a été interné à Gaustad il y a trente-six ans pour une amnésie rétrograde totale associée à des délires paranoïaques. C'est la police qui l'a conduit ici après l'avoir arrêté pour violences sur la voie publique. Il était incapable de décliner son identité ou de donner le moindre indice permettant de l'identifier.

Sarah rajusta sa posture sur son siège.

— Et donc, en trente-six ans, cet homme n'a jamais rien révélé de plus sur lui ou sur ce qui lui était arrivé ?

Hans Grund répondit d'une moue négative.

— Et personne ne l'a réclamé ?

— Rien. La police a cherché pas mal de temps à faire correspondre l'identité de cet homme avec des déclarations de disparition récentes ou anciennes. Mais ça n'a rien donné. On a nous-mêmes passé plusieurs avis de recherche, personne n'a jamais répondu. Alors, comme cet homme pouvait être dangereux pour lui ou pour les autres, il a été gardé ici… jusqu'à aujourd'hui. Si triste que cela soit, il est arrivé seul, sans mémoire, et il a rendu l'âme seul, sans que lui-même ni personne se souvienne de qui il était.

— À quoi correspondent ces cicatrices en forme de chiffres sur son front ? C'est quand même bizarre, non ?

— J'étais sûr que vous alliez me poser cette question. Il les avait déjà en arrivant ici. Mais on n'a jamais su ce que cela signifiait. Et lui n'a jamais dit d'où ça lui venait.

Sarah aurait pu s'en tenir à cette réponse, rentrer chez elle, attendre le rapport du légiste et classer l'affaire comme mort accidentelle d'un amnésique sans famille. Après tout, elle n'était pas là pour connaître la vie de la victime et s'amuser à déchiffrer une vieille cicatrice. Elle devait juste déterminer s'il s'agissait d'un suicide, d'un homicide ou d'une mort naturelle.

Et pour cela, elle allait devoir bousculer le directeur. Car si tout ce qu'il disait paraissait vrai, Sarah avait le sentiment qu'il était un peu trop installé dans sa zone de confort. Comme si, au fond, elle n'était qu'une employée un peu plus considérée que les autres.

— Qu'est-ce qui vous a poussé à vous ronger l'ongle jusqu'au sang ?

Sarah surprit un trouble soudain dans les yeux du directeur. Mais ce dernier se reprit aussitôt, comme s'il avait été brièvement gêné par une variation de lumière.

— Cette affaire n'est pas non plus une partie de plaisir. Vous savez comme moi que Gaustad a souffert pendant des années d'une réputation peu reluisante... et si je suis là, c'est pour poursuivre le travail de réhabilitation entamé sous la direction de mon prédécesseur. Ce matin, en descendant de l'avion, quand j'ai su que la police débarquait, je me suis dit que l'affaire allait s'ébruiter et que tous nos efforts allaient être balayés en quelques titres de presse.

Le directeur baissa les yeux vers son pouce meurtri en haussant les épaules.

— Je reconnais que ce n'est pas le meilleur exemple pour un directeur d'hôpital psychiatrique. Mais on a tous nos petites faiblesses, n'est-ce pas ?

Sarah ne savait trop que penser de cette réponse. Mais elle n'avait aucune envie d'entamer la conversation sur ce sujet. Et de toute façon, il était temps qu'elle regagne le commissariat pour taper son rapport, pour ensuite rentrer chez elle et affronter son propre drame.

En proie à une brutale poussée d'anxiété, elle allait prendre congé du directeur quand une voix grésilla dans son oreillette. C'était Thobias.

— J'écoute.

Sarah distingua de la tension dans la voix du légiste. Elle comprit vite pourquoi en entendant ce qu'il lui annonça. Elle-même fut parcourue d'un frisson.

— OK, je descends tout de suite.

Elle empoigna le talkie-walkie glissé dans sa poche arrière et demanda à l'officier Nielsen de venir la rejoindre à l'étage.

— Il y a un problème ? s'inquiéta le directeur.

Sarah ne répondit pas. Elle ouvrit la porte du bureau et patienta quelques secondes. En moins d'une minute, l'officier à la carrure herculéenne apparut. Elle lui ordonna discrètement de surveiller le directeur dans son bureau jusqu'à nouvel ordre et s'empressa de rejoindre le rez-de-chaussée.

*

Quand Sarah entra de nouveau sur la scène protégée avec des surchaussures et des gants propres, Thobias et les deux techniciens scientifiques venaient de charger le corps de la victime sur un brancard et s'apprêtaient à refermer la housse mortuaire.

— J'espère que vous savez ce que vous dites, assena Sarah.

Le légiste remercia les deux techniciens d'un signe de tête et ils se dispersèrent pour ranger leur matériel.

— Je suis formel, inspectrice, et j'ai moi-même eu du mal à y croire, mais ce sont les faits : le corps de la victime a été déplacé.

Instinctivement, Sarah inspecta l'endroit où le cadavre avait été trouvé.

— Comment le savez-vous ?

— Eh bien, parce que j'ai la preuve que le relâchement *post mortem* de la vessie s'est produit ailleurs. Comme vous pouvez le voir, le pantalon de la victime est taché d'urine, mais je n'en ai retrouvé aucune trace sur le sol en dessous de lui. Il devrait y avoir une belle flaque compte tenu de la tache sur le pantalon. Il n'y a rien. Ni sous lui ni ailleurs dans la pièce. Ce type n'a pas rendu son dernier souffle ici. On l'y a amené quelques minutes après sa mort.

Sarah se redressa et saisit son talkie-walkie dans la poche de sa parka.

— Inspectrice Geringën. À tous les officiers, à compter de cet ordre, personne n'entre ou ne sort de l'hôpital. Officier Dorn, appelez des renforts pour sécuriser la zone. Officier Nielsen, vous restez avec le directeur. Vous ne le quittez pas d'une semelle.

Son talkie-walkie crépita lorsque les réponses fusèrent.

— Officier Dorn. Bien reçu.

— Officier Nielsen, à vos ordres.

— Officier Solberg, à vos ordres.

Sarah se tourna de nouveau vers le légiste.

— Avez-vous vérifié si les traces de strangulation sur le cou du mort étaient bien les siennes, comme le prétendent les infirmiers ?

Thobias releva le menton de la victime pour dégager le cou.

— Ça, ce sont les traces de l'auriculaire et de l'index. Elles sont à l'envers de ce qu'elles auraient été si quelqu'un l'avait étranglé. En clair…

— … il a bien tenté de s'étrangler avec ses propres mains, conclut Sarah. Mais on a aussi pu tenter de l'étrangler avant d'ajouter ses propres marques sur son cou pour faire croire à une tentative de suicide.

— Tordu, mais possible. Seulement, c'est pas évident à vérifier. De ce que les techniciens scientifiques m'ont dit, ils n'ont pas relevé d'autres empreintes que celles de la victime. Ni sur ses mains ni sur son cou. Donc, au final, c'est une hypothèse fort peu probable.

Sarah recoupait la cascade de questions qui défilaient dans sa tête. Si le corps avait été déplacé, c'est donc qu'on cherchait à dissimuler quelque chose.

Mais dans ce cas, pourquoi avoir appelé la police ? C'était absurde !

Sarah repensa à la fébrilité et à la confusion des infirmiers dont l'officier Dorn lui avait fait part à son arrivée. Ils semblaient mal à l'aise, gênés, comme si... Sarah venait de comprendre : le gardien de nuit n'aurait jamais dû appeler le commissariat. Cette mort n'aurait pas dû être déclarée à la police ! Voilà pourquoi le discours avait changé entre l'instant où le commissariat avait été contacté et le moment où l'officier Dorn était arrivé sur place.

Mais alors, où était morte la victime ? Sarah s'adressa de nouveau au légiste.

— Changement de procédure. Faites les prélèvements nécessaires à l'analyse toxicologique ici en attendant l'ambulance, on gagnera du temps, décréta-t-elle. Et vous avez mon autorisation pour embarquer le corps et procéder à l'autopsie dès l'arrivée du fourgon. J'ai besoin de vos résultats le plus tôt possible. N'oubliez pas d'analyser sa cicatrice sur le front.

— Ça me va.

Sarah empoigna son talkie-walkie.

— Officier Dorn. Où se trouvent les deux infirmiers et le surveillant vidéo ?

— Dans l'ancien secteur B. Juste à droite en sortant du secteur A.

— Vous n'allez pas directement arrêter le directeur ? s'étonna Thobias.

Sarah n'aurait jamais répondu à cc genre de question. Mais elle trouvait quelque chose de sympathique à ce légiste.

— Un, je ne suis pas sûre que Hans Grund soit au courant de ce maquillage, et deux, s'il est coupable de quelque chose, il est trop intelligent pour craquer tout de suite. Parmi les trois surveillants, il y aura forcément un maillon faible.

Sarah quitta la cellule d'un pas plus pressé que d'ordinaire. Alors qu'elle retraversait l'hôpital en sens inverse, il lui sembla qu'il faisait de plus en plus chaud. Comme si on avait poussé au maximum tous les radiateurs de l'établissement. Elle retira sa parka, tira sur le col de son pull pour faire entrer un peu d'air et badgea devant la porte de sortie du secteur A.

— Ça va ?

Sarah recula d'un pas. Le visage de l'officier Dorn avait comme surgi devant elle.

— Inspectrice ? Vous allez bien ?

Elle observa l'officier au regard doux et constata qu'il n'avait pas l'air d'avoir trop chaud. C'était donc bien l'angoisse qu'elle faisait taire dans sa tête qui se manifestait dans son corps. Elle commençait à se demander si elle ne s'était pas surestimée à vouloir travailler malgré ce qui venait de lui arriver.

Elle ramena une mèche rebelle derrière son oreille pour se donner une contenance et détourna la tête.

— Où sont-ils ?

L'officier la scruta d'un air inquiet.

— Les trois témoins sont chacun dans une pièce de ce couloir, madame. L'officier Solberg les surveille.

Sarah pénétra dans le couloir.

*

Les murs de l'ancien secteur B offraient une repoussante teinte verdâtre dont les écailles de peinture se mêlaient à des moutons de poussière sur le sol.

Une odeur de moisissure fichée dans les narines, Sarah interrogea le tout jeune officier de police Solberg posté au milieu du couloir, les bras croisés dans le dos.

— Qui se trouve où ?

— L'infirmier Elias Lunde est dans la première pièce, Leonard Sandvik dans la deuxième. Aymeric Grost, le gardien de nuit, est dans la troisième pièce.

L'un de ces hommes ou *a fortiori* les trois étaient mêlés au maquillage de la scène. L'avaient-ils fait pour dissimuler une erreur médicale, comme Sarah l'avait suggéré au directeur ? Avaient-ils agi par eux-mêmes ou sous les ordres de Hans Grund ? Pour quelle raison ?

Sarah remercia l'officier Solberg et réfléchit vite.

Sans aucun doute, le maillon faible du groupe était le jeune gardien de nuit. On lui avait probablement fait comprendre qu'il avait commis une grave erreur en appelant la police prématurément et on avait dû lui dicter à la va-vite le récit à servir aux policiers. Il était certainement dans un sacré état de nerfs, en train de s'entraîner encore à faire le tri entre ce qu'il s'était réellement passé et la leçon qu'il allait devoir réciter. La probabilité qu'il craque était élevée.

Sarah entra sans frapper dans la troisième pièce. Un jeune homme de moins de trente ans était assis au milieu de la cellule, derrière une table en Formica. La tête prise entre les mains, il sursauta en voyant l'inspectrice entrer sans prévenir. Les cheveux courts ondulés, le visage hésitant entre l'adolescence et l'âge adulte, il l'envisagea avec appréhension.

— Nom, prénom, âge, déclara Sarah en prenant place en face de lui sur une chaise rouillée.

— Euh... Aymeric Grost, vingt-six ans.

— Je vous écoute.

— D'accord… Vous voulez que je vous parle de quoi en premier ?

Sarah haussa les épaules.

— Eh bien… ce matin très tôt, j'ai vu sur mes écrans de surveillance le patient qui est mort se mettre les mains autour du cou en criant. Juste après, il avait la bouche grande ouverte. Pour moi, c'était sûr, il était fichu. J'ai fait sonner le téléphone des infirmiers, mais ça répondait pas. J'ai appelé le directeur. Lui non plus ne répondait pas. Alors… j'ai un peu paniqué et j'ai suivi la consigne que j'ai apprise en formation, j'ai averti la police que je venais de voir le suicide d'un patient dans sa cellule.

Le jeune homme attendit, espérant une relance qui ne vint pas. Il avala sa salive.

— Voilà.

Aymeric Grost remuait sur sa chaise qui émettait d'agaçants grincements.

— Monsieur Grost, je vous souhaite de dire la vérité, lâcha Sarah comme on abat un homme devant un témoin pour le faire parler. On a affaire ici à ce qui ressemble de plus en plus à un homicide maquillé. Autant vous prévenir que si vous êtes mêlé à ça et qu'il s'avère que vous avez menti, vous pourrez dire adieu à vos belles années de jeunesse.

— Je… je vous dis ce que j'ai fait. Je vous promets, j'invente rien.

— Comment a réagi votre directeur quand il a su que vous aviez appelé la police ?

— Il a dit que j'avais bien fait, même si, pour lui, ça ne servait pas à grand-chose puisqu'il s'agissait finalement d'une crise cardiaque.

— Est-ce qu'on vous a menacé pour que vous me mentiez ?

— Quoi ? Mais je vous jure que je vous mens pas ! Arrêtez de dire ça !

Le jeune surveillant s'était éloigné de la table dans une attitude révoltée, ses cheveux tombant devant son regard froncé.

— Je suis pas débile non plus. Je vois bien que vous essayez de me faire dire un truc, mais j'ai rien fait de mal !

— OK, OK, Aymeric. Vous avez raison. Excusez-moi. Je ne vais pas vous embêter plus longtemps, temporisa Sarah, satisfaite d'avoir conduit le suspect au degré de nervosité où elle voulait l'emmener.

Le jeune gardien souffla et se laissa retomber contre le dossier de sa chaise. Il croyait avoir passé le plus dur.

— Pour être franche avec vous, Aymeric, commença Sarah sur le ton de la confidence, ce n'est pas vous que je soupçonne. Mais les deux infirmiers Elias Lunde et Leonard Sandvik. Je suis à peu près certaine qu'ils vous ont menti… et qu'ils me mentent à moi aussi.

— Je sais pas, je peux pas vous dire.

— Je sais bien… Auriez-vous déjà remarqué chez eux des comportements suspects ? Je veux dire par là que vous surveillez les écrans vidéo et que vous voyez donc tout ce qu'il se passe dans l'hôpital la nuit. Avez-vous vu quelque chose…

— Ça fait pas longtemps que je suis là et c'est pas toujours eux qui font les nuits. Mais j'ai jamais rien vu de suspect.

— Et la victime, vous la connaissiez ?

— Non… Je sais juste qu'on le surnommait 488 à cause de sa cicatrice.

— Vous n'allez jamais voir les patients ?

— Pas ceux de la zone C, c'est trop risqué.

« *Pas ceux de la zone C.* » Sarah retint sa respiration. Ses années d'expérience l'aidèrent à ne rien laisser transparaître de l'état dans lequel venait de la plonger le lapsus du jeune gardien. Lui ne s'était visiblement pas rendu compte de son erreur.

— Ils sont si violents que ça, en zone C ? Même avec leur traitement ?

— En tout cas, c'est ce qu'on m'a dit.

— Et ils sont combien dans ce secteur ?

— Ils sont…

Aymeric Grost s'arrêta subitement de parler. Il était blême. Son regard croisa celui de Sarah. Elle y lut la peur. Il venait de comprendre que le patient était censé être mort en secteur A. À la peur succéda la panique. Il se leva et courut vers la porte de sortie qu'il trouva fermée.

Sarah se leva et marcha vers lui sans un mot.

— Je vous promets que j'ai rien fait de mal… balbutia le surveillant. Ce sont eux qui m'ont dit de mentir. Mais je ne sais pas ce qu'il s'est passé en vrai ! Je ne sais rien !

Sarah attrapa les menottes glissées dans sa poche arrière et les passa autour des poignets du jeune gardien.

— Je suis désolée, Aymeric. Officier ! appela-t-elle.

Le surveillant fondit en larmes.

Sarah s'agenouilla près de lui alors que l'officier entrait dans la pièce.

— Dites-moi quel était le numéro de chambre de…
488 dans la zone C.

— Je… je ne sais pas…

— Aymeric. Il est trop tard. Vous allez être jugé.
C'est sûr. Maintenant, reste à savoir la sentence qui
vous attend. Et pour ça, plus vous m'en direz, mieux
ce sera pour vous.

— Je crois… je crois qu'il était dans la C32, en
face de celle de Janger. Mais je sais même pas si c'est
là qu'il est mort…

— C'est-à-dire ?

— Tous les jours, on venait les chercher, lui et
Janger, et on les emmenait. Ils criaient qu'ils voulaient
pas, mais on les forçait. Alors, peut-être qu'il est mort
là où on l'a emmené. Mais je sais pas où c'est, y avait
pas de caméras dans cet endroit !

— Qui ça, « on » l'emmenait ?

— Je sais pas, je devais couper les caméras à des
heures précises. Je vous en supplie, croyez-moi, j'en
sais pas plus. Vous me promettez que vous direz au
juge que j'ai coopéré, hein ?

Sarah abaissa lentement ses paupières en guise de
réponse, puis s'adressa à l'officier de police en aidant
le jeune surveillant à se relever.

— Emmenez M. Grost au commissariat et placez-le
en garde à vue. Je viendrai l'interroger plus tard.

Puis elle sortit en hâte de la pièce en demandant
par talkie-walkie à l'officier Nielsen de la rejoindre
devant la zone C, avec le directeur. Elle contacta
ensuite les deux techniciens de la police scientifique
et leur ordonna de redéballer leur matériel et de la
retrouver sur-le-champ au même endroit.

Sarah termina de lancer ses ordres presque à bout de souffle et s'adossa un instant contre le mur du couloir. Elle était soudain très faible, comme si ses jambes allaient refuser de la porter. Comprenant ce qui était en train de se déclencher, elle implora un sursis en son for intérieur... pas maintenant.

4

Sarah parvint devant l'entrée blindée du secteur C. Les deux techniciens l'y attendaient déjà, leurs masques baissés sur la gorge. Un brun, élancé, mince, figé dans une expression austère, et une femme d'une trentaine d'années qui observait Sarah avec beaucoup d'attention. Avait-elle surpris sa main qu'elle avait plongée dans la poche de son jean pour tenter d'en dissimuler les tremblements ?

Alors qu'elle guettait l'arrivée de l'officier Nielsen et du directeur en se demandant pourquoi ils mettaient autant de temps, le portable de Sarah vibra dans sa poche. Un message.

Salut grande sœur. T'as pas oublié l'anniversaire de Moira ce soir ? Elle fête ses cinq ans... On vous attend à la maison pour 7 h ? Je t'aime. À ce soir.

P.S. : en PJ, une photo de tes cinq ans que j'ai retrouvée.

Espérant que cela l'aiderait à dissiper son malaise, Sarah toucha la vignette de la photo pour l'agrandir. Apparurent en gros plan les frimousses de deux petites filles rousses illuminées par la lueur joyeuse de cinq bougies plantées sur un gâteau. Joue contre joue, elles s'apprêtaient à souffler, mais un fou rire avait dû les surprendre et leur bouche grande ouverte dévoilait leurs dents de lait.

Sarah regretta d'avoir ouvert la photo et n'eut cette fois ni la force ni le temps d'empêcher l'angoisse de se répandre en elle.

— Vos enfants ? demanda la technicienne scientifique.

La question sembla lointaine. Les premiers fourmillements montèrent dans les extrémités de ses jambes et de ses doigts. L'endroit où elle se trouvait commençait à lui devenir étranger. Ne restait plus en elle que la pensée tétanisante du désastre qu'était désormais sa vie d'adulte, si loin de ses rêves d'enfant.

La gorge comme obstruée par une barre de métal, elle marcha droit devant elle, mue par une crainte presque plus forte encore. Celle de se retrouver prostrée à même le sol sous le regard médusé de l'équipe scientifique, de l'officier et du directeur de l'hôpital qui allaient arriver d'une seconde à l'autre.

Dans l'agitation de ses pensées, elle se souvint d'avoir croisé des toilettes sur son chemin. Mais la porte par laquelle elle voulut passer s'ouvrit pour laisser place à l'officier Nielsen précédé de la haute silhouette du directeur.

— Est-ce que vous pourriez au moins m'informer de ce qu'il se passe ? l'interpella le directeur.

Ignorant la question, Sarah le contourna.

Elle aperçut bientôt les toilettes, se précipita dans la première cabine, verrouilla la porte et s'assit sur la cuvette. Les lèvres pincées, elle s'efforça d'inspirer calmement par le nez alors que la peine frappait contre sa poitrine.

Les cris d'Erik lui étaient brutalement revenus en tête : « On s'est perdus, Sarah ! On s'est perdus à force de ne faire exister notre couple qu'à travers cet unique et putain de projet d'enfant ! »

C'était ainsi qu'il se justifiait de l'avoir trompée et de la quitter.

Alors oui, elle avait peut-être trop voulu ce bébé au détriment de son couple. Oui, elle s'était battue avec son corps, avec son âme pour ne pas fléchir dans cette épreuve et, forcément, elle avait moins donné à Erik. Mais jamais elle ne lui avait fermé ses bras ou son écoute. Jamais. Alors pourquoi ne lui avait-il pas fait part de ses craintes avant qu'il ne soit trop tard ?

Sarah sentait au fond d'elle qu'elle détenait la réponse et la douleur n'en était que plus aiguë : s'il n'avait rien dit, c'est qu'il n'en avait pas envie.

— Inspectrice ? Tout va bien ? cria l'officier Nielsen de sa voix puissante.

La peur d'être surprise dans un tel état de détresse fouetta l'esprit de Sarah. Une brève lueur de raison parvint à se faire entendre dans le chaos de ses émotions : son travail était la dernière chose qui tenait encore debout dans sa vie. Elle devait s'y accrocher comme un naufragé à sa bouée.

— Vous êtes sûre que tout va bien ? insista l'officier.

— Rejoignez le directeur !

— À vos ordres, madame.

Quand Sarah quitta les toilettes trois minutes plus tard, elle se sentait épuisée. Elle rejoignit le couloir où l'attendaient l'officier Nielsen, et les techniciens scientifiques et le directeur. Tous la dévisagèrent. Mais Sarah ne leur laissa pas le temps de poser de questions.

— Qui se trouve dans cette zone C ? demanda-t-elle au directeur.

— La zone C ?

Comme à son habitude, Sarah ne confirma pas ce que son interlocuteur avait parfaitement entendu. Elle patienta.

— Comme je vous l'ai dit, les patients qui sont dans cette zone sont considérés comme dangereux. En ce moment, nous n'en avons qu'un, que vous connaissez mieux que moi : Ernest Janger. À cette heure-ci, il doit dormir. Son traitement est assez… fort.

— Quel est le numéro de sa chambre ?

— La C27, mais pourquoi voulez-vous aller dans ce secteur ? Vous risquez de réveiller un patient que l'on a toutes les peines du monde à apaiser…

Sarah posa son badge sur le capteur électronique. Un voyant vert s'alluma et la porte se déverrouilla dans un claquement mécanique.

— Vous venez avec moi, enjoignit-elle au directeur.

Elle entra la première, suivie de la police scientifique et de l'officier qui surveillait le directeur.

Le couloir au sol en caoutchouc vert, sans fenêtres, était éclairé de néons à très faible intensité. Sarah compta six portes au-dessus desquelles était inscrite la lettre C suivie d'un numéro. Une caméra de surveillance veillait dans un coin du plafond, au-dessus de l'entrée.

Quand elle passa devant la C27, Sarah ralentit l'allure et souleva le judas.

La chambre était plus exiguë que celle du secteur A et ne comportait aucune fenêtre. Une ampoule nue fixée au plafond projetait une lumière crue sur un lavabo, un cabinet de toilette et un lit collé au mur de droite. Un homme blond au physique malingre y était allongé, tourné vers le mur. L'espace d'un frisson, Sarah repensa aux abominations dont cet homme s'était rendu coupable.

— Voilà, vous l'avez vu, chuchota le directeur.

Sarah referma le pan du judas et poursuivit dans le couloir.

— Il n'y a plus personne après. Comme je vous l'ai dit, Janger est l'unique patient de ce secteur.

Sarah continua à marcher sans se retourner. Arrivée devant la cellule C32, elle s'arrêta.

— Ouvrez cette pièce.

Le directeur lissa sa cravate. Et cette fois, Sarah sut que ce geste trahissait un état de stress. D'ailleurs, il avait pâli.

— Pourquoi voulez-vous entrer ici ? C'est une cellule vide…

Sarah consulta sa montre en guise de réponse.

Le directeur s'humecta les lèvres et sortit un trousseau de sa poche. Il glissa la clé dans la serrure, la tourna à deux reprises et appuya sur la poignée en poussant un soupir.

La pièce était plongée dans l'obscurité. Sarah demanda une nouvelle paire de gants tactiles aux techniciens scientifiques, les enfila et enclencha l'interrupteur à gauche avant d'entrer. Le spectacle qui se dévoila sous yeux l'ahurit.

Chaque centimètre carré de mur était recouvert de milliers de graffitis, comme autant de pattes d'araignée qui auraient été collées les unes aux autres sur de la peinture blanche. De minuscules figures noires entrelacées dans un vertigineux chaos graphique. Comme si la pièce avait été contaminée par un obscur parasite.

Sarah passa sa main gantée sur l'un des murs et scruta l'enchevêtrement de traits, s'ingéniant à y distinguer une forme intelligible. Mais elle n'y vit qu'un amas de gribouillis.

— Je veux une reproduction photographique intégrale des murs de la pièce.

Puis elle regarda par terre.

— Et faites une recherche de traces d'urine.

Les deux policiers scientifiques s'équipèrent de nouvelles combinaisons et se couvrirent la tête de leur capuche.

— Que représentent ces graffitis ? demanda Sarah au directeur.

— Je n'en sais rien. C'est un ancien patient qui a fait ça. Il n'est plus là.

Elle n'avait même plus besoin de se retourner pour deviner sa fébrilité.

— Et vous n'avez jamais pris le temps de nettoyer les murs ?

— Pas encore, comme je vous l'expliquais, cet endroit est peu fréquenté et nous n'avons pas assez de personnel pour tout gérer. Ce n'était pas une priorité.

— C'est ici qu'il est mort ?

— Pardon ?

Sarah s'assura que l'officier Nielsen était aux aguets, prêt à retenir le directeur en cas de fuite.

— Je sais que cette cellule est celle de la victime, assena-t-elle. Pourquoi avez-vous essayé de nous faire croire qu'il résidait dans le secteur A ?

— Vous racontez n'importe quoi ! s'emporta le directeur. Cette cellule était effectivement celle de 488, mais nous l'avons passé en zone A il y a deux jours parce qu'il nous semblait ne plus représenter aucun danger.

— Où Janger et la victime sont-ils emmenés chaque soir ? Qu'est-ce que vous leur faites subir ?

Le directeur eut l'air stupéfait.

— Mais de quoi parlez-vous ?

— De quoi est vraiment mort le patient soi-disant victime d'une crise cardiaque ? Pourquoi avoir déplacé le corps ? Ce sont ces dessins que vous vouliez garder secrets ? Pourquoi ?

— Bon, écoutez, puisque vous le prenez de cette façon, à partir de maintenant, pour toutes les questions que vous me poserez au sujet de ce décès, je demande à me faire assister d'un avocat.

Sarah s'attendait à cette réponse.

Elle rebroussa chemin en indiquant au directeur et à l'officier Nielsen de la suivre et s'arrêta devant la cellule C27.

— Pourquoi Janger est-il enfermé ici ? La zone est-elle seulement mieux sécurisée ou y a-t-il une autre raison ?

Le directeur eut un geste d'agacement et lâcha un brutal soupir.

— Mieux sécurisée, c'est tout ? Dois-je vous rappeler que Janger a violé et étranglé une dizaine de femmes dans son ambulance il y a environ cinq ans. Pour chacune d'entre elles, le calvaire a duré cinq jours. Alors oui, il est ici pour éviter une évasion. Et non, il n'y a pas d'autre raison. Je ne vois pas ce que vous insinuez.

— Dans combien de temps va-t-il se réveiller ?

— Je ne sais pas… D'ici trois ou quatre heures.

Sarah ne répondit pas, se contentant de déceler la peur dans le comportement du directeur.

— Écoutez, dans tous les cas, je préfère vous prévenir, malgré son traitement, Janger est encore très agressif. Et puis pourquoi vous voulez lui parler ?

— Parce qu'il connaissait 488, parce qu'il a peut-être vu ou entendu ce qui a causé sa mort et parce que, contrairement à vous, il n'a aucun intérêt à me mentir. Ouvrez la cellule.

*

Un infirmier trapu, au cou massif et aux oreilles décollées, ressortit de la cellule où était enfermé Ernest Janger. Son front luisait de sueur.

— La camisole est fixée. Il est réveillé, déclara-t-il essoufflé.

Hans Grund fit un pas en avant vers Sarah.

— Inspectrice Geringën. Si Janger a été calme jusqu'à aujourd'hui, c'est en partie parce qu'il est sous calmants et qu'il n'a pas vu une femme depuis plusieurs années… Ne le provoquez pas. Et laissez-moi intervenir si je sens qu'il faut le laisser tranquille.

— Officier Nielsen, raccompagnez M. Grund dans son bureau et restez avec lui jusqu'à mon retour. Je ne veux pas qu'il reste ici.

— Pardon ? Vous n'êtes pas sérieuse ?

Sarah posa la main sur la poignée de la porte. Le directeur lui agrippa le bras. Sarah le dévisagea. Hans Grund retira immédiatement sa main en reculant.

Sarah le toisa une dernière fois et entra dans la cellule où elle fut accueillie par une étouffante odeur de transpiration mêlée à des vapeurs d'éther. Le patient Ernest Janger était immobile, allongé en chien de fusil sur le lit, le dos tourné à sa visiteuse, prisonnier de sa camisole de force aux manches nouées sur le ventre.

— Bonjour, Ernest.

Le patient bascula lentement vers Sarah, découvrant cette apparence qui l'avait tant troublée à l'époque.

En lieu et place d'un être monstrueux, il présentait un visage presque enfantin, à la peau rosâtre et aux formes rondes.

Il observa Sarah et sourit, dévoilant un espace entre ses deux incisives du haut qui lui donnait un air encore plus naïf. Il ressemblait en fait à un garçon de la campagne aux boucles dorées que la vie au grand air aurait préservé des effets du temps.

Sarah se dirigea vers une petite table et une chaise fixées au sol à deux mètres du lit. Elle s'assit en croisant les jambes.

Janger la suivit du regard. Au départ, Sarah reconnut la lueur que beaucoup d'hommes laissaient transparaître quand ils la détaillaient. Mais la seconde d'après, toute réserve s'évanouit au profit de deux braises concupiscentes et avides.

Janger parvint à s'asseoir sur le rebord de son lit et se mordit la lèvre inférieure.

— Janger, connaissiez-vous le patient de la cellule C32 ?

Il leva les yeux vers le plafond, comme s'il réfléchissait.

— Inspectrice Geringën… comme la vie est imprévisible. Si vous imaginiez la joie que j'ai à vous revoir.

Sarah ne savait que trop ce que sous-entendait le mot joie dans la bouche de ce pervers.

— Je ne suis pas là pour parler de votre affaire, Ernest.

— Bien, bien… dommage, j'aurais eu plaisir à évoquer notre passé commun, susurra Janger en caressant son interlocutrice du regard.

Malgré l'expérience, Sarah ne put se défaire de ce sentiment de dégoût face à ce que dans son métier on appelait un viol visuel.

— Je suis là pour celui qu'on surnommait ici 488. Vous le connaissiez ?

— 488 ? Oui, je le connaissais… Mais pourquoi parlez-vous au passé ?

Sa voix s'était faite enjouée, agréable.

— Il est mort, répondit Sarah. Vous étiez… amis ?

— Ah, qu'est-ce qui lui est arrivé ?

— Nous ne savons pas encore exactement. Mais vous allez peut-être nous aider. Vous le connaissiez bien ?

— On était copains, même si, en cinq ans, il ne m'a jamais parlé.

— 488 était-il là hier soir ?

— Oui, il a crié, comme tous les soirs… Son cri à lui. Un truc moche… Vraiment moche. Et vous êtes bien placée pour savoir que j'en ai entendu, des cris. Mais vous savez, même à moi, celui-là, il m'a foutu les foies.

— Il criait donc tous les soirs. Savez-vous pourquoi ?

— Ça se pourrait bien…

Le sourire qui avait traversé le visage de Janger effaça brièvement toute trace d'innocence, juste avant qu'il ne reprenne son apparence joviale.

— Monsieur Janger ? interpella Sarah. Que saviez-vous de 488 ?

— Vous voulez savoir qui l'a tué ?

— Tué ? Vous pensez qu'il a été assassiné ?

— Tu veux que je te dise un truc, espèce de petite salope de flic ?

70

Sarah réprima un mouvement de recul. Son rythme cardiaque s'emballa. Elle devait s'y attendre, mais la confrontation à la réalité l'avait malgré tout surprise. Elle tenta une autre approche.

— Ernest, je sais que l'on vous emmène quelque part tous les soirs. Que l'on vous fait des choses. Dites-m'en plus. Je peux peut-être vous aider.

— C'est le sommeil noir qui l'a tué. Et je serai le prochain.

— Le sommeil noir ? C'est quoi ?

Janger fit pénétrer sa langue dans l'interstice entre ses lèvres, et ses traits se déformèrent en un masque de colère.

— Je vais te soigner, toi aussi ! hurla-t-il en se levant droit comme un ressort.

Sarah contint difficilement un sursaut.

— Je vais te soigner comme les autres ! éructa Janger. On va jouer au papa et à la maman dans mon ambulance.

Puis il se rassit et se recomposa un air angélique.

— Ne vous inquiétez pas, je vous conduis à l'hôpital. Tout ira bien, madame, chuchota-t-il en couvrant Sarah d'un regard compatissant.

Lors de ses entretiens avec Janger par le passé, Sarah avait été confrontée à maintes reprises à cette folie. Et elle savait qu'elle devait au plus vite reprendre l'ascendant sous peine de lui donner confiance.

— Ernest ? C'est quoi ce sommeil noir ?

Janger parla d'une voix où transpirait la colère.

— Le directeur n'est pas celui que vous croyez… chuchota-t-il.

Sarah se redressa de façon imperceptible. Elle entendait la respiration bruyante du patient emplissant l'air comme le tic-tac d'un compte à rebours.

— C'est lui le vrai fou dans cet hôpital.

— Que vous fait-il ?

— Est-ce que tu m'aimes ?

— Ernest Janger. Je suis votre unique chance de soulager votre souffrance. Ne perdons pas un temps précieux.

— Personne ne m'aime. Alors, j'étais obligé de les forcer à me dire qu'elles m'aimaient. C'était tellement fort de les entendre me susurrer ces mots alors que quelques minutes avant, elles m'ignoraient dans la rue.

— Et aujourd'hui, c'est quelqu'un d'autre qui vous force à faire des choses que vous ne voulez pas, n'est-ce pas ?

— Me prends pas pour un con. Je sais très bien que tu joues la gentille pour me faire parler et, dès que t'auras eu ce que tu voulais, tu te casseras et tu m'oublieras, comme toutes les autres. Alors, tu sais quoi, déshabille-toi. Et dis-moi que tu m'aimes.

Janger la regardait maintenant par en dessous, le menton baissé, le souffle de plus en plus bruyant, ses yeux fouillant l'objet de son désir.

Sarah chassa l'image sordide qui lui traversa l'esprit.

— Ernest. Je ne suis pas comme les autres. Quand je dis quelque chose, je tiens parole. Si je dis que je peux vous éviter une souffrance, c'est que je le peux. Il faut m'aider et je vous promets de vous aider. Pourquoi dites-vous que le directeur est… fou ?

— Déshabille-toi ! répéta Janger alors que ses jambes s'agitaient.

Sarah hésita puis releva lentement les manches de son pull, dévoilant une peau diaphane et crémeuse piquée de taches de rousseur.

Janger écarquilla les yeux comme s'il avait été fou-droyé.

— Que vous font-ils ? répéta Sarah, sûre d'elle.

— Encore, enlève encore !

— Si tu veux en voir plus, réponds-moi.

Janger tapa du pied.

— Pas à moi, à 488 ! Ils le piquaient, je les ai vus ! Et puis après ils l'emmenaient là-bas pour le sommeil noir, c'est comme ça qu'il l'appelait. Et c'est ça qu'il dessinait sur ses murs !

— Avez-vous une idée du but des expériences qu'ils réalisaient sur lui ?

Janger commençait à avoir des tics nerveux et se mordait les lèvres de plus en plus fort.

— Si tu veux que j'en enlève plus, tu vas devoir être sage et me dire ce que tu sais, chuchota Sarah.

Le regard du meurtrier flamboyait de fantasmes qu'elle n'osait imaginer. Il émit une espèce de râle. Il tapait des pieds comme pour contenir ses pulsions.

— Janger…

— De toute façon, tu ne me croiras pas !

— Dis-moi !

Pour la première fois, Sarah avait élevé le ton.

— Enlève tout, ordonna Janger, son apparence enfantine déformée par la concupiscence.

Janger avait forcé sur sa camisole et se penchait d'avant en arrière.

— Que lui faisaient-ils exactement ? répéta Sarah en guettant la porte du couloir.

— Je sais pas, mais y avait que lui et lui seul qui pouvait supporter ce qu'ils lui faisaient, c'est tout ce que je sais !

Et soudain, il se projeta vers Sarah. Elle fut debout en un clin d'œil et esquiva Janger. Le détraqué sexuel se cogna contre la chaise fixée au sol et bascula par terre.

Sarah le saisit par les épaules, le redressa et le plaqua contre le mur, la joue écrasée contre la paroi.

— Tu te calmes, Janger. Je vais sortir de cette chambre et tu vas sagement rester ici en attendant que je parte. C'est bien clair ?

Il grogna en guise de réponse. Sarah raffermit sa poigne.

— T'as pas besoin de t'énerver, la rousse. Moi, je veux qu'une chose : que Hans Grund souffre comme il nous a fait souffrir. Punis-le de ma part.

Sarah relâcha sa prise. Janger se laissa glisser par terre, levant ses beaux yeux bleus d'enfant à l'air triste.

— J'aurais adoré t'avoir dans mon ambulance. Toi au moins, t'aurais pas couiné comme toutes ces truies.

Sarah marcha à reculons. Puis elle cogna du poing à la porte de la cellule et on lui ouvrit. Elle sortit et l'infirmier au cou de taureau referma vite derrière elle. L'officier Solberg la considéra comme si elle revenait d'entre les morts.

— Les renforts sont-ils arrivés ? demanda-t-elle.

— Pas encore.

— En attendant, vous restez ici.

Un doigt posé sur son oreillette, Sarah contacta l'officier Nielsen, remonté dans le bureau du directeur.

— Appréhendez Hans Grund. Soyez méfiant. Ce type n'est peut-être pas qu'un intellectuel. J'arrive.

— Bien reçu.

Sarah retraversa les couloirs de l'hôpital au pas de course. Elle gravit en hâte l'escalier en colimaçon menant à l'étage et eut à peine le temps de tendre la main vers la porte du bureau du directeur que le battant s'ouvrit avec fracas. Elle se protégea le visage et tituba en arrière sous l'effet du choc. Devant elle, le directeur venait de surgir de son bureau et courait vers l'escalier.

L'équilibre incertain, Sarah s'empara de son talkie-walkie.

— Hans Grund est en fuite vers le secteur A ! Il est dangereux et peut-être armé.

Elle se pencha pour jeter un coup d'œil dans le bureau. L'officier Nielsen se maintenait adossé contre la bibliothèque, une main pressée contre son crâne ensanglanté. À ses côtés, un cube à photos en plexiglas, dont l'un des angles était maculé de sang. Il adressa un fragile signe de main à l'inspectrice pour lui signifier que ça allait.

Sarah se rua vers l'escalier en lançant un nouvel ordre.

— Et envoyez des secours à son bureau ! Un officier est blessé.

Sarah dévala les marches. Son entraînement lui permit de rattraper le directeur dont elle entendait le souffle et les pas juste au-dessous. Elle sauta les dernières marches à l'instant où Hans Grund disparaissait derrière une porte située sous l'escalier. Elle percuta le battant d'un coup d'épaule et déboucha dans un long couloir sale. Hans Grund n'était qu'à environ dix mètres devant elle. Il s'arrêta, se retourna vers elle et plongea la main dans sa poche intérieure.

Sarah réalisa qu'elle n'était pas armée.

5

Elle s'apprêta à plonger pour éviter les balles. Mais Hans Grund tira une clé de sa poche, s'agenouilla et déverrouilla une serrure au sol. Il souleva une trappe et sauta dans l'ouverture.

Sarah donna une brutale accélération. Elle se laissa glisser à terre, la jambe droite en avant. Son pied se cala de justesse dans l'interstice entre le sol et l'abattant.

Elle souleva la trappe et jeta un coup d'œil prudent. Le directeur venait de sauter les dernières marches d'un escalier pour atteindre le plancher. Il leva la tête puis disparut de son champ de vision. Sarah dévala les marches et déboula dans un souterrain aux murs bétonnés, à peine éclairé par une veilleuse rouge fixée au plafond. La silhouette du directeur s'agitait à quelques mètres devant elle. On entendait le cliquetis d'une serrure que l'on déverrouille.

Une lumière blême jaillit par la porte que Hans Grund venait d'ouvrir. Sarah courut droit devant et repoussa d'un coup de pied le battant qui se refermait avant d'entrer, courbée.

Deux brancards vides étaient positionnés côte à côte au centre de la pièce. Sur les barreaux latéraux de chacun d'entre eux pendaient des sangles en cuir munies de boucles de ceinture. À la tête de chaque brancard, supportés par des chariots, se trouvaient trois appareils affublés de deux cadrans et d'où sortaient plusieurs fils.

Sarah avait pris conscience de l'ensemble du décor en un clin d'œil, mais son attention avait surtout été attirée par le directeur, debout dans le coin gauche de la salle, à côté d'une armoire vitrée. Il ne devait pas être armé, sinon il lui aurait déjà tiré dessus.

— Ne bougez plus, lui ordonna Sarah.

Elle fit un pas en avant. Hans Grund marmonna quelques mots, puis tendit subitement la main et saisit une poignée dissimulée dans l'armoire qui se trouvait à côté de lui. Sarah comprit trop tard.

Une détonation assourdissante ébranla la salle tandis qu'un vent de feu embrasait l'air.

*

Sarah plongea au sol. La lame ardente de l'explosion rasa ses cheveux, sa nuque et son dos dans un vacarme d'enfer. Un bras plaqué sur le visage, en apnée, elle crut qu'elle allait se consumer. Alors qu'elle commençait à manquer d'oxygène, elle leva la tête pour regarder autour d'elle. La chaleur lui gifla la figure tandis que les flammes dévoraient les parois. Au loin, elle distingua le hurlement affolé de l'alarme incendie. Mais aucun système d'extinction automatique ne se déclenchait. Hans Grund avait dû prévoir son coup.

Elle s'accroupit et repéra la sortie derrière elle. Le couloir avait échappé aux flammes. Devant elle, le directeur inanimé gisait face contre terre. Son instinct lui intima l'ordre de faire demi-tour et de fuir sur-le-champ. Mais une volonté plus forte la fit foncer droit devant elle. Elle souleva avec peine le corps lourd et le tira de toutes ses forces vers la sortie.

Elle parvint à faire quelques pas avant que la lutte ne se termine en quinte de toux. La fournaise brûlait son visage et la fumée l'étouffait. Sarah s'accroupit pour trouver encore un peu d'air respirable, et tira de nouveau le corps en poussant un cri d'effort. Elle n'était plus qu'à deux mètres de la porte, mais, si elle restait debout, elle allait mourir asphyxiée.

Elle s'allongea sur le dos, hissa le corps du directeur inanimé sur son ventre, puis rampa sur le sol en poussant sur ses jambes et en se tortillant. L'arrière du crâne de Hans Grund n'était plus qu'un amas de cloques sanguinolentes où de rares cheveux brûlés collaient aux plaies ouvertes. Elle ignorait s'il était encore vivant, mais elle devait tenter sa chance.

Elle parvint à passer l'embrasure de la porte en laissant échapper un râle d'épuisement. Elle replia les jambes et souleva de nouveau le directeur sous les bras quand le néon placé au-dessus de la porte éclata sous l'effet de la chaleur en projetant une gerbe d'étincelles. Sarah n'eut pas le temps de se protéger et une brûlure lui cravacha l'œil droit. Elle laissa échapper un cri de souffrance et lâcha le corps de Hans Grund.

— Elle est là !

La voix venait d'au-dessus. Une main écrasée sur son œil, elle vit l'officier Nielsen la couvrir d'une couverture ignifugée.

— Inspectrice, par là !

L'agent, qui saignait encore de la tête, entreprit de conduire Sarah vers l'escalier, mais elle se dégagea.

— Non ! Emmenez le directeur !

— Quoi ? Tout le bâtiment est en train de brûler ! Il faut partir !

Au-dessus d'eux, la voix de l'officier Dorn posté à l'entrée de l'escalier se fit entendre.

— Vous allez rester coincés ! Vite !

— Je veux interroger Hans Grund ! Je veux savoir ce qu'il se passe ici ! Ramenez-le, moi, je peux marcher !

Du haut de son mètre quatre-vingt-dix, l'officier Nielsen sembla hésiter à désobéir et à assommer sa supérieure pour lui sauver la vie. Il jeta un bref coup d'œil au corps de Grund allongé sur le pas de la porte et comprit que son inspectrice avait certainement traîné le directeur toute seule jusqu'au couloir alors que l'incendie menaçait de la brûler vive.

Intimidé, il ravala sa grogne et s'élança vers le corps de Grund pour le charger sur son épaule. Sarah avait déjà commencé à gravir l'escalier et saisit la main de l'officier Dorn.

— Ça brûle de partout !

Sarah découvrit stupéfaite les flammes folles léchant les portes des cellules alors qu'une fumée épaisse remplissait déjà la moitié de la hauteur du couloir.

Courbé en deux, Dorn fit signe à Sarah de le suivre en courant. Elle s'engagea dans le couloir à sa suite, le creux de son bras plaqué contre sa bouche. La douleur au niveau de l'œil n'était plus aussi aiguë que tout à l'heure, mais elle ne voyait toujours rien du côté droit.

— Vous êtes blessée ? cria Dorn alors qu'il courait devant elle.

Sarah n'entendit pas la question. Dans ce couloir d'enfer, le hurlement de l'alarme mêlé à la combustion des portes générait un souffle qui rendait les voix quasi inaudibles. La peau de son visage était rutilante de chaleur. Désorientée, elle trébucha sur le cadavre d'un patient calciné. C'est là, dans la cellule devant laquelle elle venait de s'arrêter, qu'elle découvrit une femme assise par terre, recroquevillée contre le mur de sa chambre, paralysée de peur.

Elle reconnut la patiente au regard triste et résigné qu'elle avait aperçue plus tôt ce matin, derrière la vitre du hall d'entrée.

— Il y a une femme vivante là ! hurla-t-elle.

Au même moment, un fracas assourdissant retentit dans tout le couloir.

— Inspectrice Geringën ! Le plafond est en train de s'effondrer ! hurla l'officier Nielsen qui courait derrière elle, le directeur juché sur son épaule.

Un nouveau bruit de chute gronda dans un rugissement de fournaise.

Sarah courut vers la chambre de la patiente tétanisée. Elle déchira un morceau de drap, le trempa dans la cuvette des toilettes et le jeta sur la tête et les épaules de la femme apeurée. Puis elle la saisit par le bras.

— Non !

La patiente venait de laisser tomber quelque chose qu'elle tenait serré contre elle. Une photo où elle était souriante, entourée de deux enfants.

— Baissez-vous et suivez-moi !

La patiente d'une quarantaine d'années se laissa entraîner et elles franchirent le seuil de la cellule en enjambant les débris de plâtre et les poutres en flammes qui jonchaient le sol. Loin au-dessus de leur tête, on apercevait désormais le plafond du deuxième étage qui menaçait lui aussi de s'écrouler.

— Ne respirez plus ou vos poumons vont brûler. Courez de toutes vos forces ! commanda Sarah.

La patiente resta figée sur place, comme fascinée par l'incendie. Le feu entamait déjà le drap qui l'enveloppait. Sarah s'empara de la main de cette femme perdue et tira si fort qu'elle ne lui donna pas l'occasion de résister.

Elles étaient à bout de souffle quand elles déboulèrent dans le hall d'entrée. Sarah percuta la porte de sortie à double battant avec fracas et l'air glacé, qui tout à l'heure lui griffait la peau, fut accueilli comme une délivrance.

Quand elles furent à une vingtaine de mètres, Sarah s'appuya contre un arbre, cassée en deux, le visage taché de suie. À ses côtés, la patiente qu'elle venait de sauver s'écroula dans la neige, épuisée.

Près d'elles, l'officier Dorn reprenait lui aussi son souffle.

— Ça va ?

Sarah parvint tout juste à hocher le menton et se laissa glisser le long du tronc d'arbre. Au loin, on entendait les sirènes des pompiers qui se rapprochaient. Autour d'eux, des infirmiers et infirmières de l'hôpital s'efforçaient de contenir la quarantaine de patients affolés qu'ils avaient pu sauver de l'incendie. Tous pataugeaient dans un mélange de boue et de neige fondue.

— Ne restez pas par terre, recommanda Sarah en aidant la patiente épuisée à se redresser. Officier Dorn, prenez soin d'elle.

L'officier retira le drap humide qui entourait encore la jeune femme, puis il lui posa sa propre veste de police sur les épaules.

La patiente leva lentement la tête. Ses yeux abasourdis passèrent de l'officier Dorn à Sarah.

— Les secours ne vont pas tarder, mademoiselle. Ça va aller.

Puis Dorn se retourna vers son inspectrice.

— Vous êtes sûre que ça va ? Vous êtes blessée à l'œil.

— Nielsen et le directeur, où sont-ils ? répliqua Sarah en se redressant.

— Il est juste là, répondit l'officier.

Dans la précipitation de sa fuite et avec un seul œil ouvert, elle ne l'avait pas vu. Il venait à leur rencontre, le corps du directeur dans les bras. Sarah se redressa, retira sa parka pour l'envelopper autour du corps de Grund sous le regard médusé de Dorn et Nielsen. Puis elle tâta le pouls du directeur. Il était encore vivant.

— Les surveillants Elias Lunde et Leonard Sandvik ont-ils pu s'en sortir ? voulut-elle savoir.

— Oui, répondit l'agent Nielsen. Solberg surveillait toujours leurs cellules quand l'incendie s'est déclenché. Il les a fait évacuer et les a enfermés dans le premier véhicule de renfort qui est arrivé.

Il désigna une fourgonnette aux vitres grillagées devant laquelle l'officier montait la garde, quoique hypnotisé par le gigantesque incendie qui ne cessait de croître sous ses yeux.

Quatre véhicules de pompiers survinrent à cet instant en soulevant un nuage de neige, suivis de trois ambulances Mercedes à quatre roues motrices. Alors que les hommes du feu s'empressaient de dérouler leurs tuyaux, leur capitaine accourut vers Sarah et les deux officiers de police.

— Combien de personnes reste-t-il dans le bâtiment ?

— Plusieurs dizaines, répondit Dorn. Si ce n'est plus. C'est une tragédie.

L'inspectrice désigna Hans Grund dans les bras de Nielsen.

— La priorité est de sauver la vie de cet homme. L'ambulance doit le conduire immédiatement à l'hôpital. C'est notre suspect numéro 1. Il doit vivre pour expliquer son crime.

— Euh... bien, répondit le capitaine qui, après avoir consulté du regard les deux officiers de police, comprit que l'ordre de l'inspectrice n'était pas aussi incohérent qu'il aurait pu le croire.

Le capitaine fit signe à l'équipe d'ambulanciers d'approcher.

— Et occupez-vous aussi de cette femme, précisa Sarah en désignant la jeune patiente.

Le capitaine salua et repartit aussitôt au pas de charge vers ses hommes pour distribuer ses ordres.

Une femme secouriste se présenta et s'agenouilla devant la patiente que Sarah avait tirée de sa cellule. Avec douceur, elle la recouvrit d'une couverture et l'aida à se remettre debout pour l'emmener vers l'ambulance. Juste derrière, une équipe se chargea d'allonger le directeur Grund sur un brancard. Ils lui retirèrent la parka de Sarah qu'ils rendirent à leur propriétaire et la remplacèrent par une couverture de survie.

Sarah demanda à Nielsen et Dorn d'escorter l'ambulance jusqu'à l'hôpital.

— Une fois sur place, vous surveillez la chambre de Hans Grund. Un devant la porte, l'autre dans la chambre. Prévenez-moi de toute évolution de son état. Je dois pouvoir l'interroger le plus vite possible.

— Et, officier Nielsen, faites soigner votre blessure à la tête.

Les deux hommes obtempérèrent et rejoignirent d'une foulée rapide les ambulanciers qui terminaient d'installer le directeur dans leur véhicule.

Sarah s'accorda quelques secondes de répit, la culpabilité chevillée au corps. Comment n'avait-elle pas pu éviter une telle tragédie ?

Elle repassait dans sa tête le film des événements récents quand une secouriste aux cheveux grisonnants l'interpella pour ausculter son œil. L'ambulancière lui braqua une lampe de poche cylindrique sur la figure et observa méticuleusement la partie droite de son visage. Puis, sans prévenir, elle écarta la peau autour de l'œil. Sarah détourna la tête en grognant.

— Désolée, mais si je vous avais avertie, vous vous seriez contractée, s'excusa la secouriste. Bref, vous n'avez plus de cils ni de sourcils sur l'œil droit et la peau de la paupière est un peu brûlée. Mais vous avez eu de la chance, l'iris et la pupille n'ont pas été touchés. Il faudra surveiller, mais, en attendant, ça ne sera qu'une question d'esthétique pendant quelques mois…

Sarah approuva mécaniquement, réalisant qu'elle se fichait bien de son apparence. Elle remercia la secouriste, qui lui enjoignit de se rendre rapidement à l'hôpital pour un examen plus approfondi. Sarah acquiesça distraitement alors que cinq véhicules de police débarquaient toutes sirènes hurlantes.

Sarah leur fit signe et le capitaine se présenta devant elle en accourant. Un homme d'une quarantaine d'années, plutôt mince, le visage encore fripé d'une nuit qu'il avait dû écourter lorsqu'on avait demandé des renforts.

— Officier Karlk, se présenta-t-il.

Sarah lui brossa une synthèse rapide des événements avant d'ajouter :

— Les deux surveillants dans la fourgonnette doivent être transférés au commissariat sur-le-champ. Je vais aller les interroger, mais avant je dois passer à l'hôpital pour… Bref, vous avez compris, conclut-elle. En attendant, vous bouclez la zone et, dès que l'incendie est éteint, vous faites intervenir l'équipe scientifique. Je doute qu'il reste quoi que ce soit, mais sait-on jamais. Et commencez à débriefer le commissariat central d'ici mon arrivée.

Le gradé confirma qu'il prenait la situation en main. Sarah s'éloigna pendant qu'une nouvelle série de véhicules de pompiers et de secours débarquaient en soulevant des volutes de neige, le tourbillon des gyrophares bleus se mêlant au déchaînement des flammes qui dévoraient l'hôpital.

Alors que le camion radio mobile d'une équipe de télévision se garait, Sarah sentit son portable vibrer dans sa poche. Elle consulta l'écran : Stefen Karlstrom. Son supérieur hiérarchique.

Elle rejoignit sa voiture, claqua la portière d'un geste las et laissa l'appel passer en messagerie. Vidée, elle s'abandonna contre le dossier de son siège, un frisson glacé lui courant le long du dos, le cœur si lourd.

Ce soir, elle n'aurait aucun corps chaud auprès duquel se blottir pour apaiser les tourments de ce qu'elle venait de traverser. Aucune voix pour lui parler d'avenir et rêver à de nouveaux projets. Ce soir, elle serait seule avec pour unique échappatoire une affaire qui s'annonçait comme la plus violente et la plus bizarre de sa carrière.

Réalisant qu'elle s'apitoyait sur son sort alors que des dizaines de gens étaient morts ou en train de mourir sous ses yeux, Sarah se maudit de tant d'égoïsme.

On frappa à sa vitre. Une femme munie d'un micro lui souriait. Elle était suivie d'un cadreur équipé d'une caméra surmontée d'un spot.

— Inspectrice Geringën. S'agit-il d'un incendie criminel ? Que s'est-il passé ? Pourquoi n'avez-vous pas pu l'empêcher ? Vous étiez sur place ?

Sarah savait qu'elle aurait dû rester ici, coordonner les premières interventions et faire reculer les journalistes. Mais elle ne s'en sentait plus la force. Elle démarra et s'éloigna le plus loin possible de l'hôpital en feu.

Au premier feu rouge, elle envoya un message à son commandant lui disant qu'elle passerait le voir après s'être rendue à l'hôpital pour recevoir quelques soins.

Puis elle se pencha sur le siège passager, ouvrit la boîte à gants sécurisée, et y saisit le tube d'anxiolytiques.

6

Alors qu'elle attendait que l'ophtalmo de l'hôpital national d'Oslo la reçoive pour examiner sa blessure à l'œil, Sarah aperçut son reflet dans un miroir. La moitié droite de son visage n'avait plus ni cils ni sourcils et la peau de sa paupière était rougie. L'espace d'un instant, elle se surprit à se demander ce qu'Erik allait penser quand il la verrait rentrer à la maison ce soir.

— Inspectrice Geringën, je vous en prie, entrez, lança le vieux médecin aux sourcils broussailleux qui venait d'ouvrir la porte de son cabinet.

Sarah prit place sur le siège des patients et se laissa ausculter puis soigner.

— Comment vous sentez-vous ? s'inquiéta le médecin en terminant d'appliquer une crème sur le contour de l'œil de Sarah.

Elle avait envie de lui répondre qu'elle avait de la pitié pour cette femme qui avait encore le réflexe de se soucier de l'avis d'un homme qui l'avait trompée et quittée cette nuit même.

— Je ne me suis jamais sentie aussi belle...

— Et vous avez bien raison, déclara le médecin d'un sourire complice. Votre mari a beaucoup de chance.

Sarah réalisa qu'elle n'avait pas retiré son alliance et se contenta d'un hochement de tête.

— Je suis désolé, mais vous ne pourrez pas vous maquiller pendant au moins un mois, le temps que les cils et les sourcils repoussent, précisa le médecin. Et surtout, n'oubliez pas d'appliquer cette crème une fois par jour.

Sarah remercia l'ophtalmo, prit l'ordonnance et sortit du cabinet. Maintenant qu'elle connaissait sa nouvelle et étrange apparence, il lui semblait que tous les gens qu'elle croisait dans les couloirs la dévisageaient. Elle évita de guetter son reflet dans le miroir de l'ascenseur et, quand un jeune couple monta, elle pencha la tête sur le côté.

Dans la rue, ce fut pire, elle surprit le froncement de sourcils d'un homme en costume qui, en passant près d'elle, parut déçu par cette silhouette qu'il avait trouvée si plaisante de loin. En d'autres circonstances, Sarah n'y aurait prêté aucune attention, mais, aujourd'hui, ce regard la blessa.

Arrivée à son 4 × 4, elle s'y enferma comme s'il s'agissait d'un refuge et abaissa le pare-soleil pour s'observer dans l'étroite glace rectangulaire. Un maquillage permanent ? Et pourquoi pas de faux ongles pendant qu'on y était. Sarah détacha ses cheveux qui retombèrent sur ses épaules, rabattit une longue mèche qui dissimula la partie droite de son visage, claqua le pare-soleil sur le plafond et démarra en direction du commissariat.

Aux alentours de 9 h 30, elle entrait dans l'imposant bâtiment du central d'Oslo. Avec l'incendie, tout le personnel était en effervescence et personne ne prêta attention à elle. Sauf Stefen Karlstrom, qui la repéra dès son arrivée dans le bâtiment. Il était en discussion avec un officier qu'il congédia sur-le-champ pour s'approcher de Sarah.

Grand homme à la carrure dissuasive, il dominait tout le personnel de sa hauteur. Les cheveux gris coupés court, la démarche leste, le regard rapide, il donnait le sentiment d'être un homme de terrain plus que de bureau. Son visage, bien que vieillissant, avait conservé une sévérité naturelle qui contribuait à son autorité. Mais, lorsqu'il fut à hauteur de Sarah, son expression perdit de sa rigidité au profit d'une inquiétude sincère.

Il la dévisagea, repéra sa blessure à l'œil et, sans prononcer un mot, fit signe à Sarah de le suivre jusque dans son bureau.

— Commandant, le ministre de l'Intérieur cherche à vous joindre. Je vous le passe dans votre bureau ? demanda un jeune officier qui venait d'accourir.

— Non. Dites-lui que je suis déjà en ligne et que je le rappelle tout de suite.

— Bien, mon commandant, répondit le jeune homme, habitué aux ordres parfois troublants de son supérieur.

Stefen entra dans son bureau, suivi de Sarah. Quand il eut fermé la porte et fut certain que personne ne pouvait plus les voir derrière les stores clos, il se pencha vers Sarah, comme un père à la fois en colère et si heureux de voir sa fille de retour d'une escapade nocturne.

— Trois questions, primo : est-ce que tu vas bien ? Deuxio : pourquoi tu ne m'as pas appelé plus tôt pour me dire que tu étais vivante ? Et tertio : qu'est-ce qui s'est passé ?

— Désolée, mais j'ai pas eu le temps de te tenir au courant. Et oui, ça va, j'ai eu de la chance et une bonne équipe qui m'a sortie de là. Quant à ce qu'il s'est passé, je crains que ça ne prenne du temps avant qu'on comprenne quelque chose.

— Et ton œil ?

— C'est rien, une brûlure. C'est moche, mais on s'en fout.

Stefen haussa les épaules.

— Je t'ai vue dans des états bien pires quand on était au FSK et tu sais que tu n'es jamais moche.

Sarah baissa un instant les yeux, gênée. Non pas qu'elle se sentît honteuse d'une relation à laquelle elle avait mis un terme il y a bien longtemps, mais, aujourd'hui plus qu'un autre jour, elle n'avait pas envie de se demander si elle avait fait les bons choix sentimentaux au cours de sa vie.

— OK, excuse-moi, c'est l'émotion de te savoir saine et sauve qui me fait dire des trucs dont on ne devait plus parler. J'aurais dû te dire que pour une fois, on a bien la preuve que t'es une tête brûlée, Sarah. Au moins, ça, ça aurait été drôle.

Sarah porta la main à son visage blessé en accordant un regard faussement amusé à Stefen.

— Donc, dis-moi, que s'est-il passé ? renchérit-il.

Sarah lui narra précisément la chronologie des événements. Quand elle eut terminé, Stefen s'était rejeté dans son fauteuil, l'air préoccupé.

— Je crois que t'as effectivement raison quand tu dis qu'on ne va pas voir clair dans ce foutoir tout de suite. C'est quoi ta stratégie ?

— Faire parler les deux surveillants Lunde et Sandvik. Analyser les clichés de la cellule de la victime et interroger le directeur s'il tient le coup...

— Bon, voici ce qu'on va faire, déclara le commandant en appuyant ses larges mains sur le bureau. J'ai mis une équipe sur la gestion de l'incendie, des victimes et tout le bazar. T'as pas à t'en occuper. Toi, tu enquêtes. Je sais que t'aimes pas travailler en équipe, mais, comme c'est quand même un gros dossier, je t'ai trouvé un assistant.

— Qui ? s'inquiéta Sarah.

— Norbert Gans.

Sarah approuva ce choix.

— Quand je te dis que je te connais… sourit Stefen avec une bienveillance plus paternelle que séductrice. Il est discret, efficace et ne compte pas ses heures. Bon et puis tu verras, il est déjà au courant d'une partie des événements grâce à Karlk qui a fait rapatrier les deux surveillants sur tes ordres, et je crois qu'il a pris quelques initiatives qui vont te faire gagner du temps.

Sarah se leva pour partir.

— Sarah ! l'interpella Stefen. T'es pas obligée de te charger de cette enquête. Si, disons, l'environnement psychomédical de l'affaire te dérange, je peux nommer quelqu'un d'autre.

— Non.

— OK… Alors, fais attention, reprit Karlstrom. Vraiment. OK ?

Sarah hocha la tête en sachant qu'aujourd'hui plus qu'un autre jour, elle ne pouvait faire une telle promesse. La main posée sur la poignée, elle se retourna juste avant de sortir.

— Fais comme d'habitude, fais-moi confiance.

Sarah quitta Stefen sans lui avoir dit qu'elle était rassurée de l'avoir à ses côtés. Plus qu'il ne l'imaginait.

Même si, pour elle, cette relation appartenait définitivement au passé.

— Inspectrice Geringën.

Elle reconnut Norbert Gans qui venait de l'aborder à sa sortie du bureau du commandant. Il avait toujours cette apparence impeccable de gestionnaire bancaire à l'air concentré et aux gestes précis.

Mais ce qu'elle appréciait par-dessus tout chez lui, c'est qu'il la connaissait et savait qu'à chaque échange, il fallait aller droit au but.

— Ravi de travailler de nouveau avec vous, déclarat-il. Les perquisitions chez les trois surveillants et chez le directeur sont en cours.

— Bien. Les clichés de la cellule C32 sont arrivés ?

— Ils sont en téléchargement sur votre ordinateur. Vous devriez pouvoir en disposer d'ici trente minutes.

— Bien, où sont Elias Lunde et Leonard Sandvik ? Je vais les interroger.

Norbert Gans conduisit son inspectrice aux salles d'interrogatoire installées dans les sous-sols du bâtiment. Avant d'entrer dans la première pièce, Sarah se servit un café serré au distributeur de boissons.

Elle regrettait d'avoir avalé ce cachet dont elle avait plus l'impression de subir les effets de somnolence que le bénéfice anxiolytique. L'état idéal pour mener un interrogatoire, songea-t-elle ironiquement.

Elle avala son café d'une traite, lissa la mèche qui ombrageait la face droite de son visage et entra dans la pièce où était enfermé Elias Lunde.

L'infirmier était assis sur une chaise devant une table en Formica, la lumière du plafonnier tombant sur sa nuque. Un homme d'une trentaine d'années, au visage rond, à la peau mate et aux traits asiatiques.

— Inspectrice Geringën, annonça Sarah en entrant, avant de s'installer sur la chaise qui faisait face à l'infirmier.

Ce dernier leva la tête à la façon d'une bête traquée.

— Votre nom ?

— Elias Lunde.

Sarah déplia un carnet de poche sur lequel elle griffonna le nom de l'interrogé.

— Bien. Il va falloir faire un petit effort, monsieur Lunde. Vous allez oublier l'incendie et je vais vous demander de vous concentrer sur le déroulé des événements qui ont précédé la mort de celui que vous surnommiez 488 entre vous.

— Attendez, je veux bien oublier tout ce que vous voulez, mais quand même. Qu'est-ce qu'il s'est passé ?! Tout était en train de brûler, d'un coup, comme si on avait jeté de l'essence dans tous les couloirs. C'est… c'est impossible.

Sarah le toisa de ce regard qu'elle manifestait seulement dans le cadre de son travail et qui n'exprimait guère plus de compassion que celui d'un félin. Elias Lunde baissa les yeux.

— Donc, reprit Sarah. Racontez-moi ce qu'il s'est passé hier soir.

L'infirmier se mordilla la pulpe du pouce avant de parler.

— Eh bin… Je faisais ma ronde de nuit dans le secteur A, comme d'habitude, et puis j'ai entendu des cris. Le téléphone de surveillance s'est mis à sonner juste après, mais j'étais trop loin pour décrocher. Je suis arrivé à la cellule d'où provenaient les bruits et j'ai vu 488, c'est comme ça qu'on l'appelle ici, adossé au pied de son lit. Il m'a pas fallu longtemps pour comprendre qu'il avait passé l'arme à gauche. Il était blanc, et il respirait plus, avec sa bouche... ouverte, comme ça, là...

Il mima grossièrement le visage déformé de la victime avant de reprendre.

— Et puis ses mains autour du cou... Ça m'a foutu les jetons et, sur le moment, j'ai pas su trop quoi faire. Mais j'ai vite compris qu'il avait dû faire une crise d'angoisse et une crise cardiaque.

— Et ensuite ?

— Je me suis souvenu que les flics disent toujours qu'il ne faut toucher à rien, alors j'ai reculé. Leonard s'est pointé, et puis le gardien de nuit nous a prévenus qu'il avait appelé la police pour déclarer un suicide. Alors, même si on savait que c'était pas ça, on allait pas vous rappeler pour vous dire de pas venir, vous auriez trouvé ça bizarre.

Sarah simula l'approbation pour encourager le surveillant à se confier.

— Vous dites que votre collègue Leonard est arrivé après. Pourquoi ?

— Il était en train de faire ses piqûres de nuit à un patient. Une fois qu'on a commencé les injections de ce truc, il faut pas s'arrêter, et comme il était en plein milieu...

Une fois encore, Sarah acquiesça en notant quelques mots sur son carnet.

— Quand avez-vous été engagé à Gaustad, monsieur Lunde ?

— Il y a un peu moins de cinq ans. Le 10 février 2011, précisément.

— Parlez-moi de celui que vous appeliez 488.

Le surveillant se gratta l'arrière de la tête comme s'il avait soudain été piqué par un moustique.

— Bah, en fait, on savait pas grand-chose de lui. Il était amnésique et il parlait pas.

— En cinq ans, vous n'avez jamais entendu le son de sa voix ?

— Bah si, mais seulement quand il criait.

Sarah avait du mal à le croire.

— Et ce nombre, 488, sur son front. Une idée d'où ça pourrait venir ?

— Aucune. Les autres surveillants m'ont dit qu'il l'avait déjà quand il a été interné.

— Depuis que vous êtes là, combien de visites ce patient a-t-il reçues ?

— Des visites ?

Sarah approuva d'un mouvement de tête.

— À ma connaissance, aucune. Et d'après ce qu'on m'a dit, c'était comme ça depuis qu'il avait atterri à Gaustad, il y a un peu plus de trente ans.

Les archives des visites avaient très certainement brûlé et Sarah n'avait aucun moyen de vérifier cette information. Elle orienta la discussion sur un sujet plus immédiat.

— Quand vous évoquez ce « on » m'a dit, qui est ce « on » ?

— Plein de gars, et puis aussi Leonard. Il est là depuis longtemps. Il en sait plus que moi.

Sarah jeta un œil furtif vers la poitrine du surveillant. Il respirait vite. Un peu trop vite pour quelqu'un d'assis.

— Leonard vous a-t-il aidé à déplacer le corps de la victime ?

Sarah guetta la réaction corporelle de l'infirmier. Son regard s'élargit et il eut un bref mouvement de recul.

— Je... Je ne comprends pas. On n'a pas déplacé le corps. Comme je vous ai dit, quand on a vu qu'il était mort, on l'a pas touché.

— Le corps a été déplacé du secteur C vers le secteur A, monsieur Lunde. On en a la preuve. Or, à cette heure, il n'y avait que vous et Leonard Sandvik dans l'établissement.

Elias Lunde se mordilla la chair du pouce et se pencha sur la table.

— Écoutez, je... Il faut m'aider. J'y suis pour rien dans tout ça. Je vous jure. J'ai fait ce que le directeur disait de faire, c'est tout.

— Vous avez déplacé le corps ?

— Oui... Oui, avec Leonard, on a reçu l'ordre de transporter 488 de sa cellule C32 vers le secteur A.

— Pourquoi ?

— Le directeur voulait pas qu'on voie ses graffitis...

— Pour quelle raison ?

— Je sais pas... Je suis payé pour pas poser de questions et j'avais pas envie d'avoir de problèmes. J'ai rien demandé. Et puis ça change quoi ? Je vous ai raconté la vérité quand je vous ai dit comment j'avais entendu des cris et que j'étais arrivé trop tard. Le seul truc qui change, c'est que c'est arrivé dans la cellule C32 et pas dans le secteur A.

— Qu'avez-vous vu exactement dans la cellule C32 ?

— Je vous l'ai déjà dit, je faisais ma ronde et je l'ai entendu gueuler. Un cri pas possible, et quand je dis pas possible, c'est que je vois pas comment un humain peut faire un bruit pareil ! Ça commen-çait comme un raclement de gorge et puis ça finissait tellement aigu qu'on avait l'impression de sentir une aiguille dans les tympans. Ça lui arrivait souvent, mais là c'était vraiment le pire. Je suis juste allé jeter un coup d'œil, mais, le temps que j'arrive, je l'ai vu la bouche ouverte, les yeux écarquillés avec les mains autour du cou.

Elias Lunde reprit sa respiration.

— J'en ai vu des trucs de fou depuis que je suis là, mais un type qui essaie de se suicider en s'étranglant, je peux vous dire que c'est une première.

— Et après ?

— Bin, Aymeric nous a dit pour la police et puis le directeur nous a rappelés et nous a dit de mettre le corps en secteur A avant que la police arrive. Que c'est juste que c'était plus propre que dans le secteur C.

Sarah termina d'écrire les mots-clés du témoignage de Lunde sur son carnet avant de reprendre son inter-rogatoire.

— Ernest Janger m'a expliqué que vous les des-cendiez parfois, lui et 488, pour les soumettre à des... expériences. Quelle en était la teneur ?

Désespéré, Elias Lunde enfouit son visage dans ses mains en secouant la tête.

— Putain, merde... j'en sais rien. Oui c'est vrai, on nous demandait parfois d'aller chercher un patient pour le descendre au sous-sol. Mais après, c'est le directeur qui s'en chargeait. On n'avait pas le droit d'entrer. Et puis on n'avait pas envie. Je vous promets, je sais rien de plus. Si je savais, je vous le dirais pour me sortir de la merde.

— Avez-vous remarqué quelque chose d'anormal dans le comportement de la victime ces derniers jours ?

— Je sais pas…

— Réfléchissez.

— Euh… Bin, peut-être qu'il était plus agité que d'habitude. Son cri… On l'entendait plus souvent.

— Très bien, conclut Sarah. Pour le moment, je prolonge votre garde à vue de vingt-quatre heures.

Elle sortit et referma derrière elle en percevant la lamentation étouffée du surveillant.

Elle avala un second café, reprit ses esprits et entra dans la pièce d'à côté sans frapper.

Leonard Sandvik y tournait en rond. Un homme d'une soixantaine d'années, voûté, les cheveux blancs et dont les yeux pochés luisaient de fatigue et d'inquiétude.

Sarah l'invita à s'asseoir et lui demanda à son tour de lui raconter ce qu'il s'était passé cette nuit.

— Je vais essayer, soupira Sandvik. Mais pouvez-vous me dire si beaucoup de patients et de membres du personnel ont pu s'en sortir ?

— On ne sait pas encore. Que s'est-il passé la nuit dernière ?

Le surveillant dodelina de la tête, l'air de dire qu'il avait compris que ce n'était pas lui qui commandait.

— Eh bin, je faisais les piqûres d'hypnotiques aux patients insomniaques. Il devait être 4 heures du matin, quelque chose comme ça. Et puis j'ai entendu un cri salement violent, mais, comme j'étais en plein milieu d'une injection, j'ai pas pu partir comme ça. Et puis entre nous, c'était pas la première fois que 488 criait. Alors, je me suis pas plus inquiété que ça. Mais quand le téléphone de surveillance a sonné, je me suis dit qu'il y avait un problème. Je suis allé voir et c'est là que je l'ai trouvé la bouche ouverte, les yeux écarquillés avec les mains autour du cou.

— Quand êtes-vous arrivé à Gaustad, monsieur Sandvik ?

— Euh… Attendez, ça fait longtemps. Et puis là, comme ça…

— Prenez votre temps.

— Voilà, je me souviens, je suis arrivé le 22 novembre 1979, il y a près de trente-six ans, soupira-t-il. Ouais, trente-six ans… Et je suis pas devenu dingue.

— Vous étiez donc là quand le patient dit 488 a été interné à Gaustad ?

— Ah non, il était déjà là quand j'ai pris mes fonctions.

— Il était déjà là ? Le directeur m'a dit qu'il avait rejoint l'établissement il y a trente-six ans aussi.

— Oh, il ne devait pas être arrivé depuis bien longtemps, mais il était déjà là. Je peux vous l'assurer. C'est le patient qui m'a le plus fichu le cafard à mes débuts. Je m'en souviens.

— Qu'est-ce que vous pouvez me raconter à son sujet en trente-six ans d'observation ?

— Pas grand-chose. Un type triste, silencieux et paumé…

— Il a toujours été dans la cellule C32 ?

L'infirmier fut pris au dépourvu par la soudaineté de la question. Sarah, qui avait baissé la tête vers son carnet, la releva, l'air d'attendre une réponse qui ne venait pas.

Leonard Sandvik se mordilla la lèvre inférieure, de l'air de celui qui craint les soucis.

— Oui, la C32, lâcha-t-il en regardant par terre.

— Et ça ne vous pose pas plus de problèmes que ça d'avoir maquillé une scène de crime ?

— Écoutez, je sais pas ce qu'Elias vous a dit, mais... Je vous promets que, lui comme moi, on est juste les exécutants du directeur. Alors, même si on a fait des choses pas bien, c'est parce qu'on voulait pas perdre notre boulot. Moi, j'ai bientôt soixante ans, je retrouverai de travail nulle part et j'ai une famille à faire vivre. Vous comprenez ? Si j'avais dit au patron d'aller se faire voir, il m'aurait foutu à la porte !

— Pourquoi le directeur a-t-il demandé à déplacer le corps ?

— Je suis d'accord avec vous, c'est pas clair, même s'il a dit que c'était pour une raison d'image, que le secteur C était un peu trop sale...

— Quel était le but des expériences que le directeur semblait mener sur les patients que vous lui descendiez au sous-sol ?

— Ah, ça aussi, vous êtes au courant ? Hé ! j'en sais fichtre rien. La seule chose que je peux vous dire, c'est qu'il y a deux jours, 488 a été descendu au sous-sol. C'est moi qui devais aller le chercher. J'attendais dans le couloir devant la salle et je l'ai entendu pousser un cri... Je vous jure, j'ai cru crever de trouille. C'était... pas humain comme truc.

Encore ce cri, songea Sarah. Mais si étranges que fussent ces révélations, elles ne l'aidaient en rien à avancer dans son enquête.

— Qui a rendu visite à cet homme depuis qu'il est là ?

Leonard Sandvik laissa échapper un petit souffle de cynisme.

— C'est terrible à dire, mais personne. En trente-six ans, je n'ai pas vu une seule personne rendre visite à ce pauvre homme. Je l'ai vu vieillir seul dans sa cellule, jour après jour. Qu'est-ce qui va m'arriver, inspectrice ?

Sarah eut l'intuition qu'elle n'obtiendrait rien de plus. Soit parce que Sandvik ne savait vraiment rien. Soit parce que lui et Elias la dupaient.

— Madame l'inspectrice, est-ce que je peux appeler ma femme, s'il vous plaît ? demanda le surveillant.

Sarah lut dans son regard la détresse d'un homme qui vient de comprendre que sa vie va basculer.

— D'ici deux heures, quand la perquisition à votre domicile sera terminée. Vous restez en garde à vue vingt-quatre heures de plus.

Leonard Sandvik tourna un regard abattu vers le sol.

Sarah claqua la porte derrière elle et fit signe à l'officier Gans de la verrouiller.

— Alors ? demanda ce dernier.

— Ils ont avoué avoir déplacé le corps, mais rejettent toute la responsabilité sur le dos du directeur. Et ils sont incapables de me dire quel était le but des expériences que Hans Grund menait sur ses patients dans le sous-sol. Des nouvelles de l'autopsie de la victime ?

— Non, pas encore, et Hans Grund n'est pas sorti de son coma.

— Je vais aller...

Sarah ne termina pas sa phrase. Elle s'appuya contre un mur et s'obligea à garder les yeux ouverts le temps que le malaise se dissipe.

— Ça va ? s'enquit son adjoint.

— Oui, merci, c'est juste le contrecoup de l'incendie. Je vais aller manger quelque chose.

— Je serais vous, je prendrais un peu de repos.

— C'est pas le moment, répliqua Sarah.

Et elle rejoignit sa voiture sur le parking d'un pas prudent.

Assise derrière son volant, elle suspendit son geste au moment de démarrer. Il n'était même pas encore 11 heures du matin, mais cela ne faisait aucun doute, elle était exténuée. Que faire ? Se soûler dans le travail pour ne pas penser à sa vie, en essayant de se convaincre que l'adrénaline fera office de dopant ? Au risque de s'effondrer en plein milieu du commissariat devant le regard ahuri de ses collègues. Une telle faiblesse abîmerait sa réputation, mais, surtout, elle entraînerait forcément sa dépossession de l'enquête qu'elle avait entamée. Ce qui, aujourd'hui plus que jamais, serait la pire chose qui puisse encore lui arriver.

Alors, dormir une petite heure ? Mais où ? Dans sa voiture ? Elle ne se reposerait pas. Chez elle ? L'idée même lui provoqua une nouvelle montée de panique. Chez sa sœur ? Elle n'avait pas la force de lui annoncer la vérité et encore moins celle de faire semblant. Pouvait-elle seulement s'absenter en plein milieu de son enquête ? La réponse était non. Mais son corps ne lui laissa pas le choix. Les tremblements reprirent possession de ses membres et l'angoisse lui compressa la gorge.

Au même moment, son portable vibra sur le siège passager. Un SMS. Avec tout le cynisme de ce que la technologie pouvait apporter, il provenait de « mon amour » :

Quelles sont tes disponibilités pour que l'on règle les formalités administratives ?

Le téléphone s'échappa de ses mains et, avec la fébrilité d'un automate rouillé, elle démarra, s'éloigna de l'immense bâtiment du commissariat central pour prendre la direction d'un modeste hôtel situé à l'entrée d'Oslo.

7

Sarah s'éveilla en sursaut, le cœur frappant à tout rompre contre sa poitrine. Son téléphone sonnait sur l'oreiller. Juste à côté d'elle, sa main froissa une feuille de papier sur laquelle avait été esquissé un visage à la bouche grande ouverte et sur le front duquel on pouvait lire l'inscription « 488 ». Mais le dessin était à peine visible, comme plongé dans la pénombre alors qu'on était en plein milieu de journée.

Sa blessure au visage ! Elle s'était infectée. Elle était en train de perdre la vue ! Sarah saisit son téléphone au moment où la sonnerie s'arrêtait. Le regard trouble, elle vit que l'appel provenait du légiste, Thobias Lovsturd. C'est là qu'elle distingua l'heure sur l'écran du portable.

Elle se leva d'un bond et ouvrit si vite les rideaux qu'elle manqua les déchirer. En un éclair, elle eut la confirmation de ce qu'elle redoutait et l'explication de son voile gris devant les yeux. Son œil allait très bien, seulement il faisait nuit.

Dehors, les lampadaires éclairaient tristement l'enseigne lumineuse du Haraldsheim Hotel dans lequel elle s'était arrêtée. La neige s'était remise à tomber.

Il était 23 h 36. Sarah avait dormi près de douze heures. Le surplus d'émotions associé au Lexomil l'avait assommée.

Sur son téléphone, douze appels manqués, sept messages. Sarah enfila sa parka, ramassa la clé de sa chambre, dévala l'escalier menant à la réception, déposa sa clé sur le comptoir et sortit dans le froid glacial tout en consultant ses messages.

Le premier était un SMS l'informant que les clichés de la scène de crime de la cellule C32 étaient disponibles et qu'elle pouvait les regarder depuis son téléphone. Le second message, vers 17 heures, était de son adjoint, lui annonçant que l'incendie avait été maîtrisé, mais que l'on comptait seize victimes, sans pouvoir déterminer encore s'il s'agissait de patients ou de membres du personnel. Il ajoutait que les deux infirmiers, Elias Lunde et Leonard Sandvik, avaient chacun passé un appel à leur conjointe et attendaient toujours en cellule de garde à vue.

Le troisième message, vers 20 heures, était encore de Norbert Gans qui s'inquiétait de ne pas avoir de nouvelles et l'informait que la femme du directeur, Helena Grund, avait demandé à voir son mari à l'hôpital. Requête qui lui avait été pour le moment refusée dans le cadre de l'enquête en cours.

Sarah approuva intérieurement jusqu'à ce que le quatrième message lui fit se frapper le front et souffler un « merde » étouffé :

« Salut, c'est moi. Bon, bin, on t'attend pour dîner comme prévu et Moira est impatiente de te voir. Même si c'est son anniversaire, elle t'a préparé une surprise et n'arrête pas de demander quand tu arrives pour te la donner. J'espère que tout va bien. À tout de suite ! »

Sarah ouvrit la portière de sa voiture, s'installa sur son siège et appréhenda le message qui allait suivre rien qu'au ton des premiers mots.

« Bon, Sarah, il est 21 h 30, Moira a dû aller se coucher. Elle a laissé la couronne qu'elle t'avait faite devant sa chambre, persuadée que tu viendrais la chercher pendant son sommeil. Elle était déçue, mais, t'as de la chance, elle n'a pas l'air de t'en vouloir. Bref, on aurait aimé que tu sois là pour l'anniversaire de ses cinq ans. J'imagine que t'es encore au boulot et que t'as oublié… Parfois, je me demande comment Erik fait pour supporter ton égoïsme. »

Sarah tourna la tête vers la vitre où s'écrasaient des flocons de neige. Elle posa le téléphone sur le siège passager et enclencha le haut-parleur au moment où le troisième message de sa sœur débutait.

« Euh… Sarah, excuse-moi pour ce que je viens de te dire. C'était nul, méchant et tout sauf vrai. En fait, je suis hyper inquiète. Dis-moi que t'es pas concernée par cet incendie à Gaustad. Rappelle-moi, s'il te plaît… Je t'embrasse. »

Enfin, le dernier message, enregistré à 23 h 34, se fit entendre.

« Inspectrice Geringën, c'est Thobias à l'appareil. Écoutez, je viens seulement de terminer l'autopsie de la victime. Ça a été beaucoup plus compliqué que prévu. La cause de la mort… n'est pas vraiment ce à quoi on s'attendait. Rappelez-moi ou venez à l'hôpital, ce sera encore mieux. C'est un peu compliqué à expliquer par téléphone. »

Sarah enclencha le contact et fonça en direction de l'hôpital de l'université d'Oslo, situé à quelques centaines de mètres de l'hôpital psychiatrique de Gaustad.

En chemin, elle contacta Norbert Gans en lui expliquant qu'elle avait passé sa journée dans les sous-sols de la bibliothèque de l'université de psychologie à la recherche d'informations sur certaines pathologies qui auraient pu expliquer la mort du patient dit 488. Elle n'avait pas vu le temps passer et, ne captant pas en sous-sol, elle venait seulement d'avoir ses messages.

Son adjoint ne sembla pas surpris par l'explication de l'inspectrice et conclut qu'il était justement là pour lui laisser le temps de réfléchir tranquillement. Sarah raccrocha en sachant qu'il avait beau être sympathique, Norbert Gans ne lui pardonnerait pas une seconde fois ce genre de manquement. Juste après s'être garée sur le parking de l'hôpital, elle envoya un SMS à sa sœur.

Mille pardons pour mon absence. L'incendie de Gaustad a été un enfer. Je ne quitte que maintenant la fournaise. Tout va bien. Fais de vrais gros bisous d'anniversaire à Moira de ma part, prends le cadeau qu'elle a laissé pour moi et dis-lui que je suis passée le chercher cette nuit. Je viendrai demain matin et tu me le donneras en cachette ;-). P.S. : le cadeau de Moira est prêt... J'espère que ça lui fera plaisir. Je vous aime.

Sarah appuya sur « Envoyer » et un autre message s'afficha sur son écran pour lui indiquer que le téléchargement des clichés de la police scientifique était terminé.

Sarah ouvrit le dossier. Elle passa sur les photos du cadavre et de la première cellule pour s'arrêter sur les murs noirs de graffitis de la chambre C32. Elle zooma à plusieurs reprises dans l'image sans y distinguer *a priori* une quelconque forme intelligible. Pourquoi le directeur aurait-il voulu l'empêcher de découvrir ces graffitis s'ils ne représentaient rien de particulier ? Peut-être qu'elle devrait y passer plus de temps. Elle verrait cela plus tard. Thobias l'attendait.

Elle rabattit sa capuche fourrée et se hâta de rejoindre l'aile de l'hôpital abritant l'Institut médico-légal.

À cette heure, l'établissement aurait dû être désert, mais les blessés de l'incendie avaient tous été rassemblés ici pour être soignés dans les plus brefs délais. Loin d'être en effectif réduit, le personnel soignant grouillait dans les couloirs.

Une infirmière sortit d'une pièce et bouscula Sarah. Alors qu'elle se retournait pour s'excuser, elle manqua basculer sur un brancard où gisait un corps recouvert d'un drap. Une des victimes de l'incendie qu'un infirmier pressé emmenait probablement au funérarium.

Troublée, Sarah finit par gagner un secteur plus calme de l'hôpital où l'on entendait même les talons de ses bottines résonner sur les dalles de lino. Parvenue devant la porte du cabinet d'autopsie, Sarah entra sans frapper.

Sur la table d'examen reposait le corps nu du patient 488. Sur le mur du fond, un bloc lumineux de visionnage de radiographies éclairait plusieurs clichés de cage thoracique de sa lumière blanche. À côté, une table métallique permettait de ranger une série d'outils de travail encore ruisselants d'hémoglobine.

Assis devant son ordinateur, Thobias se retourna en entendant qu'on entrait dans son cabinet.

— Inspectrice Geringën ! Ravie de vous voir à une heure si tardive. Je fais partie des privilégiés ? Comment allez-vous ?

Sarah s'adossa au mur.

— Thobias, vous m'avez fait venir ici pour me parler de la cause de la mort du patient... Alors, de quoi est-il mort ?

— Ah oui, c'est vrai, j'oubliais que vous ne répondiez qu'à une question sur trois. De toute façon, ce que je vais vous annoncer va provoquer une avalanche de questions ! Cette affaire n'est vraiment pas ce à quoi on pouvait s'attendre. Je vais vous montrer.

*

Le légiste traversa la salle d'examen vers un bureau sur lequel étaient amassés plusieurs clichés de la victime. Il isola ceux sur lesquels apparaissait en gros plan la cicatrice frontale.

— La cause de la mort est peut-être la pire qui doit exister et en même temps la plus incompréhensible. Mais il faut que je vous explique comment j'ai abouti à cette conclusion, sinon vous ne me croirez pas.

Thobias désigna du doigt une photo du cou de la victime.

— Bon, passons aux choses sérieuses, maintenant. Ce type a à l'évidence essayé de s'étrangler, mais, comme on s'en doutait, il n'est pas mort par strangulation. L'os hyoïde n'est pas fracturé et, à la dissection, la trachée ne présente pas de signes traumatiques très profonds. Pour résumer, on a eu affaire à un début d'autostrangulation qui a surtout laissé des marques superficielles.

Sarah battit une fois des paupières en signe d'acquiescement.

— Partant de là, reprit le légiste, j'ai exploré la piste fournie par les infirmiers de Gaustad. À savoir l'arrêt cardiaque. Le cœur présente bien des zones de nécroses et de fibroses, signes d'une crise cardiaque.

Sarah allait ouvrir la bouche pour poser une question, mais Thobias l'arrêta.

— Mais ! s'emporta-t-il, je vous voyais déjà rétorquer : OK, on finit tous par mourir d'un arrêt du cœur de toute façon, donc ça n'explique rien du tout. Qu'est-ce qui a pu déclencher cet infarctus, Thobias ? À peu de chose près, c'est ce que vous alliez dire, non ?

Sarah approuva d'un mouvement de tête à peine perceptible et posa une fesse sur le bureau.

Thobias désigna une des radiographies du thorax glissées sur le mur d'examen.

— Quand j'ai disséqué le cœur, j'ai identifié des taches sur ses poumons. Vous voyez là et là sur la radio ? La prise de sang a révélé que ces taches étaient des traces d'une légère silicose. Autrement dit, la présence de poussière minérale dans les poumons. De la poussière qu'il avait dû respirer et avaler il y a quelques années. Mais rien qui puisse causer la mort ou déclencher un infarctus. Ça pouvait tout au plus le faire tousser. En revanche, les résultats de la prise de sang m'ont intrigué sur deux points : la victime avait dans le corps une forte quantité d'une molécule que je n'ai identifiée que grâce à mon ancienneté dans le métier. Comme quoi, vous avez eu du bol de tomber sur un vieux croûton comme moi. Ça vous change des quarantenaires qui passent leur temps à se demander comment vous décrocher un sourire pour espérer passer la nuit avec vous !

110

Sarah aurait volontiers souri à la boutade de Thobias si elle n'avait pas eu le cœur aussi lourd. La sonnerie de son portable lui évita d'avoir à répondre. Un agent de police du commissariat central l'informa qu'il était à la tête des recherches en périphérie de l'hôpital, mais que, pour le moment, aucun véhicule correspondant à la description qu'elle en avait faite n'avait été interpellé. Déçue, Sarah raccrocha et redirigea son attention vers le légiste.

— Quelle est cette molécule, Thobias ?

— Un médicament qui ne se fabrique plus aujourd'hui : le LS 34. Un traitement utilisé à la fin des années soixante dans de rares cas de psychiatrie. Je dis rare parce que ce produit était instable et son usage risqué. Il a été interdit il y a quarante et un ans, et c'est donc tout à fait anormal de le trouver en dose si concentrée dans le corps de cet homme.

— J'imagine que ce n'est pas ça qui a causé l'infarctus, puisque vous avez parlé de deux points bizarres.

— Ah, j'aime cette perspicacité, inspectrice Geringën. J'aurais eu quelques années de moins, je crois que... je me serais pris un vent comme les autres en vous invitant à dîner.

Sarah hocha la tête poliment.

— Excusez-moi, mais je suis obligé de me détendre un peu... Avant d'aborder la suite.

Sarah enregistra le nom LS 34, attentive à la suite des déductions de ce légiste, trop bavard à son goût, mais dont elle louait l'expérience et la précision.

Thobias saisit un tube de sang fiché dans un support vertical et le porta à hauteur du regard de l'inspectrice.

— C'est dans ce deuxième tube d'échantillon sanguin que j'ai découvert la cause de la mort, dit-il, en exposant à la lumière le liquide rougeâtre. En plus du LS 34, les analyses ont relevé un taux de calcium anormalement élevé. Ce que l'on appelle une hypercalcémie aiguë. Qui, je vais peut-être vous l'apprendre, peut être une cause d'arrêt cardiaque.

— Et d'où venait ce calcium en surdose ?

Thobias leva une main en signe de patience.

Il reposa l'échantillon et s'appuya sur le rebord du bureau, l'air désormais très concentré.

— On y vient. Plusieurs causes possibles à cette hypercalcémie : absorption de médicaments contenant de la vitamine D++. Mais peu de chances que cet homme ait pris des médicaments contre le rachitisme. Peu de chances non plus qu'il ait bu du lait en si grande quantité. Dernière possibilité, l'homme aurait été victime d'une dégénérescence osseuse. Parfois, le corps réagit en surproduisant du calcium. Mais ses os ne montrent aucun signe de métastases ostéolytiques. En gros, pas de destruction de tissu osseux.

— Qu'est-ce qu'il reste ?

Sans s'en rendre compte, Thobias baissa la voix, et dut cette fois s'asseoir. Sarah vit qu'il devenait de plus en plus pâle au fur et à mesure de l'explication.

— Sarah, est-ce que vous vous souvenez du visage de ce pauvre homme lorsque nous l'avons trouvé dans sa cellule ?

Sarah se rappelait fort bien le malaise qu'avait suscité en elle ce regard plongé dans le vide et cette bouche ouverte comme dans un dernier cri. Elle acquiesça en silence.

— Donc, vous vous rappelez que ses traits témoignaient d'une forte émotion, résuma Thobias. Or, lors d'une émotion intense, notre système nerveux fabrique de l'adrénaline qui rend le corps prêt à réagir plus rapidement. Cette adrénaline génère une production d'ions de calcium directement dans le cœur pour qu'il se contracte et donne plus d'oxygène à nos muscles. Malheureusement, si la dose d'ions produite est trop élevée, le cœur se contracte, mais ne se relâche pas. C'est la mort. Et ce genre de surdose ne survient que dans un seul cas.

— Lequel ?

Thobias hocha la tête, comme s'il devait approuver sa propre conclusion pour parvenir à y croire lui-même.

— Dans le cas d'une très forte peur.

Le légiste regarda Sarah dans les yeux, et confirma :

— La victime est morte de terreur, madame l'inspectrice.

Sarah frissonna.

8

Une odeur de café chaud flottait dans l'air de la cafétéria de l'hôpital. À cette heure avancée de la nuit, le silence était seulement parasité par le son d'une vidéo qu'une serveuse aux yeux cernés regardait sur son téléphone, assise derrière son comptoir. Un client solitaire en robe de chambre occupait le fond de la salle, les mains jointes autour d'une tasse de thé, la tête tournée vers la vitre où venaient s'écraser les flocons de neige.

Sarah prit place sur une banquette et sortit un carnet de notes de la poche intérieure de sa parka. Elle commanda une tasse de café et épousseta la table sur laquelle traînaient quelques miettes de pain.

Elle avait décidé de s'octroyer quelques instants pour faire le point sur son enquête. Une question notamment ne cessait de tourner dans sa tête : qu'est-ce qui avait pu à ce point terrifier la victime pour qu'elle ait voulu se suicider ? Quelqu'un lui avait-il fait peur ? Intentionnellement ? accidentellement ? À ces hypothèses se mêlait l'étrange et récurrent cri de 488, comme si depuis longtemps déjà, il hurlait sa terreur. Les deux surveillants et Janger lui-même en avaient parlé avec émotion, rappelant que ce cri avait gagné en intensité ces derniers jours, comme si la peur avait progressivement envahi la victime jusqu'à atteindre un insupportable paroxysme dans la nuit de la veille. Le LS 34 pouvait-il être responsable de cette terreur ? C'était probable, mais était-ce la seule explication ? Janger avait dit qu'ils étaient plongés dans le « sommeil noir » et déclaré que les réponses à toutes les questions se trouvaient dans les graffitis de 488. Il avait ajouté que lui seul se souvenait. Mais se souvenait de quoi ?

Sarah avala une tasse de café et releva la pointe de son stylo. Son carnet était noirci de mots, de flèches et de points d'interrogation. Cette effervescence ne la menait à rien. Elle décida de reprendre à zéro.

Pour le moment, elle savait qu'un homme amnésique d'environ soixante-dix ans avait été interné à l'hôpital psychiatrique de Gaustad il y a à peu près trente-six ans. Cet homme était mort de terreur la veille au soir au sein de cet établissement. Hans Grund, le directeur de l'hôpital, avait fait déplacer le corps pour que la police ne voie pas la réelle cellule de la victime. Laquelle était recouverte de graffitis à la signification inconnue. Tout aussi inconnue était l'origine de cette cicatrice « 488 » gravée sur le front de la victime et la teneur des expériences menées en sous-sol sur la victime et sur Janger.

Puis le directeur, sur le point d'être arrêté, avait provoqué la destruction intégrale de l'hôpital grâce à un mécanisme de départ de feu préparé de longue date. Que cherchait-il à détruire de si compromettant ?

Sarah avisa un instant les flocons de neige, en songeant à la détresse de la victime. À l'épouvantable et longue souffrance qu'il avait dû endurer pour finir ainsi. Quelle était son histoire, quelle était sa vie ? Avait-il eu une famille, une femme, des enfants ? Comment n'avait-elle pas vu qu'Erik la trompait ?

Sarah pâlit. La question avait surgi en elle de façon aussi imprévisible qu'incongrue. Elle prit une inspiration et s'efforça de retrouver le fil de son enquête en griffonnant les deux pistes à explorer : réinterroger le directeur s'il survivait, trouver qui fournissait Gaustad en LS 34. Soit il s'agissait de vieux stocks en interne, ce qui ne la mènerait nulle part, soit un laboratoire produisait et vendait encore cette molécule. Mais, avec l'incendie, Sarah était bien consciente que les chances de retrouver des preuves étaient très minces. Non, sa seule piste sérieuse était Hans Grund. Elle l'avait sauvé pour ça et elle n'allait pas le laisser les abandonner.

Elle referma son carnet, avala le reste de son café d'une gorgée et contacta l'officier Nielsen, qui lui indiqua que la chambre du professeur Hans Grund était la 523.

Sarah emprunta l'ascenseur jusqu'au cinquième étage et suivit un long couloir où plusieurs victimes de l'incendie avaient été regroupées. On entendait par moments des lamentations ou des gémissements provenant des chambres dont les portes étaient pour la plupart ouvertes afin de faciliter les incessantes allées et venues du personnel infirmier.

Par réflexe, Sarah jetait des œillades dans chaque pièce lorsqu'elle reconnut une silhouette. C'était la patiente qu'elle avait sauvée de l'incendie. Elle était assise dans le fauteuil d'ordinaire réservé aux visiteurs et quelque chose avait changé en elle. Une étincelle d'âme semblait s'être rallumée dans ses yeux.

Elle aperçut Sarah et un sourire ému de reconnaissance se dessina sur ses lèvres. Sarah lui adressa un discret signe de la main puis poursuivit son chemin, alors qu'un bref sentiment de joie la traversait.

De loin, elle repéra la silhouette massive de l'officier Nielsen. Il avait les traits tirés et un bandage sur la tête, mais il n'avait pas quitté son poste de surveillance depuis que Sarah lui avait donné l'ordre de monter la garde. Les bras croisés dans le dos, les jambes en V, il bloquait le passage de toute sa carrure.

— Il s'est réveillé ? demanda Sarah.

— Non, inspectrice. Les médecins l'ont plongé dans un coma artificiel.

— Quel est leur pronostic ?

— Ils ont l'air de dire que c'est mal engagé…

Sarah jura intérieurement sans qu'aucune émotion particulière vienne froisser son visage. Elle fit signe à Nielsen qu'elle voulait entrer.

— C'est une chambre stérile, inspectrice. Il faut vous équiper, dit-il en désignant des surchaussures vertes rangés sur un chariot à côté de la porte. Et une fois à l'intérieur, vous devrez passer une surblouse, une charlotte et des gants en latex.

Sarah enveloppa ses bottines avec les chaussons et entra dans le vestibule. Elle y enfila les vêtements de protection stérile et s'avança dans la chambre.

Assis sur le rebord de la fenêtre, l'officier Dorn se redressa d'un bond, l'esprit et les muscles fouettés par la présence de sa supérieure. Cinq gobelets à café étaient posés à ses côtés.

Le lit du grand brûlé était intégralement isolé par une bâche en plastique transparente dont les pans tombaient jusqu'au sol. Sarah s'approcha. Hans Grund était couché sur le ventre, des bandes blanches entouraient son dos, ses bras et son crâne. À ses côtés, le soufflet de l'aide respiratoire montait et descendait à un rythme soutenu et trois poches de liquide reliées à ses bras par des cathéters étaient suspendues sur des pieds à perfusion. Un moniteur électrocardiographique affichait un état tachycardique de cent douze pulsations par minute.

— Et ça, c'est quoi ? demanda-t-elle en désignant une pochette en plastique opaque posée sur le rebord de la fenêtre à côté des gobelets de café vides.

— Ce sont les affaires, en tout cas ce qu'il en reste, que l'on a trouvées sur lui. Je ne l'ai pas ouverte.

Sarah ouvrit le sac orange dont elle déballa le contenu sur le rebord de la fenêtre, après que l'officier Dorn se fut empressé de débarrasser ses gobelets sales.

Côte à côte s'alignèrent le badge de sécurité de Hans Grund, siglé du logo de l'hôpital, un trousseau de clés, une plaquette de Xanax entamée aux trois quarts, et une photo sur laquelle Grund souriait en tenant par les épaules, d'un côté une femme qui posait sa tête sur le bras du professeur et de l'autre une fille et un garçon d'une vingtaine d'années, eux aussi souriants et très proches de celui qui devait être leur père.

— Encore un psychopathe qui avait tout l'air d'un homme équilibré, murmura Sarah.

Elle retourna la photo par acquit de conscience, mais le dos était blanc, sans aucune inscription. Elle observa la tablette de cachets de Xanax en se demandant si ce puissant anxiolytique était destiné aux patients ou à Grund lui-même. Le trousseau de clés ne présentait rien d'anormal et le badge était similaire à celui qu'elle avait vu sur les employés de l'hôpital.

Frustrée, Sarah rangea les effets du directeur dans le sac, puis retira ses gants et les jeta dans la corbeille de la chambre.

Elle se planta devant Grund et s'accroupit à hauteur de son visage. Intubé, les paupières rougies et la face tuméfiée, le professeur donnait l'impression qu'il ne se réveillerait jamais.

Elle demanda à Dorn d'aller lui chercher le médecin chargé des soins.

L'officier s'exécuta et revint dix minutes plus tard en faisant signe à Sarah de le suivre en dehors de la chambre. Dans le couloir l'attendait une femme d'une quarantaine d'années, cheveux courts, regard dur et l'air pressée.

— Vous avez demandé à me voir ?

— Inspectrice Geringën...

— Je sais qui vous êtes.

Sarah ignora la remarque qui pouvait laisser entendre une certaine animosité et dirigea son regard vers le badge de la doctoresse.

— Bien, alors pouvez-vous me dire quel est le degré de brûlure de cet homme, docteur... Haug ?

— La peau est nécrosée, on a atteint le troisième degré sur 90 % du derme exposé. Au niveau du bras droit, la brûlure est encore grave car circonférentielle, avec risque d'ischémie et donc de nécrose du biceps.

— Ses chances de survie ?

La doctoresse soupira.

— Je dirais... 30 %, mais ce ne sont que des statistiques.

Sarah ferma un instant les yeux comme un boxeur encaisse un mauvais coup. Elle retira la charlotte qui recouvrait ses cheveux.

— Écoutez, comme vous devez le savoir, cet homme est responsable de l'incendie qui vient de réduire l'hôpital en cendres. On n'en est plus au stade du suspect puisqu'il a déclenché le brasier sous mes yeux. Il est donc coupable de la mort de plusieurs dizaines de personnes et nous ne comprenons pas pourquoi il a commis un tel geste.

— Et ?

— J'ai besoin de l'interroger, et par conséquent que vous le réveilliez.

La doctoresse laissa échapper un souffle de stupéfaction.

— Vous plaisantez, je présume ?

— Je n'ai besoin de l'interroger qu'une dizaine de minutes maximum, vous pourrez le rendormir ensuite.

— C'est totalement contraire à nos principes, madame l'inspectrice ! Mon patient a été plongé dans un coma artificiel afin d'économiser les maigres ressources qui lui restent pour essayer de survivre à ses graves blessures. Si on le réveille, non seulement il souffrira, mais en plus son cœur pourrait ne pas le supporter. Alors, si pour vous cet homme est un criminel, pour moi, c'est un patient. Un point c'est tout.

La doctoresse chevilla son regard dans celui de Sarah pour appuyer son autorité et s'apprêta à tourner les talons.

— Oui, je comprends… approuva Sarah qui avait prévu cette réponse. Mais imaginez que ce criminel, ou disons ce patient meure sans avoir expliqué son geste, ce qui selon votre pronostic est fort probable. Quel sera l'effet collatéral sur les dizaines de familles des victimes ? Quelle sera la vie de ces épouses, de ces maris, de ces enfants qui devront continuer d'exister

120

sans jamais savoir pourquoi leur mari, leur femme, leur père ou leur mère a brûlé vif ?

— Je regrette, mais ce n'est pas ainsi que la médecine fonctionne, inspectrice.

— Vous savez, un jour, un de vos confrères m'a dit que la médecine était avant tout une affaire de statistiques et de bienveillance.

— Ce n'est pas faux…

— Alors, quelle est selon vous la probabilité de faire plus de mal que de bien en ne réveillant pas cet homme ? Quelle sera la douleur de cette mère qui, il y a une semaine, a dû confier son fils dépressif à cet hôpital, à ce directeur qui, le sourire aux lèvres, lui a assuré que tout se passerait bien, qu'elle n'avait aucune inquiétude à avoir. Comment voulez-vous qu'elle ait même une infime chance de s'en remettre un jour si on ne lui explique pas pourquoi ?

La doctoresse détourna un instant le regard, mais elle résistait.

— Écoutez, je… je… ne peux pas cautionner ces méthodes.

Sarah dégagea la mèche qui cachait la partie brûlée de son visage.

— J'étais face à lui quand il a déclenché l'incendie. Il souriait, mentit-elle. Il se réjouissait à l'avance de l'horreur qu'il allait faire subir à ces centaines de patients enfermés dans leur cellule. J'aurais dû fuir, mais je suis allée le chercher dans les flammes parce que je devais la vérité à tous ceux qui allaient mourir par sa faute. Je ne peux pas avoir risqué ma vie pour rien… Aidez-moi. Aidez-moi à apaiser la peine de toutes celles et tous ceux qui attendent et espèrent des réponses.

L'officier Dorn retenait son souffle, bouche bée devant l'échange entre ces deux femmes de caractère.

— En le réveillant, je cautionne la torture, inspectrice…

— Les brûlures au troisième degré sont indolores du fait de la destruction des terminaisons nerveuses, n'est-ce pas ?

La doctoresse ne put dissimuler son étonnement.

— Oui, c'est juste, mais… comme je vous l'ai dit, les récepteurs en profondeur au niveau du muscle n'ont pas été détruits. Les douleurs d'ischémie musculaire sont par conséquent intenses.

— Augmentez provisoirement la dose de morphine. Je vous promets de faire vite.

— Je ne sais pas… C'est…

— Chaque heure qui passe accroît le risque de laisser Hans Grund partir sans avoir répondu de son crime. Il faut le faire maintenant.

La femme médecin ferma à son tour les yeux, comme si elle préférait ne pas voir ce qu'elle s'apprêtait à faire.

— Écoutez, c'est un processus risqué et qui va prendre du temps. On ne peut pas le réveiller comme ça en cinq minutes. Il faut faire remonter la température de son corps et arrêter les sédatifs progressivement…

— Combien de temps vous faut-il ?

— Ça dépend, généralement entre vingt-quatre et quarante-huit heures.

— Dorn, faites-vous relayer et prévenez-moi dès qu'il est en état de parler.

La doctoresse interpella Sarah d'un signe de main.

— Inspectrice Geringën. Quand il sera réveillé, s'il se réveille, je ne vous laisserai que dix minutes pour parler avec lui. C'est bien clair ?

Sarah inspira profondément et répondit par l'affirmative. Puis elle quitta l'hôpital. Il était presque 2 heures du matin.

*

Elle passa la nuit dans la même chambre d'hôtel que la veille, aux abords d'Oslo. À l'abri des regards, elle pleura. Beaucoup. Sans retenue.

Au petit matin, la peine était encore là, la peur de l'avenir aussi, mais une résolution s'était forgée en elle au cours des heures les plus sombres de la nuit. Si menaçante que soit cette enquête, elle allait s'y jeter avec l'énergie du désespoir. C'était sa seule chance de ne pas perdre pied. Elle espérait seulement que son corps et son esprit lui prêteraient l'énergie dont elle allait avoir besoin.

Elle consacra sa journée au bureau à classer les indices accumulés jusque-là et à éplucher les rapports de la police scientifique sur ce qui avait été retrouvé dans les décombres de l'hôpital. L'exercice l'aida à reprendre contact avec la réalité et à faire le point. Mais aucun élément ne lui permit de comprendre pourquoi Hans Grund avait détruit son hôpital, et encore moins qui était le patient 488.

Par acquit de conscience, elle appela les officiers Dorn et Nielsen, mais Hans Grund n'était toujours pas réveillé.

En fin de journée, la tête embrouillée, elle s'éclipsa discrètement, s'acheta des affaires de rechange, et rapporta un plateau de sushis qu'elle avala, assise en tailleur sur le lit de sa chambre d'hôtel. Elle ignora plusieurs appels de sa sœur et la rassura par SMS en lui promettant de passer dès qu'elle pourrait. Quant à la vente de l'appartement et au déménagement, elle réglerait cela plus tard.

Vers 22 heures, elle se fit couler un bain et se glissa dans l'eau chaude. Se sentant oppressée, elle n'y resta que quelques minutes. Et peu avant minuit, elle s'endormit dans son lit.

Elle se débattait dans un de ces rêves où l'on répète la même erreur à l'infini quand son téléphone sonna. Elle décrocha et se redressa aussitôt lorsqu'elle reconnut la voix de l'officier Dorn.

— Il est conscient.

Il était 3 h 42 du matin.

*

Vingt minutes plus tard, Sarah traversait les couloirs de l'hôpital universitaire d'un pas cadencé. Elle était désormais parfaitement réveillée.

L'officier Dorn l'accueillit en lui tendant des vêtements stériles. Elle les enfila et entra dans la chambre. La doctoresse l'attendait.

— Dix minutes, pas une de plus.

— Il est sous morphine ?

— Oui.

Tant mieux, songea Sarah. La morphine allait jouer un rôle désinhibiteur, encourageant à la confidence et à la vérité.

Hans Grund se mit à gémir alors que la doctoresse quittait la chambre.

Sarah s'accroupit. Les paupières du directeur frémirent et s'ouvrirent par à-coups jusqu'à ce que ses yeux fixent leur attention sur Sarah.

— Professeur Grund, je suis l'inspectrice Geringën. Vous vous souvenez de moi ?

Le directeur battit des paupières en signe d'acquiescement.

— Où suis-je ? soupira-t-il.

— À l'hôpital de l'université d'Oslo, soigné pour de graves brûlures que vous avez provoquées en déclenchant un incendie qui a ravagé votre établissement et entraîné la mort de seize personnes et un nombre encore indéterminé de blessés.

Contrairement à l'air satisfait qu'elle imaginait, Grund baissa les yeux.

— Je... je ne devais pas survivre.

— Je vous ai sorti de la fournaise.

— Pourquoi ?

— Pour comprendre, monsieur Grund. Comprendre pourquoi vous avez commis un crime si odieux alors que nous enquêtions sur la mort de l'un de vos patients.

Toujours à plat ventre, le professeur chercha à détourner la tête, mais une grimace de douleur tordit ses traits.

— Je ne voulais pas... en arriver là, finit par articuler Grund en reprenant son souffle au milieu de sa phrase. J'aimais mes patients... mon Dieu... Je ne voulais pas vivre cette culpabilité, vous auriez dû me laisser là-bas.

Toujours dans un coin de la pièce, l'officier Dorn était, comme Sarah, surpris par ce discours inattendu.

— Vous parlez comme si vous étiez... victime.

— Je l'ai fait pour sauver ma femme et mes enfants, inspectrice. Ils ne m'ont pas laissé le choix.

Sarah tira la chaise qui était derrière elle et s'assit, perplexe.

— Qui ça, ils ?

Grund grimaça de douleur alors que le moniteur électrocardiographique signalait une nette accélération du pouls. Sarah craignait qu'une alarme ne se déclenche et que la doctoresse ne déboule comme une tornade pour mettre fin à l'interrogatoire. Elle se leva et, sous le regard circonspect de Dorn, libéra la targette qui contrôlait la diffusion de morphine. Progressivement, le rythme cardiaque de Grund décrut jusqu'à reprendre une cadence quasi normale.

Après une trentaine de secondes, le professeur rouvrit les yeux. Son regard fixait un point imaginaire situé loin, quelque part dans ses souvenirs.

— Qui vous a forcé à agir comme vous l'avez fait, professeur ?

— Le patient 488 n'est pas arrivé à Gaustad dans les conditions que je vous ai décrites…

Sarah se pencha en avant pour être certaine de ne rien rater.

— Lorsque j'ai remplacé Olink Vingeren, l'ancien directeur… il m'a demandé de garder secrètes l'origine et l'identité de ce patient. Sinon ma famille en pâtirait, comme la sienne en aurait pâti avant…

— Attendez, vous voulez dire que quelqu'un faisait chanter l'ancien directeur sur l'existence de ce patient et que cette menace a ensuite été transférée sur vous ?

Grund approuva d'un battement de paupières.

— Professeur. Je dois savoir : qui vous ordonnait de garder cette information secrète ? Et pourquoi ?

126

Un voile d'impuissance obscurcit le regard de Hans Grund.

Il s'humecta les lèvres et Sarah lui présenta un gobelet d'eau muni d'une paille. Il aspira une gorgée et reprit.

— Le lendemain de ma prise de fonctions, j'ai reçu un coup de téléphone d'un homme qui connaissait tout de ma vie, de ma femme et de mes deux enfants...

Le visage de Hans se figea dans une expression introspective.

— Et que vous a demandé cette personne ? le pressa Sarah.

— De... garder le sujet 488 isolé... et de poursuivre les injections de LS 34. Alors j'ai fait ce qu'il me demandait.

— Quelle entreprise vous fournissait en LS 34 ?

Hans Grund soupira.

— Il nous était livré chaque mois par courrier sans que nous puissions en connaître l'expéditeur. Et nous ne le payions pas. Cela a toujours été ainsi et rien n'a changé depuis l'époque d'Olink.

— Qui injectait le LS 34 au patient ?

— L'un des membres... du personnel de... la zone sécurisée.

— Sandvik ou Lunde, c'est ça ?

Grund approuva d'un battement de paupières.

— Ils savaient que le produit était interdit ?

— Je ne pense pas. Ils sont là pour exécuter les ordres.

Sarah consulta sa montre : encore une minute et toujours rien.

— Quelle était la teneur des expériences sur ce patient ?

— Il y avait une espèce d'appareil bizarre sur lequel on devait l'attacher... et disons... le connecter avec des électrodes... Et puis ensuite, il y avait des réglages en suivant une notice... Et puis on lui injectait le LS 34. Au bout d'un moment, toute une série de signes s'imprimaient sur une feuille...

— Des signes qui ressemblaient aux graffitis sur le mur du patient ?

Grund sembla tourner de l'œil. Ses forces faiblissaient.

— Je... je sais pas...

— Vous n'avez jamais analysé les dessins qui recouvraient les murs de sa chambre ? Vous ne vous êtes jamais demandé pourquoi cet homme dessinait de façon compulsive ?

Grund répondit d'un mouvement de tête las.

Sarah guettait désormais la porte d'entrée de la chambre.

— Olink Vingeren est-il encore vivant ?

— Oui, je crois...

— Pourquoi m'avoir dit tout ça maintenant alors que la menace de vengeance doit toujours peser sur la tête de vos enfants ?

— Je ne sais pas... J'ai l'impression qu'ils ne risquent plus rien... J'avais besoin de me libérer...

La désinhibition de la morphine alliée au besoin de soulager sa conscience, songea Sarah. Un sacré cocktail de vérité.

Soudain, la doctoresse entra comme un courant d'air et se dirigea prestement vers le lit. Sans demander à Sarah si l'entretien était terminé, elle régla les transferts de liquide afin de rendormir le professeur. Sarah considéra Grund une dernière fois.

— Quand vous avez actionné le départ de feu... commença-t-elle.

— Oui, je savais que j'allais commettre un massacre. Je l'ai fait parce que la situation m'échappait... Je suis croyant, inspectrice... Vous l'avez vu... Et je sais que je vais aller en enfer... Mais j'ai pensé à ma fille et à mon fils... J'aurais fait n'importe quoi pour les protéger et je le referais si c'était nécessaire. Mes enfants... Inspectrice... Protégez-les...

Les yeux du professeur papillonnèrent puis se fermèrent.

— Merci. Vous avez fait le bon choix, déclara Sarah à l'intention de la doctoresse.

La femme médecin ne répondit pas, toute son attention concentrée sur l'écoute du cœur de son patient. Sarah quitta la chambre.

— Demandez une relève, officier Dorn, et allez vous reposer.

Sarah adressa le même conseil à l'officier Nielsen, qui gardait la porte. Puis elle téléphona à Norbert Gans, son adjoint provisoire, pour lui demander de mettre en place une sécurité rapprochée autour de la famille Grund et de lui communiquer au plus vite l'adresse et le numéro de téléphone d'un certain Olink Vingeren.

9

L'aube de ce glacial jeudi 18 février se levait à peine et le SUV 4 × 4 dévorait l'autoroute. Sarah devait rouler à près de 150 km/h en direction d'Holmestrand, un modeste port de bord de mer où son adjoint avait localisé la résidence d'Olink Vingeren, l'ancien directeur de Gaustad.

Après avoir terminé sa nuit pendant quelques heures dans le même hôtel que la veille, Sarah avait avalé un smoothie, croqué une pomme et pris la route vers 5 heures du matin.

Olink était sans doute sa dernière piste pour remonter jusqu'à celui ou ceux qui avaient fait interner le patient 488 à Gaustad trente-six ans plus tôt. Les perquisitions chez le professeur Hans Grund et les trois surveillants n'avaient rien donné de concluant.

Plongée dans ses pensées, Sarah ne vit le panneau de sortie de l'autoroute qu'au dernier moment. Elle freina et braqua. La voiture partit dans un tête-à-queue. Sarah relâcha la pédale de frein, réaccéléra et contrôla la trajectoire dans un enchaînement de réflexes de conducteur aguerri. Le véhicule chassa de gauche à droite dans un vacarme de crissement de pneus et évita le tonneau de justesse. Ralentissant l'allure, Sarah se dirigea vers la bande d'arrêt d'urgence, coupa le moteur et resta sans bouger, livide, le cœur frappant contre sa poitrine.

Tremblante, elle réprima une nausée puis passa une mèche de cheveux humides de sueur derrière son oreille. Rentrer chez elle, se reposer et mettre de l'ordre dans sa vie privée était la seule décision raisonnable à prendre. Et pourtant, cette tâche en apparence simple lui semblait encore plus insurmontable que l'obscure enquête à laquelle elle était confrontée.

Elle vida ses poumons dans un souffle interminable puis redémarra avant que le doute sur ses capacités ne s'installe de nouveau.

Elle repassait en boucle chaque élément de son enquête quand son portable vibra. C'était Stefen Karlstrom. Elle décrocha.

— Oui ?

— Tu es où ?

— Peut-être sur le point de tout comprendre.

— C'est-à-dire ?

— Je vais chez le psychiatre qui dirigeait Gaustad dans les années soixante.

— Qu'est-ce qu'il a à voir avec ce qu'il se passe aujourd'hui ?

— Il va peut-être nous aider à comprendre pourquoi le directeur a sabordé son hôpital. En gros, ce qu'il pouvait avoir envie de cacher.

— OK. J'attends ton appel.

Sarah raccrocha et, une heure plus tard, passa le portail d'une vieille propriété de campagne isolée. Les pneus craquèrent sur la neige immaculée alors qu'apparaissait la maison, juchée sur une butte, encerclée par une forêt paralysée de froid. En contrebas, elle aperçut un immense lac et une barque prise dans la glace. On n'entendait pas un bruit et la fausse lumière grisâtre d'hiver donnait au lieu un air absent. Comme si rien ne pouvait plus jamais arriver ici.

Quand elle frappa à la porte de la maison, l'air était encore plus froid qu'à Oslo et Sarah sentait qu'elle ne tiendrait pas longtemps sans bouger. La porte s'ouvrit finalement sur le visage d'un vieillard qui la détailla de la tête aux pieds.

— Qu'est-ce que vous voulez ?

Sarah avait devant elle un homme fatigué, qui ne devait plus rien attendre de la vie.

— Je suis l'inspectrice Geringën. Le patient 488 est mort, et j'aimerais vous poser quelques questions.

À la mention du patient 488, le regard éteint d'Olink Vingeren s'anima. Il considéra Sarah un instant de plus, soupira et lui tourna le dos en laissant la porte ouverte.

Une odeur de renfermé agressa les narines de Sarah quand elle entra. La vie s'était arrêtée ici il y a bien des années et même la poussière semblait d'époque. Olink avançait voûté, d'un pas traînant. Ils traversèrent le salon sans dire un mot, passant devant des meubles rustiques chargés de bibelots et deux antiques fauteuils vert foncé dont l'appuie-tête était recouvert d'un napperon en dentelle. Dans le silence du lieu, seul le grincement du parquet sous leurs pas faisait écho au lancinant balancier d'une horloge.

Quand ses yeux se furent habitués au manque de luminosité, Sarah s'étonna de l'originalité des cadres qui ornaient les murs. Dans le premier, on voyait un dessin au trait noir de la coupe d'un visage humain vu de profil, l'œil grand ouvert et le cerveau représenté en détail. Devant l'œil, un outil de forme pointue était tenu par une main. Une flèche indiquait le sens dans lequel frapper. Une notice pour la lobotomie.

— Cette pratique était à l'époque considérée comme une découverte majeure pour aider les malades, mademoiselle Geringën. Imaginez ces gens prisonniers de leur cerveau, souffrant de maux indescriptibles que l'on réussissait soudain à soulager. C'était un miracle.

Sarah savait ce qu'elle aurait répondu en temps normal, mais elle ne voulait pas vexer son témoin de la dernière chance.

— Chaque époque a ses certitudes et le présent est parfois prétentieux lorsqu'il juge le passé.

Olink Vingeren prit place dans un fauteuil en cuir en laissant échapper un soupir de soulagement.

— Je ne sais pas si vous dites cela pour m'amadouer, mais cela me plaît de l'entendre.

Puis il proposa à Sarah de s'asseoir avant de demander :

— Alors, il a vécu jusqu'à aujourd'hui ?

— Jusqu'à hier plus précisément.

— De quoi est-il mort ?

— De peur.

L'ancien directeur de Gaustad dirigea son regard vers le sol et hocha la tête, sans répondre. Comme si cette révélation ne le surprenait pas.

— Monsieur Vingeren, je sais le secret et la menace qui ont entouré le patient 488 au cours de toutes ces années… Mais aujourd'hui, il n'est plus de ce monde, votre contrat a été rempli. J'ai besoin que vous me disiez tout ce que vous savez sur cet homme.

— Vous avez de la chance, inspectrice. Tout le monde est parti autour de moi. Je n'ai plus personne à protéger. Plus personne à aimer. J'attends la mort, je suppose... Que voulez-vous savoir ? Et pourquoi ?

Sarah s'assit à son tour et lui fit le récit détaillé des derniers événements jusqu'aux révélations de Hans Grund. Quand elle eut terminé, Olink Vingeren avait le visage grave.

— Alors, ils sont toujours en veille, dit-il. Après toutes ces années, ils n'ont pas abandonné et ont même trouvé le moyen de voler le corps...

— De qui parlez-vous ?

— Oh, je vais vous raconter, mais je doute que cela vous aide à y voir plus clair.

Olink caressa le cuir patiné de son accoudoir, se replongeant dans de vieux souvenirs.

— Tout a commencé le jour où j'ai reçu un coup de téléphone du ministre de la Santé de l'époque... On était au début des années soixante-dix. Le ministre m'a dit que j'allais bientôt recevoir la visite de deux hommes qui viendraient me confier un patient et que je ne devrais poser aucune question. Que cela relevait de la sécurité nationale, qu'il n'en savait pas plus, mais que l'ordre provenait des plus hautes instances... des instances qui n'hésiteraient pas à utiliser ma femme et mes enfants comme moyen de pression en cas de non-respect des règles que m'édicteraient les deux agents.

Sarah décolla son dos du dossier et posa les avant-bras sur ses genoux, les mains jointes entre les jambes, attentive.

— On était encore en pleine guerre froide, ajouta Olink, et ce genre de menace avait encore plus de poids qu'aujourd'hui.

— OK, continuez, approuva Sarah, à qui le contexte historique semblait effectivement propice au chantage et à la paranoïa.

— Les agents en question se sont présentés un soir avec un homme à moitié endormi et dont le front était marqué par une vilaine cicatrice. Celle que vous avez vue… le 488. Ils m'ont contraint à enfermer l'homme dans une cellule en évitant tout contact avec les autres patients. Ils ont ajouté qu'on allait me livrer un appareil spécial que je devrais utiliser tous les jours sur ce sujet après l'avoir traité au LS 34. Je devrais minutieusement consigner ses réactions sur un carnet. Si l'existence du patient risquait d'être dévoilée, il fallait détruire toutes les preuves de son passage… Quitte à incendier l'établissement en entier grâce au dispositif de mise à feu qui serait bientôt installé. Quelle histoire, quand j'y repense, songea Olink à voix haute. Quelle horrible histoire…

— Ces hommes vous ont-ils dit autre chose ? relança Sarah.

— Quand je leur ai demandé combien de temps je devrais garder cet homme, ils m'ont répondu qu'il resterait là jusqu'à sa mort. Puis ils sont partis et je n'ai plus jamais eu de leurs nouvelles. Et pour ne pas avoir d'ennuis, j'ai appliqué leurs consignes jusqu'à en confier la succession au professeur Hans Grund.

— Qui étaient ces agents, selon vous ? C'est bien le ministre de la Santé de l'époque qui vous a prévenu de leur arrivée dans votre hôpital ?

— Oui, oui, on était amis à l'époque.

— Et vous ne lui avez jamais demandé de vous en dire plus ?

Olink laissa échapper un discret rictus.

— Si… mais lui-même n'en savait pas plus que moi. Il appliquait une directive qui venait de plus haut.

— De la présidence ? s'étonna Sarah.

— Je l'ignore. Vous savez, la Seconde Guerre mondiale n'était pas loin, des alliances avaient été conclues entre plusieurs pays et, comment dire, ils se donnaient des coups de main sur certains dossiers encombrants.

— Vous pensez à quel pays ?

Olink jugea Sarah comme un professeur étonné de voir son élève ignorer une réponse si élémentaire.

— Les États-Unis. Je ne vois qu'eux pour imposer leur volonté à la Norvège sans qu'on leur pose plus de questions.

— Mais pourquoi ne pas avoir gardé cet homme sous contrôle auprès d'eux, pourquoi l'avoir mis dans cet hôpital loin de tout ?

— Je ne sais pas. Ils avaient certainement leurs raisons. En revanche, je pense qu'ils ont conservé un lien avec lui.

— Vous voulez dire un informateur au sein de l'hôpital ?

— Je ne vois pas comment ils auraient pu faire autrement pour s'assurer que tout se déroulait comme ils l'avaient demandé.

— Vous avez une idée ?

Olink n'avait pas l'air inspiré par la question.

— Il y a bien trop de personnel dans cette structure et je n'ai jamais repéré de comportement particulièrement suspect. J'ai cherché pendant un moment, mais à l'époque, la menace avait du sens, ma femme et mes enfants étaient encore là. Je n'ai donc pas insisté.

Le vieil homme détourna le regard vers une photo posée à côté de lui.

— Et le LS 34 ? D'où venait-il ?

Olink ne répondit pas, perdu dans des souvenirs que lui seul connaissait. Sarah se racla la gorge pour le ramener à la réalité. Il reprit la discussion comme s'il ne s'était pas arrêté.

— Aucune idée.

— D'accord, mais qu'est-ce que vous pouvez me dire sur le LS 34 ? Quel genre d'état était-il censé générer ?

— C'est un psychotrope hallucinogène utilisé pour désinhiber. Autrement dit pour libérer les blocages provoqués par certaines maladies mentales. On s'en servait à l'époque lors de thérapies psychanalytiques sur des patients dits fermés pour les aider à parler et à dénouer leurs névroses. Quand cela fonctionnait...

— Ça me rappelle le LSD.

— C'est de la même famille. Un dérivé de l'ergoline, vous savez, l'ergot de seigle qui provoquait des hallucinations au Moyen Âge. C'est la même chose. Sauf que le LS 34 était censé être encore plus puissant que le LSD.

— Les gribouillages sur les murs de sa chambre sont-ils le fruit des états provoqués par cette molécule ?

— Les gribouillages ? reprit Olink, étonné.

— Eh bien... à première vue oui. Pourquoi semblez-vous surpris ?

— Avez-vous pris des photos des murs de sa chambre ?

— Oui...

— Montrez-les-moi.

Sarah tira de sa poche son téléphone et l'orienta vers le vieux directeur après avoir ouvert le dossier correspondant.

— Ça n'a pas changé… Il a continué à toujours dessiner les mêmes formes.

— Quelles formes ? s'étonna Sarah en zoomant sur les clichés.

— Ah… astucieux et performant comme système, apprécia Olink. Désormais, vous devriez les voir clairement.

Sarah fit l'effort de suivre certains traits.

— Regardez bien… insista Olink, et dites-vous que cet homme a dessiné quelque chose qui a du sens, ça aidera votre cerveau.

Sarah observa de nouveau son écran avec acuité. Elle exécuta rapidement quelques manipulations jusqu'à obtenir un zoom encore plus précis des photos. Et cette fois, son cœur s'emballa.

— Un arbre ? chuchota-t-elle.

Ses yeux sautaient d'un côté à l'autre de la photo, sa tête s'inclinant à gauche, puis à droite.

— Un poisson ? Et… là, on dirait une flamme.

Olink acquiesça en silence.

— Regardez les autres pans de mur, lui conseilla le vieillard.

Mais Sarah était déjà en train de le faire et laissa échapper un souffle de stupeur. L'intégralité des graffitis des murs de la chambre étaient en réalité composés des trois mêmes formes emmêlées et répétées à l'infini : un arbre, un poisson et une flamme.

— Alors, vous voyez, conclut Olink. Le poisson, l'arbre et la flamme…

— C'étaient déjà les mêmes dessins à l'époque ?

— Depuis toujours.

— Vous lui avez demandé ce que ça voulait dire ?

— Une fois, mais ça l'a mis dans un tel état que je n'ai pas réitéré l'expérience.

Sarah n'en revenait pas que cet homme ait dessiné sur ces murs ces trois mêmes formes pendant plus de trente ans. Pourquoi cette obsession ? En quoi était-elle liée au fameux sommeil noir dont avait parlé Janger ? Olink en savait peut-être plus.

— J'imagine que vous avez quand même réfléchi à la signification de ces trois formes au cours des années...

— Oui, et il y a une chose que j'ai pu établir avec certitude, c'est que ces dessins ne représentent que des éléments intemporels. Autrement dit, ni avion, ni voiture, ni maison, ni visage... comme si les symboles qu'il dessinait étaient hors du temps. Mais je ne sais pas pourquoi ces formes l'obsédaient.

— Les infirmiers qui s'occupaient de lui m'ont aussi parlé d'une espèce de cri qui...

— Ah, le cri du patient 488. Cette note ou ce son qu'il ne trouvait jamais et qu'il cherchait en vain. Comme s'il l'avait oublié et essayait en permanence de s'en souvenir. Un mystère...

— Lié aux dessins ?

— Aucune idée, mais il est probable que cette névrose ait la même origine.

— Est-ce que le LS 34 a pu déclencher le décès du patient ? Je veux dire par là, provoquer une hallucination si terrifiante qu'elle l'aurait foudroyé de peur ?

Olink posa la main sur son front dans une attitude de réflexion.

— Oui et non... finit-il par répondre. De ce que vous me dites et de ce que je sais des propriétés du LS 34, je ne pense pas que ce soit une hallucination qui ait provoqué cette peur fatale. Même dans un état de léthargie comme devait être celui du patient 488 au moment des faits, le cerveau parvient encore à faire la distinction entre l'imagination et le réel. Un peu comme lorsque vous rêvez que vous mourez, vous vous réveillez parce que votre cerveau sait que ce n'est pas vrai. Le patient 488 n'est donc pas mort d'une hallucination, mais d'un souvenir. Un souvenir refoulé que le LS 34 a ramené à la conscience et qui a entraîné la fin que nous savons.

— Cet homme a donc par le passé vu ou entendu quelque chose de si terrible que son seul souvenir l'aurait tué…

Olink opina du chef.

— Mais quelle pensée peut tuer un homme de peur ?

L'ancien directeur eut un sourire ironique.

— La vie nous tuerait tous si nous n'avions pas l'oubli, madame Geringën. Cet oubli qui fait que nous ne pensons pas chaque seconde à l'absurdité de notre existence. Nous vivons sans savoir d'où nous venons et nous mourons sans savoir où nous allons. Comment vivre entre les deux ? Comment ne pas être paralysé par cette absence de sens ? C'est logiquement impossible. Et pourtant, la majorité y parvient et fait un peu comme si de rien n'était. Mais imaginez que vous soyez forcée de penser cet absurde sans rien pouvoir faire d'autre, pas sûr que vous survivriez. C'est le genre d'état qui peut nous traverser lorsque nous sommes confrontés de près à la mort d'un proche. Mais…

Olink termina son développement en secouant la tête, comme s'il n'était pas satisfait de sa conclusion. De son côté, Sarah essaya de faire abstraction des pensées douloureuses que ce raisonnement faisait remonter en elle.

— Mais quoi ? reprit-elle. Vous avez l'air de dire que cela ne correspond pas au cas du patient 488.

— Eh bien, il y a ces dessins qui changent tout. En termes pathologiques, ils sont clairement l'expression de quelque chose de traumatisant que le patient essayait de rendre intelligible. À travers eux, il tentait de dire quelque chose, ou tout du moins d'exprimer rationnellement un souvenir qui le hantait. Un souvenir précis et plus concret que cette confrontation au non-sens de la vie.

L'horloge du salon se mit en branle et sonna onze coups. Déjà 11 heures, se dit Sarah, et toujours aucune piste sérieuse.

— Voulez-vous boire quelque chose, inspectrice ?

— Non, merci. Écoutez, monsieur Vingeren...

Mais le vieil homme se leva avant qu'elle ait terminé sa phrase et traîna sa carcasse fatiguée jusque dans une pièce adjacente.

Sarah n'osa l'interrompre et entendit des bruits de casseroles. L'attente se transforma en impatience. Il reparut cinq minutes plus tard, une tasse et une théière posées sur un plateau qu'il tenait de façon approximative.

— Tout ce que vous me racontez est fort intéressant et intrigant, monsieur Vingeren, dit Sarah à peine avait-il mis un pied dans le salon, mais il me faut au moins une information qui m'aide à remonter jusqu'au coupable. Au moins une...

Olink se servit une tasse comme s'il n'avait pas entendu, but une gorgée et se rassit en savourant la saveur du thé.

— Je suis désolé, je ne vois pas ce que je peux vous dire de plus. Désormais, vous en savez même plus que moi sur cette affaire.

Ça ne peut pas se terminer comme ça, s'effraya Sarah.

— Je vois votre abattement, inspectrice, et je regrette de ne pouvoir vous aider plus. La chose certaine dans cette histoire, c'est que ceux qui se cachent derrière cette manipulation doivent jouer gros. Et leurs recherches doivent être sacrément ambitieuses pour courir sur autant d'années. Rendez-vous compte, cet homme a débarqué le 24 décembre 1979, il y a trente-six ans aujourd'hui. C'est exceptionnel.

Sarah releva la tête brutalement.

— Le 24 décembre 1979. Vous êtes sûr ?

— Écoutez, j'étais en train de courir après les derniers cadeaux de Noël pour mes enfants quand l'infirmier de service m'a dit qu'il y avait une urgence et que je devais venir tout de suite. J'ai dû tout abandonner sur place et foncer à Gaustad. Les deux hommes dont on m'avait annoncé la venue m'y attendaient et, comme prévu, m'ont demandé de garder ce patient dans le secret le plus absolu. Je peux vous dire qu'un Noël comme ça, on s'en souvient.

— Monsieur Vingeren, à qui avez-vous confié le patient le premier jour ? C'est très important.

— Le surveillant de garde m'a aidé le premier soir. Il s'en est d'ailleurs pas mal occupé, mais c'est moi qui étais le plus présent, en tout cas pendant le premier mois.

— Comment s'appelait le surveillant de garde, cette nuit-là ?

Olink pouffa.

— Vous plaisantez ? Comment voulez-vous que je me souvienne de cela ?

— Ce n'est pas grave. Je crois que j'ai trouvé le contact de ceux qui vous ont fait chanter toutes ces années.

Sarah se leva sous le regard surpris de l'ancien directeur.

— Merci.

— Madame Geringën, je ne vous connais pas, mais vous savez, j'ai passé ma vie à ausculter et à sonder les âmes. Même si vous essayez de le cacher, il y a quelque chose de bon et de fragile en vous. Soyez vigilante. Ceux qui tirent les ficelles de cette histoire n'ont pas tenu quarante années pour rien.

Sarah remercia l'ancien directeur, puis sortit pour regagner sa voiture. Elle démarra à toute vitesse.

10

Il était aux alentours de midi, mais il aurait pu être 4 heures du matin. La chape de plomb qui recouvrait le ciel avait obligé la municipalité d'Oslo à laisser les lampadaires allumés. Mais leur lueur parvenait à peine à percer la barrière du brouillard.

Sarah plaqua le col de sa parka sur sa nuque, qui commençait à se crisper de fatigue et de froid, puis sortit de sa voiture. Elle traversa le parking, bouscula la porte d'entrée du commissariat central plus qu'elle ne la poussa et se dirigea droit vers le bureau de Norbert Gans. Son adjoint leva la tête dès qu'elle entra et discerna vite l'empressement de sa supérieure.

— Chez Sandvik, dans ses papiers administratifs, avez-vous trouvé son contrat de travail ? Je cherche la date de son engagement à Gaustad.

— Eh bien… comme ça, je ne sais pas, mais on devrait trouver ça. Les cartons de la perquisition sont en bas.

Sarah fit signe à son adjoint qu'elle le suivait. Ils descendirent à l'étage inférieur et entrèrent dans une salle où trois policiers avaient classé toute une série de documents dont ils étudiaient méticuleusement le contenu.

— Les gars, on doit trouver la première date d'embauche de Sandvik à Gaustad, lança Norbert. Cherchez dans les contrats de travail et les relevés de points de retraite.

Sarah et Norbert aidèrent l'équipe à éplucher les centaines de documents qui s'entassaient dans les biens appartenant à Leonard Sandvik. À cinq, au bout d'une demi-heure, ils avaient leur réponse.

— C'est bien ce que je pensais… lâcha Sarah.

Son document en main, elle remonta à l'étage supérieur et fit irruption dans la cellule de garde à vue de Leonard Sandvik.

Le vieil infirmier s'était assoupi sur un lit de fortune suspendu au mur et s'éveilla dans un mouvement d'affolement quand on entra dans sa cellule.

— J'ai quelques nouvelles questions à vous poser dans le cadre de l'enquête sur le cas 488, annonça Sarah.

Leonard Sandvik passa la langue sur ses lèvres, désorienté, un sentiment de peur et d'incompréhension dans le regard. Il s'assit sur sa banquette et pétrit ses tempes du bout des doigts.

— Qu'est-ce qu'il se passe ? Pourquoi vous me regardez comme ça ?

— Votre dossier, que j'ai ici, stipule noir sur blanc que vous avez pris vos fonctions à l'hôpital de Gaustad le 22 novembre 1979. Comme vous me l'avez d'ailleurs dit vous-même lors de notre première entrevue. N'est-ce pas ?

— Oui, c'est ça…

— Or, monsieur Sandvik, lorsque je vous ai interrogé, vous m'avez dit ne pas avoir été témoin de l'arrivée du patient 488 et que vous n'aviez pris connaissance de son existence que plusieurs mois après sa probable arrivée. C'est bien ça ?

— Euh… Oui.

Sarah surprit son témoin jeter un coup d'œil furtif vers la porte.

— Or je viens d'apprendre, précisa-t-elle en verrouillant ostensiblement la serrure, que le patient 488 a été interné à Gaustad le 24 décembre 1979, soit un mois après votre arrivée ! Vous étiez donc là. Vous le connaissiez. Pourquoi avoir menti, monsieur Sandvik ?

— Je… Je n'ai pas menti. Je m'en souviens plus, c'est tout. Vous réalisez que vous me posez des questions sur quelque chose qui est arrivé il y a plus de trente-cinq ans ? Peut-être que j'ai vu un patient arriver cette nuit-là, mais je n'ai aucun souvenir qu'il s'agissait du patient 488. Je n'ai pas menti !

— Cette nuit-là, dites-vous… Comment saviez-vous que c'était la nuit ?

— Hein ? Je sais pas, j'ai dit ça comme ça, s'agaça l'infirmier en plissant les sourcils de mécontentement.

— Monsieur Sandvik, il est plus que temps de me dire la vérité. Est-ce vous qui avez accueilli la victime la nuit de son arrivée à Gaustad ? Est-ce vous qui faites chanter les directeurs de Gaustad depuis plus de trente ans ? Est-ce vous qui fournissez l'hôpital en LS 34 ?

— Je n'ai rien à voir avec toutes ces choses dont vous parlez !

— Écoutez-moi, j'ai cru comprendre que vous aviez une femme et une petite fille, n'est-ce pas ?

Sandvik inspira bruyamment.

— Plus vous coopérerez, mieux ça se passera pour vous devant le juge… Et plus vous aurez de chances de voir votre fille grandir.

Sandvik baissa la tête, effondré.

— Je ne vous connais pas, monsieur Sandvik, mais mon intuition me dit que vous n'êtes pas quelqu'un de méchant et que, compte tenu de votre âge et de celui de votre fille, vous feriez tout pour qu'elle garde un bon souvenir de son vieux papa…

L'infirmier détourna le regard, ému. Sarah le laissa réfléchir en silence. Il avait l'air d'avoir pris plus de dix ans en quelques heures. Quand il parla enfin, sa voix n'était plus celle d'un homme de soixante ans, actif et alerte. Mais celle d'un homme usé et accablé par les regrets.

— J'étais jeune, j'avais besoin d'argent et ce n'était pas grand-chose… murmura-t-il.

— Qu'avez-vous fait ?

Sarah parlait désormais doucement, d'une voix presque bienveillante.

— Je vous promets que ceux qui avouent bénéficient toujours d'une clémence de la justice. Et cela peut se jouer à plusieurs années…

Sandvik serra le poing et frappa de rage sur sa banquette.

— C'est pas juste…

— Qu'est-ce qui n'est pas juste ?

— C'est pas moi le salaud dans cette histoire !

— C'est le professeur Grund, votre directeur ?

— Non, lui non plus n'y était pas pour grand-chose. Il faisait ce qu'on lui avait dit de faire. Comme moi.

— Expliquez-moi.

Sandvik soupira longuement.

— C'était en 1979. Je sortais de l'école d'infirmiers et j'avais un emprunt à rembourser. J'avais réussi à entrer à l'hôpital psychiatrique de Gaustad, c'était inespéré de travailler dans un établissement aussi prestigieux. Mais mon salaire était loin d'être suffisant pour arriver à faire face à la vie.

Sandvik avala sa salive avec difficulté en secouant la tête, comme s'il maudissait ses choix au fur et à mesure que les souvenirs revenaient.

— Un jour, au mois de décembre 1979, un homme est venu me voir et m'a demandé si je voulais l'aider à surveiller un patient de l'hôpital en échange d'un salaire régulier qu'on m'enverrait en liquide. Cela peut paraître idiot aujourd'hui, mais j'ai accepté. D'autant que la tâche n'avait pas l'air risquée ou illégale. Je devais m'occuper personnellement d'un patient amnésique qui arriverait le soir de Noël 1979, m'assurer qu'il prenait bien son traitement de LS 34, lui faire passer un test sur une machine bizarre et faire des rapports mensuels sur son état, les dessins qu'il produisait et les sons qu'il émettait. Je ne devais poser aucune question, ne rien chercher à comprendre, ne rien dire à personne. Il avait ajouté que le directeur fermerait les yeux là-dessus.

Sarah évalua le surveillant du regard avant de reprendre :

— Qui était cet homme qui est venu vous faire cette proposition ?

— Je ne sais pas, je n'ai jamais vu son visage.

— Et comment communiquiez-vous ?

— Par courrier au départ, via une boîte postale, et depuis quelques années par téléphone. J'avais un numéro que je devais appeler une fois par mois pour faire un rapport.

— Le numéro de votre contact, Leonard. Donnez-le-moi.

L'infirmier eut l'air ennuyé.

— Eh bien, j'en ai un, mais il ne doit plus être bon. Il m'en indiquait un nouveau à chaque appel. Il ne m'a évidemment rien donné la dernière fois que je l'ai eu pour lui dire que le patient 488 était mort.

— Donnez-moi quand même l'ancien.

Leonard Sandvik se résigna à fouiller dans un revers de son pantalon et en tira un papier froissé qu'il tendit à l'inspectrice.

— Je vous en prie, n'appelez pas, il saura que cela vient de moi et (Leonard se mit à chuchoter) j'ai peur pour ma famille.

Sarah prit le papier et sortit. Elle gagna un bureau où un homme élancé aux yeux cernés faisait défiler sur son écran des colonnes de chiffres en s'arrêtant de temps à autre pour sélectionner une case.

Sarah lui tendit le numéro inscrit sur le papier et lui demanda de voir où cela menait, discrètement. L'expert en télécommunications promit de revenir vers elle au plus vite. Sarah retourna auprès de Sandvik et s'adossa de nouveau à la porte pour lui parler.

— En attendant, dites-moi comment votre contact a réagi quand il a appris la mort du patient, enchaîna-t-elle.

Leonard arracha un fragment de l'ongle de son pouce avec ses dents.

— Monsieur Sandvik, vous ne pouvez plus rien faire, si ce n'est répondre à mes questions. Faites-le, c'est la seule chose qui puisse vous aider pour le moment.

Comment a réagi votre contact en apprenant le décès du patient 488 ?

— Eh bien, il y a eu comme un blanc et puis il m'a dit que ma mission était terminée et que les virements prenaient donc fin.

— Pourquoi la victime avait-elle cette marque avec ce numéro sur le front ?

— Je me le suis souvent demandé. J'ai imaginé qu'il s'agissait d'un prisonnier... mais sur le front, comme ça, c'est bizarre.

— Écoutez, il va falloir m'en dire beaucoup plus si vous voulez que je considère que vous avez collaboré à l'enquête.

Leonard Sandvik regarda par terre en se tordant les doigts. Sarah laissa passer quelques respirations en faisant mine de lire un message sur son téléphone.

— Eh bien... il y a peut-être quelque chose d'autre que je dois vous dire, déclara Sandvik à mi-voix.

— Je vous écoute...

— Hier, quand j'ai vu que le patient était mort, j'ai su que je n'allais plus toucher d'argent de mon contact. J'ai paniqué et j'ai eu peur de dire à ma femme qu'elle allait devoir vendre la maison...

— Et donc ?

— Alors, j'ai voulu en récupérer un peu d'avance. Quand j'ai eu le droit de passer mon coup de fil à ma femme, je lui ai tout de suite dit de vendre le LS 34 au marché noir. Je savais que vous alliez bien finir par apprendre que j'étais mêlé à tout ça et je voulais qu'elle et ma fille soient à l'abri du besoin. Je lui ai dit de passer par un forum Internet qu'on se refile entre infirmiers et où... bref, disons que c'est le genre de marchandise qui peut intéresser les dealers de drogue.

— Vous avez bien fait de m'en parler, monsieur Sandvik. Mais y aurait-il autre chose ? Par exemple, que savez-vous de ces fameux dessins dont le patient 488 recouvrait les murs de sa chambre ? Désignent-ils celui ou ceux qui l'avaient envoyé à Gaustad ?

— Je sais pas… Mais je me souviens qu'un jour, j'étais crevé et j'ai oublié de lui injecter sa dose de LS 34. Quand je suis rentré dans sa cellule, il m'a observé comme s'il me voyait pour la première fois. Son regard, d'habitude vide, était lucide. Il m'a tout de suite demandé où il était et depuis quand. Je lui ai dit qu'il était dans un hôpital psychiatrique après avoir été retrouvé amnésique dans les rues d'Oslo. Il m'a regardé, puis il a tourné la tête et s'est rassis sans rien dire. Je lui ai demandé s'il se souvenait de quelque chose… du nom d'un parent. Mais il n'a pas répondu.

— C'est tout ce que vous lui avez dit ?

— Non, pendant que je lui injectais sa dose de LS 34, j'ai été un peu trop curieux et je lui ai demandé pourquoi il criait ou émettait ces sons bizarres. Après tout, je l'entendais tous les jours et c'était tellement étrange…

Sarah affichait une expression compatissante, encourageant son témoin à poursuivre sa confidence.

La voix de Leonard se fit blanche.

— C'est là qu'il s'est retourné vers moi et m'a dit qu'il essayait de se souvenir. Je lui ai demandé de quoi et… Je n'oublierai jamais ses yeux quand il m'a répondu : « Vous ne voulez pas savoir. »

Leonard Sandvik secoua la tête comme pour chasser les pensées angoissantes qui le traversaient.

— Je crois que de ma vie je n'avais jamais lu la peur aussi nettement dans les yeux d'un homme.

Ils étaient grands ouverts, rougis sur les côtés. Encore aujourd'hui, il m'arrive d'en faire des cauchemars. Je ne sais pas ce qu'il a vu, mais pour rien au monde j'aurais voulu être dans sa tête. Pour rien au monde…

La voix de Leonard expira dans le silence du bureau. Sarah elle-même était émue par ce qu'elle venait d'entendre.

Son téléphone portable sonna. C'était l'expert en télécommunications qui, comme elle le redoutait, lui annonçait que le numéro fourni par Sandvik était celui d'un téléphone jetable dont la validité était arrivée à expiration. Impossible de remonter jusqu'à son propriétaire ou même de le localiser puisque la carte SIM avait été détruite. Sarah remercia l'expert et raccrocha, imperturbable.

Elle se leva malgré tout pour marcher de long en large. Il lui restait un élément à creuser.

— Monsieur Sandvik, votre collègue Elias Lunde m'a laissé entendre que le patient 488 était de plus en plus agité ces derniers temps. Sauriez-vous me dire pourquoi ? Avez-vous changé quelque chose dans son traitement ? Avez-vous augmenté les doses de LS 34 ? A-t-il vu, entendu quelque chose, quelqu'un de particulier ?

Leonard Sandvik se prit la tête entre les mains et posa les coudes sur ses genoux.

— Si j'avais su, je n'aurais jamais fait tout cela.

— Répondez à ma question.

— Oui, j'ai augmenté les doses parce qu'on m'a ordonné de le faire.

— Votre contact, j'imagine ?

— Oui.

— Et pour quelle raison ?

L'infirmier regarda Sarah par en dessous.

— Est-ce que vous me jurez de protéger ma femme et ma fille ?

— Dites toujours.

— Non, jurez-le-moi.

— On les placera en tant que témoins sous surveillance si nécessaire.

— Jurez-le-moi.

Sarah céda.

— OK, vous avez ma parole. Maintenant, dites-moi pour quelle raison on vous a demandé d'augmenter les doses de LS 34.

— Je pense que c'est ça qui l'a tué… Ils ont voulu aller trop loin.

— Monsieur Sandvik ?

— Le visiteur. Tout a commencé avec lui.

Sarah sentit une poussée d'adrénaline irradier son corps.

— Un visiteur ? Qui ?

— Je vous ai menti en vous disant que personne n'avait jamais rendu visite au patient 488. Il y a un peu plus d'un an, un type est venu et a demandé à le voir.

Sarah décolla son dos du mur sur lequel elle était appuyée.

— Oui, il devait avoir trente-cinq ans environ. Il a dit être chercheur dans le laboratoire qui fournissait Gaustad en LS 34 et voulait rencontrer et examiner le patient à qui on injectait encore le produit pour réactualiser leurs recherches dans le domaine des psychotropes.

— Quel laboratoire ?

— Il travaillait pour un laboratoire français que je connaissais de réputation. Cela dit, je ne l'ai pas autorisé à voir le patient 488, prétextant des raisons de sécurité. Il m'a alors posé toute une série de questions très précises sur le comportement du patient. Je lui ai répondu de manière évasive. Le type a semblé contrarié et a lourdement insisté pour en savoir plus. Je n'ai pas cédé et il est parti. J'ai immédiatement appelé mon contact qui m'a demandé le nom de ce visiteur et ordonné en même temps d'effacer toute trace du passage de cet homme.

— Son nom, répéta Sarah.

Elle avait parlé d'un ton cinglant, sans compassion, avec la froideur de la technocratie.

La jambe de Leonard tressautait et ses mains étaient rouges d'avoir été tant malaxées. Le silence dans le bureau devint pesant. Le regard de Sarah accroché avec une détermination robotique au visage de son témoin l'était tout autant.

— Ma vie est foutue, se lamenta l'infirmier d'une voix triste. J'ai tout perdu…

— Le nom, c'est la condition pour la protection de votre famille.

Leonard Sandvik baissa la tête en laissant échapper un long soupir.

— Il s'appelait… Adam Clarence, il était français et travaillait pour le laboratoire Gentix.

11

Le vieil homme s'éveilla en sursaut, le visage pois-
seux de sueur, le cœur encore affolé par son cauchemar.

Il reprit lentement sa respiration et tourna la tête vers
la fenêtre de sa chambre. Le soleil filtrait à travers les
feuillages du grand tilleul dont les branches montaient
jusqu'à sa fenêtre. Une brise intermittente berçait les
ramures dans un murmure apaisant, à peine troublé
par le chant des cigales.

— Tout va bien. Nous sommes le lundi 15 février.
Vous êtes chez vous et je m'occupe de tout.

Une jeune femme blonde lui souriait avec bienveillance en lui tenant la main.

Le vieil homme acquiesça d'un battement de cils.
Il ne pouvait guère faire plus. Alité depuis deux ans,
il survivait sous assistance respiratoire et ne se nourris-
sait plus que par intraveineuse. Il regarda sa chambre,
vaste, au plafond haut sculpté de moulures, et, parmi
les quelques tableaux qui ornaient les murs, il s'attarda sur sa toile préférée. Une copie quasi parfaite du
Pouchkine de Piotr Kontchalovski. Le poète tenait une
plume à la main, qu'il portait à sa bouche, comme si
le verbe créateur allait souffler sur ses écrits.

— Vous l'aimez, ce tableau, hein ? suggéra l'infirmière en enroulant un bracelet en Velcro autour du bras de son patient. Il vous rappelle votre pays ?

Si tu savais le sang qui a été versé pour l'obtenir, ma pauvre fille, pensa Lazar. *Si tu savais qui tu soignes, tu t'enfuirais en courant. À moins que tu ne sois comme toutes ces femmes de truand que j'ai côtoyées et qui font semblant de ne pas savoir, pourvu qu'elles aient le confort.*

— 6.3, c'est mieux qu'hier, dit l'infirmière d'un ton enjoué.

— C'est mauvais, mais vous devez me faire vivre jusqu'à ce que je retrouve ceux qui m'ont fait ça, c'est clair ?

La voix était brûlée et se transforma vite en quinte de toux. L'infirmière s'approcha, prévenante.

— Calmez-vous ou vous allez vraiment vous faire du mal.

— Regardez ce qu'ils... ont fait de moi ! éructa Lazar.

Sur sa table de nuit encombrée de boîtes de médicaments dépassait le cadre d'une photo en noir et blanc montrant un jeune homme au costume ajusté, la figure ciselée du premier de la classe, le regard perçant et l'allure fière. L'infirmière ne put s'empêcher de penser qu'à l'époque, elle l'aurait trouvé parfaitement séduisant, presque magnétique.

Aujourd'hui, Lazar n'était plus qu'un corps de souffrance blafard, presque jaune, dont la vieillesse n'était pas seule responsable de son état morbide. Les rides contractées de son front trahissaient un visage qui avait trop souvent grimacé de douleur. Ses mains en permanence recroquevillées, comme crispées autour d'une barre invisible, gardaient le souvenir de supplices que ni les cris ni les implorations n'avaient fait cesser. Et le voile blanc qui floutait son regard était celui d'un homme qui semblait avoir désiré la cécité pour s'épargner le spectacle de ses propres tourments.

Pourtant, au fond de ses yeux laiteux luisait encore quelque chose. La seule chose qui le maintenait en vie : la haine.

— Ils en essayaient plusieurs… expira-t-il de sa voix râpeuse en agrippant le bras de son infirmière. Et quand ils en trouvaient un qui tenait le choc, alors ils le marquaient comme une bête. Parce qu'ils savaient que celui-là allait résister à leur machine. Qu'ils allaient pouvoir lui faire subir leur putain d'expérience jusqu'au bout… Et moi j'ai tenu. Pas parce que je le voulais, mais parce que j'avais été entraîné à ça. Alors, comme un con, j'ai fait partie des rares, des très rares élus. J'ai été le deuxième et certainement le dernier…

D'un geste mécanique, Lazar porta sa main crochue à son front et se gratta avec frénésie, le regard brûlant d'une fièvre méchante.

— Et on n'a jamais su pourquoi ils nous faisaient ça ! Et je crèverai pas avant de leur avoir fait cracher la vérité !

— Arrêtez, vous allez vous mettre à sang !

D'un mouvement doux, l'infirmière repoussa le bras du vieil homme et lui caressa le front. Elle décolla ses cheveux, puis se saisit d'un tube de crème qu'elle appliqua sur l'épaisse cicatrice rougie en forme de 488.

— Voilà, ça va aller mieux, vous devriez mang…

Elle s'arrêta au milieu de sa phrase, interrompue par la cloche de la maison.

— Vous attendez quelqu'un ?

Surpris lui aussi, Lazar consulta l'écran de contrôle placé à côté de son lit. En voyant son patient faire un effort surhumain pour se redresser tout seul, l'infirmière comprit que quelque chose d'important se passait.

— Aidez-moi !

L'infirmière l'aida, lui plaçant un gros coussin derrière le dos, puis il appuya sur le bouton commandant l'ouverture de la porte d'entrée.

— Allez les chercher, et guidez-les jusqu'à moi. Ensuite, partez.

— Qui est-ce ?

— Dépêchez-vous !

Une minute plus tard, deux hommes au visage taillé au burin et aux mains épaisses s'avancèrent dans la chambre. Le premier, petit, les cheveux noirs et affublé d'une barbichette, mastiquait un chewing-gum en auscultant la pièce dans laquelle il venait d'entrer. Derrière lui, un grand type tout en épaisseur, glabre et à la mâchoire prognathe, surveilla l'infirmière qui se retirait. Malgré leurs différences physiques, les deux hommes avaient en commun ce regard d'indifférence et de mépris pour la vie.

Lazar les scruta.

— Alors ? Vous avez trouvé quelque chose ?

Le plus fin des deux gaillards remonta ses manches en soufflant, éreinté de chaleur.

— Il fait chaud dans votre sud de la France.

Il avait un accent des pays de l'Est.

— Cela change de Moscou, camarade, répondit Lazar de sa voix éraillée.

L'homme eut un petit sourire et regarda autour de lui, semblant faire le calcul des biens qui ornaient la

158

pièce. Lazar patienta en silence avec une fébrilité qui mettait son cœur à rude épreuve.

— Le LS 34 a été balancé sur le marché noir, dit soudainement le plus petit des deux malfrats.

Lazar tressaillit. Enfin. Après toutes ces années, la phrase qu'il attendait le plus au monde avait été prononcée.

— Où ? Qui ?

— Un de nos contacts a remonté la source jusqu'en Norvège, à l'hôpital psychiatrique de Gaustad. La femme d'un infirmier qui cherchait à se faire de l'argent en revendant le produit après la mort du patient qui le consommait.

— Il est donc mort, dit Lazar, ému. Je suis le dernier. D'où venait le LS 34 ?

— Heureusement pour nous, la femme était bien au courant du trafic de son mari.

— Avec ce que ça lui rapportait, elle pouvait, ricana le malfaiteur aux larges épaules.

— Bref, son mari lui racontait tout et elle a rapidement parlé pour sauver sa peau et celle de sa fille. Elle nous a donné l'adresse du laboratoire qui fournissait son mari. Il est en France, en région parisienne : Gentix.

— Gentix, répéta Lazar les yeux écarquillés, comme s'il vivait un rêve éveillé.

Après toutes ces années de recherche, il tenait enfin une piste pour retrouver ses bourreaux et leur faire cracher la réponse qu'il attendait pour mourir.

— Qu'est-ce que vous voulez qu'on fasse, sachant, précisa le premier mafieux en baissant la voix, qu'après ça, on sera quittes, n'est-ce pas ?

— Allez chez Gentix et débrouillez-vous pour trouver les employés qui y travaillaient déjà dans les années soixante-dix. Si possible un certain Nathaniel Evans. Faites ça discrètement. Isolez-les et appelez-moi. Je leur poserai les questions.

Les deux hommes hochèrent la tête.

— Et la femme de l'infirmier, vous en avez fait quoi ?

— On l'a laissée repartir. De toute façon, elle ne portera pas plainte et puis on a fait comme convenu : le moins de cadavres possible pour ne pas alerter la police.

— Bien.

Les deux Russes quittèrent la chambre sans un mot de plus.

Lazar se laissa retomber sur son coussin, le front luisant de sueur, livide. L'effort ajouté à l'émotion avait eu raison de ses dernières forces. Mais la lueur de haine qui animait son regard n'avait jamais été aussi intense.

12

Si Sarah avait su qu'elle retournerait à Paris dans ces conditions ! La tête penchée vers le hublot, elle distingua au loin la tour Eiffel qui s'élevait au-dessus de la brume parisienne, un pincement au cœur.

C'est à son sommet, en plein mois de juillet, qu'Erik lui avait demandé si elle voulait devenir sa femme, et malgré la peine que ravivait ce souvenir, elle ne put s'empêcher de sourire. Quand Erik lui avait pris les mains et s'était mis à lui parler plus sérieusement qu'il ne l'avait jamais fait, ses lèvres tremblaient, et elle avait cru qu'il faisait un malaise à la suite de l'épreuve physique qu'elle venait de lui faire subir. Galvanisée par la beauté de Paris et totalement ignorante des intentions d'Erik, elle avait eu la folle idée d'emprunter l'escalier pour gagner le pinacle de l'immense tour. Par gentillesse, et sachant que ce n'était pas le moment de contrarier celle qu'il s'apprêtait à demander en mariage, Erik n'avait pas osé refuser.

Entraînée et insouciante, Sarah n'avait eu guère de mal à grimper les mille six cent soixante-cinq marches, mais Erik avait dû s'arrêter à plusieurs reprises et était parvenu au dernier étage le visage cramoisi, en nage, le cœur au bord des lèvres. Il lui avait fallu vingt minutes pour récupérer. Pendant ce temps, Sarah n'avait cessé de courir aux quatre points cardinaux de la plate-forme pour embrasser la cité parisienne dans toute sa splendeur. Quand il lui avait demandé de s'asseoir auprès de lui, elle s'était excusée de l'avoir dégoûté du sport pour le reste de ses jours et l'avait rassuré en lui disant qu'elle avait repéré où se trouvait le défibrillateur. Erik avait souri et, alors que son cœur s'emballait de nouveau sous l'effet du trac, il s'était lancé.

À son tour, Sarah se rappela que ses lèvres ne parvenaient plus à former de sons cohérents. Erik lui demanda où était le défibrillateur et, les larmes aux yeux, elle avait laissé éclater un grand rire, avant de chuchoter un oui.

— Vous êtes déjà venue à Paris ?

L'homme en costume d'une quarantaine d'années assis à côté de Sarah avait refermé sa sacoche et se penchait un peu trop vers elle sous prétexte d'admirer le paysage à travers le hublot.

— Mon père est français, répondit Sarah. Mais je me suis mariée à un Norvégien.

— Ah… eh bien, vous parlez très bien notre langue. C'est rare pour une Norvégienne, lui répondit poliment l'homme qui avait saisi le message. Bon séjour.

Le vol KL 2013 de ce vendredi 19 février atterrit comme prévu à 15 h 55 à Orly et Sarah embarqua aussitôt dans un taxi, direction Issy-les-Moulineaux où se trouvait le siège de la firme pharmaceutique

162

Gentix. Elle avait pris la décision de se rendre en France immédiatement après avoir appris le nom du seul visiteur du patient 488.

Juste avant de rejoindre l'aéroport, elle avait fait un détour par la maison de sa sœur Jessica, pour serrer sa nièce Moira dans ses bras et lui offrir le portrait qu'elle avait fait d'elle. Création personnelle à laquelle elle avait ajouté une superbe robe de princesse dénichée sur un site d'artisan et qui n'existait qu'en un seul exemplaire. Émerveillée, la petite fille avait dit à Sarah qu'elle aimerait qu'elle soit sa deuxième maman. Jessica avait répliqué à sa fille que sa tante Sarah aurait bientôt assez à faire avec son propre bébé. Jessica s'en était voulu d'avoir de nouveau infligé cette pression de la maternité, mais elle n'avait pas eu le temps de s'excuser. Sarah était partie aussitôt, pressée par l'horaire de son avion.

Elle avait réservé le premier vol Oslo-Paris pour le lendemain midi et informé Stefen Karlstrom de son départ. Lequel avait accepté, à condition qu'elle requière l'aide et l'assistance de la police française.

Ce qu'elle avait fait en leur demandant une fiche de renseignements sur Charles Parquérin, le directeur de Gentix, ainsi que sur Adam Clarence. Mais les services de renseignements français étaient débordés depuis les attentats et on lui avait poliment fait comprendre que sa demande ne pourrait aboutir dans des délais raisonnables.

Lorsque son taxi se gara devant la monumentale tour de verre au sommet de laquelle trônait le sigle Gentix, Sarah savait qu'elle ne bénéficierait d'aucun appui sur le territoire français. Et qu'elle devrait agir seule.

Elle paya le taxi en se faisant la réflexion que les tarifs avaient sacrément augmenté depuis sa dernière visite et traversa la vaste esplanade de dalles beiges au centre de laquelle jaillissait une fontaine prétentieuse en forme de corne d'abondance.

Elle poussa le tourniquet permettant d'entrer dans la tour et s'avança vers l'intimidant comptoir de réception blanc laqué au milieu du hall d'accueil.

Une réceptionniste très apprêtée lui sourit, munie d'un discret casque d'écoute qui n'entamait en rien la perfection de son chignon.

— Bonjour, je m'appelle Sarah Geringën, je suis inspectrice à Oslo et j'aimerais voir M. Adam Clarence, s'il vous plaît.

La jeune femme parut étonnée.

— Adam Clarence, dites-vous ?

Sarah confirma d'un battement de cils. Elle savait qu'elle avait un léger accent quand elle parlait français. Mais la circonspection de la secrétaire semblait venir d'ailleurs.

La réceptionniste tapa sur les touches de son clavier et fronça les sourcils.

— C'est bizarre, je ne le trouve pas. Vous pouvez m'épeler son nom ?

— C-L-A-R-E-N-C-E, et Adam, comme celui de la Bible.

La réceptionniste tapota à plusieurs reprises sur le clavier de son ordinateur avant de relever la tête, l'air navré.

— Écoutez, je suis ennuyée, mais je n'ai personne à ce nom sur mon fichier.

164

Sarah ne s'attendait pas à cette réponse. Leonard Sandvik lui avait-il menti ?

À moins qu'Adam Clarence ne travaille plus ici, songea-t-elle, ou que la réceptionniste ait reçu des consignes. Dans tous les cas, elle n'allait pas repartir avant d'avoir clarifié la situation.

— Alors, j'aimerais voir votre responsable de la direction des ressources humaines, s'il vous plaît. Il y a quelque chose qui n'est pas clair.

La réceptionniste hésita.

— Vous aviez rendez-vous ?

— Comme vous vous en doutez, non. Mais je pense que votre responsable trouvera une façon de se libérer pour répondre à quelques questions.

Intimidée par la froideur de l'inspectrice, la réceptionniste avait perdu son sourire de circonstance et composé un numéro sur son téléphone. Elle expliqua brièvement la situation à son interlocuteur et raccrocha. Son sourire professionnel était revenu.

— La directrice descend vous voir. Si vous voulez bien patienter dans notre salon, dit-elle en désignant un espace meublé de profonds canapés blancs et entouré de hautes plantes vertes aux dimensions tropicales.

Sarah prit place sur l'un des canapés et n'eut qu'à attendre trois minutes avant qu'une femme d'une cinquantaine d'années, cheveux blonds et courts, à la démarche masculine, s'approche, la main tendue devant elle.

— Bonjour, je suis Sylvie Chambron, directrice des ressources humaines de Gentix. En quoi puis-je vous aider, inspectrice... Ge... rin... gën, je prononce bien ?

Sarah ignora tout autant la poignée de main que la demande d'approbation.

— Bonjour, répondit-elle en présentant son badge. Je suis à la recherche d'Adam Clarence, qui en toute logique travaille chez vous.

La directrice des ressources humaines n'apprécia pas le comportement de Sarah, mais elle conserva son professionnalisme.

— Oui, c'est ce que la réceptionniste m'a dit. Effectivement, vous avez raison, M. Clarence travaillait bien chez nous. Mais il est malheureusement décédé.

Sarah ne sut quel sentiment domina : la déception ou la suspicion. Toujours est-il que, pour une fois, elle en perdit son masque d'indifférence.

— Oui, je suis confuse d'avoir à vous l'annoncer de la sorte, reprit la directrice des ressources humaines avec un visage contrit. Il a eu un accident de voiture il y a un peu moins d'un an. Nous avons tous été très peinés de sa disparition, ici. C'était un homme à la fois très compétent et très humain.

Sarah n'arrivait pas à y croire. Son enquête ne pouvait pas s'arrêter comme ça.

— Il a de la famille, j'imagine… une épouse ?

— Je regrette, sa femme a elle aussi perdu la vie dans l'accident, soupira l'employée de Gentix.

— Des parents ?

— Écoutez, je sais qu'il était très proche de son frère, avec qui j'ai discuté à l'enterrement. Il est journaliste et écrivain. J'ai son numéro professionnel si vous voulez.

— Oui, ça m'intéresse.

La directrice des ressources humaines fit défiler plusieurs contacts sur son smartphone jusqu'à trouver celui qu'elle cherchait.

— Il s'appelle Christopher Clarence et voici le numéro de téléphone de son poste direct au journal où il travaille.

Sarah nota le numéro sur son propre téléphone.

— Puis-je vous demander pour quelle raison vous cherchiez Adam Clarence afin d'en faire part à notre P-DG, Charles Parquérin ? se risqua à demander la directrice des ressources humaines.

— Non, désolée.

— Oui, je comprends. Puis-je encore vous être utile ?

Sarah réfléchit. La mort d'Adam Clarence ne changeait rien au fait que Gentix avait continué à fabriquer et à livrer du LS 34 de façon frauduleuse à l'hôpital de Gaustad. Et elle devait découvrir pourquoi. Mais à quoi bon s'entretenir avec le directeur de Gentix si elle n'avait aucune preuve des liens entre Gaustad, le LS 34 et le laboratoire ? À moins de fouiller les usines Gentix de fond en comble pour y découvrir une trace de production de LS 34 ou des liens évidents entre Gaustad et Gentix, ce qu'un juge n'autoriserait jamais sans la présence d'éléments probants, Sarah n'avait aucun levier pour faire parler le directeur. Elle n'avait plus qu'une seule piste à suivre.

— Non merci.

Lorsqu'elle sortit de la tour, Sarah réalisa que son cœur battait trop fort dans sa poitrine. Jusque-là, elle n'avait jamais douté qu'elle éluciderait cette affaire. Mais que se passerait-il si elle échouait ? Serait-elle obligée de revenir à Oslo, affronter sa solitude et le chaos de sa vie ?

Elle composa le numéro de Christopher Clarence. Mais, perdue dans ses peurs, elle ne remarqua pas la présence d'une voiture garée en face de la sortie du parking de Gentix. À l'intérieur, deux individus surveillaient les allées et venues, prêts à démarrer lorsqu'ils reconnaîtraient leur objectif.

13

Le conférencier se tenait debout sur une estrade, à la verticale de la coupole dorée du grand amphithéâtre de la Sorbonne, toisant son auditoire en silence, ménageant un suspense avant de conclure. Dans l'hémicycle, une centaine d'étudiants se demandaient ce que Christopher Clarence allait pouvoir ajouter après cet exposé qui avait déjà considérablement bousculé leurs certitudes.

L'homme d'une quarantaine d'années passa une main dans ses cheveux souples et frotta un instant sa barbe de trois jours. De son père irlandais, il avait hérité un visage franc au regard bleu et de sa mère italienne, une pilosité brune ainsi qu'une aisance dans la gestuelle et le sourire. Les débuts de rides au coin de ses yeux se plissèrent de malice alors qu'il observait la salle.

Il n'allait pas se mentir, il aimait ces moments où toute l'attention de l'auditoire était concentrée sur lui, se délectant par avance de l'effet de ses prochaines paroles. Beaucoup jugeaient cette attitude comme de la méprisable vanité, mais ils se trompaient. Même s'il n'avait jamais dédaigné les regards admiratifs d'étudiantes séduites par ses paroles et son allure d'intellectuel décontracté, ce n'était pas le plaisir d'être contemplé qui le grisait. Non, c'était la jubilation d'éveiller des esprits par un discours ciselé à la pause près. Là était son bonheur : dans la transmission de la connaissance et sa mise en scène toujours étudiée, parfois improvisée.

— Et enfin, pour conclure cette conférence sur les grandes impostures de notre quotidien, dit-il, je souhaiterais vous faire passer un test rapide qui devrait en déstabiliser plus d'un. Même si, ajouta-t-il en imprimant à sa voix une inflexion triviale, le vide qui plane dans le regard de certains confirme qu'aucun test ne semble nécessaire pour prouver la vacance de leur cerveau.

L'assemblée bruissa d'un léger murmure amusé.

— Bref. Qui parmi vous connaît son signe astrologique ?

La centaine d'élèves dans son intégralité leva la main avec plus ou moins de célérité, mais tous curieux de voir où cette question allait mener.

— Bien, maintenant, quels sont ceux qui pensent que leur signe astrologique correspond à leur personnalité ?

Environ la moitié des mains se baissèrent. Parmi ceux qui gardaient la main levée, Christopher repéra celui qui l'amusait le plus.

— Oui, vous, jeune homme, là-bas ? Oui, vous avec l'improbable effigie de Che Guevara sur votre pull. Vous savez au passage que ce type est rapidement devenu un extrémiste communiste qui a entraîné son peuple dans la misère économique ?

L'étudiant leva les épaules.

— Peut-être, mais il avait l'air cool.

— Très bien, je vois que vous êtes quelqu'un d'engagé et de responsable. Bref, votre date de naissance et votre signe, donc ?

— Le 12 octobre 1985. Balance.

— Alors, d'après mon petit guide, les Balance sont des personnes calmes, peu ambitieuses et donc peu angoissées, avec un certain sens de la philanthropie. Ça vous correspond ?

— Carrément.

— Parfait. Le problème, cher jeune homme, c'est que vous n'êtes pas Balance.

Christopher attendit que les murmures se calment.

— Eh oui, monsieur le révolutionnaire en charentaises qui se croit Balance, vous êtes du signe de la Vierge. Donc, à défaut d'être calme, peu ambitieux et philanthrope, vous êtes en réalité un grand adepte du confort, vous aimez les mondanités et les compliments.

Dans le brouhaha général qui suivit ses paroles, Christopher distingua plusieurs fois les mots « n'importe quoi ». Il attendit que le niveau sonore retombe. Il était habitué à cette réaction lorsqu'il en arrivait à ce stade de sa démonstration.

— Oui, je sais, ça fiche un coup, mais on est là pour ça. Je vais vous expliquer pourquoi ce que je vous dis est vrai.

Christopher s'avança de quelques pas sur l'estrade et se plaça de profil pour accompagner son explication de gestes.

— Il se trouve qu'en plus de tourner autour du Soleil, la Terre voit son axe de rotation dériver lentement au cours des années. En gros, un degré tous les soixante-douze ans. Or les emplacements des douze signes astrologiques dans le ciel ont été définis par les Babyloniens, il y a environ deux mille ans. Depuis cette époque, les signes se sont donc décalés de plus de vingt-sept degrés, ce qui correspond pratiquement à l'étendue d'un signe. Voilà pourquoi un taureau actuel devrait plutôt lire l'horoscope du Bélier et le Cancer, celui du Gémeaux. C'est malheureusement mathématique et astronomique. Pourquoi n'en parlet-on pas plus ? Pourquoi continue-t-on à déverser ce tissu d'âneries tous les matins à la radio et dans la presse ? Je vous laisse y réfléchir, c'est encore la meilleure façon de décourager ces âneries.

La salle applaudit chaleureusement, alors qu'une partie des étudiants était déjà en train de vérifier les propos du conférencier sur leur smartphone.

Christopher rassemblait ses notes quand une étudiante brune vêtue d'un pantalon treillis et d'un tee-shirt kaki s'approcha du bureau surélevé.

— J'ai beaucoup aimé votre conférence, dit la souriante jeune femme en rabattant une mèche violette derrière son oreille.

— Merci, répondit Christopher en rassemblant ses notes.

— En fait, reprit l'étudiante en tripotant un piercing au coin de sa bouche, je voulais savoir comment on passait de reporter de guerre comme vous l'avez été à conférencier sur l'histoire des sciences dans un amphithéâtre de bobos ? Perso, votre job d'avant m'intéresserait plus. Alors, je me demandais pourquoi vous aviez arrêté. Vous avez été blessé, c'est ça ?

Christopher fourrait les feuilles de son exposé à toute vitesse dans sa sacoche quand il remarqua qu'une autre présence féminine l'observait depuis un coin de l'amphithéâtre désormais vidé de son assemblée. Contrairement aux étudiantes et à leurs regards agités, elle était calme. Elle examinait Christopher avec beaucoup d'attention, les bras croisés, une mèche rousse cachant la moitié de son visage. Il lui donna une quarantaine d'années, peut-être moins.

— Oui, j'ai été blessé, mais je n'ai pas arrêté pour ça. J'ai arrêté parce que les médias pour lesquels il fallait travailler ne me laissaient plus le temps de bien faire mon travail. À savoir m'immerger, comprendre et vérifier. Ce n'est pas à une jeune femme comme vous que je vais décrire la multiplication des chaînes d'infos en continu. Et dites-vous bien que le temps que le journaliste passe à l'antenne à répéter la même chose pour vous faire croire que vous êtes informés, c'est autant de temps qu'il ne passe pas sur le terrain à recueillir l'information dont vous auriez vraiment besoin pour comprendre ce qu'il se passe.

L'étudiante opina du chef.

— OK, je vois. En tout cas, c'était plus cool. Je peux vous laisser mon numéro au cas où ça vous dirait qu'on tape la discute un jour ensemble. Je suis sûre que vous pourriez m'aider à trouver ma voie.

— C'est gentil, mais je ne serais pas de bon conseil.

Christopher compléta sa réponse d'un sourire navré alors que l'étudiante lui tendait déjà son numéro de téléphone.

— Écoutez, je suis désolé, mais…

Christopher fut coupé par la sonnerie d'alarme de son téléphone.

— Merde, souffla-t-il en se tapant sur le front.

Il regarda l'heure et jura une nouvelle fois. Il était déjà 17 h 57.

— Écoutez, mademoiselle, je suis désolé, mais je dois y aller. Je…

L'étudiante lui fit signe « *peace* » et s'en alla.

Prêt à partir, Christopher croisa de nouveau le regard de cette femme rousse qui le guettait de loin. Elle n'était pas là pendant la conférence, il en était certain. Son attitude si concentrée et scrutatrice l'aurait troublé. Était-ce une prof venue s'assurer que tout s'était bien déroulé ? Une étudiante plus âgée qui n'avait pas osé se mêler aux plus jeunes ? Quoi qu'il en soit et malgré son empressement, il eut le temps de réaliser que quelque chose l'interpellait chez cette femme. Quoi ? Il n'en savait trop rien. De loin, elle était plutôt jolie avec sa silhouette affûtée, ses cheveux noués par un élastique, dont plusieurs mèches dissimulaient une partie du visage où l'on devinait des taches de rousseur et une bouche joliment dessinée. Mais c'est autre chose qui intrigua Christopher. Peut-être parce qu'il lui sembla qu'elle ne se composait aucun visage de circonstance, qu'elle se contentait de l'observer. Oui, ce devait être ça. Lui qui passait son temps à deviner les pensées des gens en un regard, il était incapable de dire ce que cette femme immobile pensait.

De son côté, Sarah avait assisté à la fin de la conférence de Christopher, dans l'ombre des gradins. Elle avait été séduite par la démonstration pédagogique sur les failles de l'astrologie. L'espace de quelques secondes, elle devait avouer qu'elle s'était même laissé absorber par le discours et avait oublié pourquoi elle était là.

Mais elle avait trouvé le personnage trop séduisant, trop sûr de lui et de son ascendant sur des étudiants acquis à sa cause. Elle avait même été surprise qu'il décline le numéro de téléphone de cette étudiante entreprenante. Elle songea qu'il n'avait pas dû la trouver assez à son goût. Le frère d'Adam Clarence était un homme probablement suffisant et intéressé seulement par sa personne. Un homme dont l'éloquence séduisait et qui un jour vous trompait, trop attiré par l'envie de plaire à une autre.

Elle fut donc déconcertée lorsqu'il lui adressa un discret et presque maladroit signe de la main pour la saluer. Elle s'attendait à ce qu'il l'ignore ou, pire, qu'il lui tende sa carte en passant devant elle d'un pas pressé. Elle décolla son dos du mur et s'approcha de lui.

Agacé par l'alarme de son téléphone qui se déclencha à nouveau, Christopher emporta sa sacoche à la volée, mais les pans de cuir mal fermés se détachèrent et toutes les feuilles de sa conférence s'éparpillèrent par terre. Il pesta et ramassa cette fois ses notes sans ménagement en les fourrant dans son sac.

Il était à genoux quand une main lui tendit un petit paquet de feuilles bien rangées l'une sur l'autre. Il leva la tête vers l'inconnue avec dans les yeux cet air amusé dont l'ironie s'appliquait aussi à lui-même.

— Merci... C'est gentil... Et puis c'est... plus réussi que moi, dit-il en considérant la boule de papiers froissés qu'il serrait dans son poing.

— Je m'appelle Sarah Geringën. Je suis inspectrice. C'est la réceptionniste de votre journal qui m'a dit que vous seriez là aujourd'hui. J'aimerais vous parler de quelque chose.

— Qu'est-ce qu'il se passe ? s'inquiéta Christopher.

Sarah le trouva bien paniqué. Avait-il quelque chose à se reprocher ?

— Rien d'urgent, soyez rassuré. Mais je viens de loin pour vous voir.

Elle lui présenta son badge de la police d'Oslo.

— Vous venez de Norvège ? C'est à propos de quoi ?

La pendule de la salle de conférences sonna six coups.

— C'est à propos de votre frère.

En l'espace d'une seconde, l'état d'esprit de Christopher bascula. L'adrénaline de la conférence, l'excitation des jeunes femmes, le trouble qu'avait provoqué en lui l'inspectrice. Tout disparut pour laisser place à une gravité qui le cloua sur place.

— Adam est mort, madame... Geringën.

— C'est justement de cela que je voudrais vous parler.

Christopher vit un voile noir recouvrir un instant ses yeux. Il dut secouer la tête pour se reprendre.

— De quoi vous voulez me parler exactement ? Et puis qu'est-ce que la Norvège vient faire là-dedans ?

— C'est un peu long à expliquer, monsieur Clarence.

Nerveux, Christopher consulta sa montre. Il mourait d'envie de demander des détails, mais il lui était impossible d'avoir du retard à son rendez-vous.

— Écoutez, je n'ai vraiment pas le temps, là, tout de suite. Je peux vous rappeler ce soir ?

Sarah le scruta. Probablement un rendez-vous galant qui ne pouvait pas attendre.

— Si vous ne le faites pas, je le ferai.

— Venez chez moi à 21 h 30, code B649, répliqua Christopher en lui tendant sa carte avec son adresse personnelle.

Et il partit en courant, inquiété par ce que cette inspectrice venue du froid allait bien pouvoir lui demander sur Adam.

Son frère avait perdu la vie dans un accident de voiture il y a un an avec sa femme. Un bête accident dû à la vitesse. Le rapport d'expert l'avait confirmé. Les freins étaient en bon état, la route n'était pas glissante, Adam roulait malheureusement trop vite et avait perdu le contrôle de son véhicule dans un virage. Que pouvait-il y avoir de plus à dire ?

*

Christopher arrêta sa voiture en mordant sur le trottoir, sortit en manquant déchirer la doublure de sa veste sur son rétroviseur et courut à toute allure vers les portes de la petite école primaire du 6e arrondissement de Paris.

Ses pas claquèrent sur le bitume quand il arriva, haletant, devant les grilles fermées de l'établissement scolaire. Le trottoir était désert, plus aucun enfant dans les environs. Plus aucun parent non plus. La panique le gagna. Se calmer et réfléchir, se dit-il en cherchant à respirer, une main crispée sur son front. Il fouilla dans sa poche à la recherche de son téléphone. Il avait le numéro de la directrice. Elle allait lui répondre qu'il était en retard, que ce n'était pas la première fois et que Simon était avec elle dans son bureau. Au bout de trois sonneries, il tomba sur le répondeur.

— Merde, merde, merde, vociféra-t-il en raccrochant. Simon ! cria-t-il en pleine rue devant le regard indifférent des passants. Simon !

Il se hissa sur la pointe des pieds pour regarder par-dessus le portail de l'entrée. La cour était terriblement vide. Il escalada le muret de l'école et sauta de l'autre côté. Il aperçut de la lumière dans une salle. Oui, c'est ça. Simon devait être dans une salle d'études. Il s'apprêtait à courir lorsqu'il entendit crier.

— Christopher, on est là !

Il fit volte-face. La voix venait de la rue. Il passa une tête par-dessus la palissade.

Il était là, de l'autre côté de la rue, avec sa camarade, la petite Alice, et Elizabeth, sa maman. C'est elle qui venait d'interpeller Christopher.

Christopher poussa un soupir de soulagement, repassa par-dessus la palissade et traversa la rue.

— Je suis désolée, dit la mère d'Alice, une belle femme d'une quarantaine d'années aux yeux noisette et au regard bienveillant. On était dans la voiture en train de réviser leur cours d'histoire et je vous ai vu seulement quand vous avez grimpé sur le portail. Vous avez dû avoir tellement peur, je suis désolée.

— C'est moi qui suis désolé, répondit Christopher.

Il s'accroupit devant Simon.

— Pardon, mon chéri. Je te promets que cette fois je suis parti à l'heure, mais la circulation est impossible dans cette ville.

Le petit garçon de huit ans garda la tête baissée, silencieux. Christopher fit une pause et reprit sa respiration.

— J'ai eu une de ces peurs…

— Tout va bien, dit la mère d'Alice, un sourire complice dans le regard. Simon et Alice adorent passer du temps ensemble.

Elle les regarda avec une vraie joie et Christopher trouva que cette douceur et cette gentillesse la rendaient encore plus séduisante.

— Merci mille fois, Elizabeth, d'être restée pour garder Simon le temps que j'arrive. C'est vraiment très gentil. Je sais que ce n'est pas la première fois et je ne sais pas comment vous remercier.

— Ne vous inquiétez pas. Le service est complètement gratuit, le rassura-t-elle.

Christopher sentait bien qu'il devait ajouter quelque chose

— Bon et bien… je n'espère pas à bientôt. Enfin, je veux dire si, mais dans d'autres circonstances, quand je ne serai pas en retard.

— J'ai bien compris, répondit Elizabeth, amusée.

— Bon, eh bien, bonne soirée alors. Au revoir, Alice, dit Christopher d'un petit geste de la main.

— Au revoir, répondit la petite fille en sautillant à côté de sa maman. À demain, Simon.

— À demain. Au revoir, madame Versali.

De retour dans la voiture, Simon accrocha sa ceinture et regarda par la fenêtre, le visage fermé.

Menu, les cheveux en bataille tombant parfois devant ses yeux, Simon donnait l'impression d'être un petit garçon rêveur et fragile. Et pourtant, son regard avait quelque chose de mature.

— Vraiment, je suis désolé, Simon. Je te promets que je fais de mon mieux, mais… mais ça ne se reproduira plus. La prochaine fois, t'auras honte devant tes amis tellement je serai en avance.

Simon ne répondit pas, posa son coude sur le rebord de la fenêtre et appuya son menton dans la paume de sa main.

— Bon sinon, t'as passé une bonne journée ?

— Ça va.

— T'as fait quoi aujourd'hui ? Tu remarqueras que je ne te dis pas t'as fait quoi de beau, donc même si c'est moche tu peux me le dire.

Christopher tourna la tête et perçut un bref tremblement des zygomatiques de Simon. Mais le petit garçon avait sa fierté et ne céda pas au sourire. Ils descendirent la rue de Rennes sans un mot jusqu'à ce que Simon décide de rompre le silence à un feu rouge.

— Contrôle de maths.

— Oui, je m'en souviens. Et alors, ça a donné quoi ?

— Je sais pas, soupira Simon en haussant les épaules. Je préfère le français et l'histoire. Alors, elles viennent quand, Alice et sa maman, à la maison ?

— On en reparle après tes résultats en maths ?

*

— Vert !

Christopher sursauta en entendant le concert de klaxons des automobilistes bloqués derrière lui.

Il démarra et s'engouffra dans un parking souterrain sous son bel immeuble du XVIIIe siècle du quartier de Saint-Germain-des-Prés.

Quand ils arrivèrent dans leur 75 m^2 aux poutres apparentes, Simon fila dans sa chambre au bout du couloir.

Christopher le regarda courir, content de voir qu'il prenait ses marques. Même s'il aurait encore besoin de beaucoup de temps pour accorder sa pleine confiance à celui qui, il y a moins d'un an, n'était que son oncle.

Trente minutes plus tard, assis sur de hauts tabourets de cuisine, ils mâchaient en silence. Christopher avala sa bouchée de purée mal écrasée en se disant qu'il devait définitivement arrêter de faire la cuisine avec de vrais aliments.

— Pourquoi t'as pas d'amoureuse ? demanda Simon en faisant des cercles sur sa purée du bout de sa fourchette.

— Je ne sais pas, je n'en ai pas trouvé une qui me convenait, répondit Christopher avant de boire une gorgée d'eau pour ne pas s'étouffer.

— Oui, mais tu commences à être vieux, alors après les femmes ne vont plus te trouver beau.

— Je te remercie, Simon, ça m'aide à me sentir bien dans ma peau, ce que tu me dis.

Le petit garçon rigola en dévoilant une bouche pleine d'une mixture qu'il avait lui aussi du mal à avaler. Puis il se mit à tousser et projeta des particules de purée sur la table.

— Désolé… bafouilla-t-il.

— Ne t'excuse pas. Si les services sociaux passaient maintenant, ils penseraient que j'ai voulu t'empoisonner. Alors, tu sais quoi, on va faire un truc magique, OK ?

Une demi-heure plus tard, Christopher et Simon étaient affalés l'un contre l'autre, dégustant leur pizza tout en regardant un documentaire animalier.

Sur les images, un guépard tapi dans les herbes hautes s'approchait en rampant d'un troupeau de gazelles paissant dans la savane. Quand l'une d'elles leva brutalement le museau pour humer l'air, Simon resta la bouche ouverte, sa pizza glissant de ses mains.

Et soudain, le prédateur se précipita vers le troupeau. Après une course effrénée, une des gazelles fut attrapée et plaquée au sol dans un nuage de poussière. Le guépard planta ses crocs dans sa gorge.

Christopher se demanda s'il était très judicieux de montrer ce genre de reportage à un petit garçon de huit ans.

— Tu crois qu'elle avait des enfants, la maman gazelle ? s'inquiéta Simon.

— Je ne sais pas. Peut-être. Mais tu sais, c'est la nature, Simon…

— Et tu crois que les enfants gazelles, ils ont aussi quelqu'un qui s'occupe d'eux quand leur papa et leur maman sont tués par les guépards ?

Christopher ferma les yeux, s'en voulant d'avoir provoqué cette pensée chez Simon.

— Euh, je crois que les gazelles sont très solidaires entre elles. Et je suis sûr que les enfants gazelles trouvent aussi une nouvelle famille pour les accueillir et leur apprendre à se défendre.

— Alors, toi, tu es un peu une gazelle en fait ?

Christopher sourit.

— Oui, sauf que je cours moins vite.

— C'est pour ça que t'es toujours en retard…

Christopher l'attrapa par le cou et le fit glisser sur ses genoux en le traitant de petit blagueur. Simon se laissa faire et resta couché, les yeux grands ouverts. Christopher éteignit la télé, laissant place au silence et à la rumeur de la rue.

— Tu sais, ton père me manque aussi, dit Christopher. Comme ta maman. Mais de là où ils sont, je suis sûr qu'ils sont très fiers de toi.

— Et toi, tu es fier de moi ?

— Bien sûr que je suis fier de toi ! Je parle de toi à tout le monde ! Tu es mo... (Christopher aurait voulu dire mon fils, mais il se ravisa) je t'adore pour l'éternité.

— C'est quoi l'éternité ?

— C'est comme l'amour. Ça ne s'arrête jamais.

Christopher caressa la tête de Simon et ils profitèrent quelques instants du calme de la nuit.

— Bon, je crois qu'il est temps d'aller se coucher. Il est presque 21 heures.

Le petit garçon se leva et prit la direction de sa chambre.

— Hep, hep ! Salle de bains, Simon ! La douche et le brossage de dents !

Simon laissa retomber ses épaules et marcha jusqu'à la salle de bains, le dos voûté, comme s'il avait régressé à l'état d'australopithèque.

Sachant que l'inspectrice allait arriver, Christopher le pressa et écourta le brossage de dents.

Une fois en pyjama, Simon tendit le bras sous son lit pour en tirer un petit carton dans lequel se trouvaient quelques affaires de ses parents qu'il avait récupérées dans leur chambre après leur mort.

Il s'empara d'un sweat-shirt Abercrombie à capuche gris que son père portait les week-ends et se glissa sous sa couette en serrant le vêtement contre lui.

Christopher s'assit sur le rebord du lit et alluma la veilleuse en forme de sabre laser qui diffusait une lumière douce et feutrée dans la chambre.

— Bonne nuit, Christopher.

Christopher dissimula sa déception sous un sourire. Il espérait chaque soir que Simon lui dise « bonne nuit, papa ».

Simon se retourna en posant son nez sur le sweat-shirt roulé en boule contre lui. Christopher l'embrassa sur le front et sortit de la chambre sans faire de bruit.

Puis il regagna le salon et chercha un numéro de téléphone sur Internet avant de composer un indicatif le redirigeant vers l'étranger.

14

Comme prévu, à 21 h 30 pile, on frappa à la porte de son appartement. Christopher ouvrit.

— Eh bien, c'est un acquis que les habitants des pays du Nord sont plus ponctuels que ceux du Sud. Je vous en prie, entrez.

Au premier coup d'œil, Sarah se sentit bien dans cet appartement. Les murs étaient blanc cassé et le journaliste avait pris soin de conserver les éléments d'architecture authentiques qui rendaient l'endroit chaleureux. Comme ces larges poutres en bois apparentes qui habillaient le plafond et ce pilier en chêne planté au milieu du salon. Le sol revêtu d'épais fils tressés couleur terre renforçait l'impression de fouler du sable plutôt que le sol d'un appartement parisien. Enfin, plusieurs lampes aux formes ondulées achevaient de rendre l'endroit agréable en diffusant une lumière chaude.

Christopher prit place sur son confortable canapé d'angle et invita Sarah à faire de même.

Elle s'exécuta tout en se faisant la réflexion qu'elle ne voyait aucune trace de présence féminine. S'il papillonnait à gauche et à droite, au moins, il ne trompait peut-être personne. Simple célibataire en chasse permanente, se dit-elle. Jusqu'à ce qu'elle distingue un ballon et un vélo d'enfant au milieu du couloir que l'on apercevait depuis le canapé. Divorcé ?

— Je vous écoute, dit Christopher. Pourquoi êtes-vous là ? Quel rapport avec Adam ?

Il avait parlé avec empressement, grattant avec impatience sa barbe de trois jours. Il se sentait d'autant plus nerveux qu'il percevait un calme presque hypnotique chez cette inspectrice.

Sarah glissa une mèche de cheveux derrière son oreille en évitant soigneusement de dévoiler la partie brûlée de son visage. Puis elle sortit son badge et le déposa sur la table basse.

— Je sais que vous avez appelé mon commissariat à Oslo ce soir pour vérifier mon identité. J'espère que vous avez été rassuré.

— Exact. J'ai fait mon boulot de journaliste. J'ai vérifié mes infos. Je n'avais pas envie d'accueillir n'importe qui chez moi.

Sauf peut-être une jolie étudiante admirative, songea Sarah en le scrutant de ses yeux bleu clair.

À son tour, Christopher l'observa et sut qu'en d'autres circonstances, il aurait tout fait pour séduire cette femme au charme singulier, mélange de froideur et de douceur. Enfin, il aurait essayé, car il dut avouer qu'il ne s'était pas senti aussi intimidé depuis longtemps. D'ailleurs, à bien y réfléchir, elle l'énervait presque à afficher une telle assurance. Et puis qu'est-ce qu'elle cachait avec sa mèche devant le visage ? En fait, ce devait être une femme prétentieuse, sans humour et qui passait son temps à se faire désirer. Finalement, il l'aurait ignorée. Enfin, il aurait essayé.

— J'enquête actuellement sur la mort d'un patient de l'hôpital psychiatrique de Gaustad, à Oslo, dit soudain Sarah comme si elle avait entendu les pensées de Christopher et préférait y couper court. Il se trouve que votre frère Adam est la dernière personne extérieure à l'établissement à avoir rencontré la victime. Son ancien employeur, Gentix, m'a dit qu'il était décédé dans un accident de voiture et m'a confié votre numéro.

— OK… et donc, vous vouliez demander quoi à Adam ? Je vois pas ce qu'il y a de bizarre à ce qu'il se rende dans un hôpital étant donné son poste de directeur financier d'une firme pharmaceutique.

— La visite de votre frère a eu lieu un an et un mois avant le décès du patient. Le 12 janvier 2012 précisément…

— Et Adam est mort le 19 janvier 2012, une semaine après, susurra Christopher, toujours ému quand il évoquait cette date. Et alors ?

— C'est ce qui m'intrigue.

— Je ne suis pas sûr de bien comprendre.

— Votre frère vous avait-il parlé de quelque chose d'anormal qu'il aurait découvert dans le cadre de son travail chez Gentix ? Ou auriez-vous perçu un changement dans son comportement dans les jours qui ont précédé son accident ?

Christopher se frotta le front.

— Non, non… on était pourtant très proches avec Adam. Je connaissais à peu près toute sa vie et il connaissait la mienne. Je n'ai pas le souvenir d'avoir eu l'impression qu'il me cachait quelque chose.

— Réfléchissez bien.

— Est-ce que vous êtes en train de me dire que vous soupçonnez Adam d'avoir tué le patient sur lequel vous enquêtez ? Ou bien, je ne sais pas, que la mort de mon frère est liée d'une façon ou d'une autre à la victime de… votre hôpital psychiatrique ?

Sarah ne répondit pas.

— Quelle était la personnalité d'Adam ?

— Attendez, lança Christopher, levant les mains en signe d'apaisement. Je ne vais pas tout vous déballer sans en savoir un minimum. On parle de mon frère, pas de n'importe qui…

— La mort de votre frère n'est peut-être pas un accident, monsieur Clarence.

— Quoi ?

La main sur le front, Christopher eut l'impression qu'on ouvrait les cicatrices de son deuil d'un coup de couteau dans le ventre.

Sarah savait l'effet que sa révélation allait provoquer et le regretta. Car même si, *a priori*, elle n'appréciait guère cet homme, elle n'avait aucune raison de le faire souffrir.

— Vous vous rendez compte de ce que vous dites ? chuchota Christopher en pensant soudain que Simon pouvait les entendre.

Sarah remarqua qu'il jetait un œil vers le couloir. Elle fit le rapprochement avec les jouets aperçus en entrant et adopta à son tour une tonalité plus basse.

— Je sais que cela remet en cause tout le travail de deuil que vous avez déjà effectué, reprit Sarah à mi-voix avant de poser les avant-bras sur ses genoux.

Si chamboulé soit-il par ce qu'il venait d'apprendre, Christopher n'en fut pas moins surpris de remarquer que l'inspectrice avait baissé la voix en comprenant certainement qu'un enfant dormait dans la chambre du fond. Il s'attendait à tout sauf à de la délicatesse de la part d'une femme en apparence si distante.

— Mais la vérité est celle-ci, poursuivit Sarah en fixant Christopher : votre frère a été la seule personne, en plus de trente ans, à rendre visite à la victime, un patient soumis à un traitement interdit depuis la fin des années soixante-dix, et, une semaine après son retour en France, il est mort dans un accident de voiture. Je n'ai pas l'autorisation de vous parler des autres éléments de l'enquête. Mais tout laisse à penser qu'en se rendant à Gaustad, Adam a découvert quelque chose qui a dérangé certaines personnes. Et qu'il l'a payé de sa vie.

Abasourdi, Christopher s'adossa contre son canapé en se passant une main sur le visage.

— Écoutez, le truc qui cloche dans votre histoire, c'est qu'Adam est vraiment mort dans un accident de voiture. Un pur et bête accident de la route dû, vous savez à quoi ? À la vitesse.

Sarah pensa évidemment au suicide. Mais pourquoi entraîner sa femme dans la mort ?

— Comment cela s'est-il passé ?

Christopher laissa échapper un long soupir. Sarah le regardait, sans pression, comme si elle avait l'éternité devant elle pour lui donner le temps de répondre.

— Adam et Nathalie étaient chez des amis pour dîner. Ils avaient laissé Simon avec une baby-sitter, dit Christopher en faisant un geste inconscient vers le fond du couloir. Et puis à un moment, la jeune fille a appelé, affolée. Simon n'arrêtait pas de vomir, il était très mal. Adam et Nathalie sont rentrés en panique et... c'est là que l'accident a eu lieu. Adam a perdu le contrôle du véhicule dans un virage. La voiture a percuté un arbre. Ils sont morts tous les deux sur le coup.

On entendait à peine le bruit de la circulation sur le boulevard Saint-Germain. Sarah venait de comprendre qui était l'enfant qui dormait dans la chambre du fond et pourquoi Christopher avait dû partir en hâte à la fin de sa conférence. En un instant, tous ses préjugés sur le frère d'Adam Clarence volèrent en éclats. Profitant du moment de recueillement de Christopher, elle prit le temps de poser sur lui un regard neuf. À la fois admiratif et compatissant.

— Qui aurait pu en vouloir à mon frère ? demanda brutalement Christopher. Il me l'aurait dit s'il s'était senti menacé...

— Je ne sais pas encore. Vous n'en avez aucune idée ?

— Non, pas la moindre. Le seul truc qui me chiffonne... c'est qu'en y réfléchissant, je ne me souviens pas qu'Adam m'ait parlé de ce voyage en Norvège alors qu'il avait l'habitude de m'informer de chacun de ses déplacements... Pourquoi est-ce qu'il ne m'aurait rien dit, cette fois ?

Christopher commençait à douter. Et si l'accident d'Adam avait vraiment été provoqué ? Mais comment ? Pourquoi et par qui ?

— Inspectrice, il faut que vous m'en disiez plus.

— Pour ça, je vais avoir besoin de votre aide. Et ça risque de ne pas être... très facile à vivre.

— C'est-à-dire ?

— Reste-t-il des affaires d'Adam ?

— Oui, chez mes parents. Ma mère a rangé tout ce qui lui appartenait dans la chambre qu'il occupait quand nous étions enfants. Comme ça, ça peut paraître un peu dingo, mais elle ne s'en remet pas...

— Je peux avoir l'adresse de vos parents ?

Christopher nota les informations sur un Post-it qu'il décolla d'un bloc rangé sous la table basse.

— Et vous allez vous pointer chez eux et demander à fouiller leur maison ? Vous avez le droit de perquisitionner comme ça, en venant de l'étranger ?

— Vous pensez que vos parents n'ont pas envie d'apprendre la vérité sur la mort de leur fils ?

— Ma mère, si. Mais je connais mon père, et il ne veut plus parler de tout ça. Il va vous claquer la porte au nez.

— Vous proposez quoi ?

— Demain midi, il est prévu que j'aille déjeuner chez mes parents avec Simon. Je vais moi-même fouiller les affaires de mon frère et je vous dirai ce que j'y ai trouvé.

Sarah n'avait pas le choix. Si elle voulait procéder autrement, elle devrait faire appel à la police française et elle n'avait aucune envie de se lancer dans un processus administratif qui n'aboutirait, s'il aboutissait, que dans plusieurs jours ou plusieurs semaines.

— À demain alors, dit Sarah en prenant le chemin de la sortie. Je me lève tôt et je dors peu. Appelez à n'importe quel moment du jour ou de la nuit, voici mon numéro, dit-elle en lui tendant sa carte. Faites vite.

Christopher acquiesça et, sans s'en rendre compte, tendit la main. Il avait envie de matérialiser une espèce de lien physique avec cette femme qui voulait tant connaître la vérité sur la mort de son frère.

Sarah hésita. Jamais elle ne serrait de main dans le cadre de son travail. Mais à son tour, son instinct fut plus rapide. Leurs mains se touchèrent. Sarah sentit une poigne chaude et ferme sans être écrasante. Christopher trouva une main fine à la peau douce, mais dont la pression lui rappela qu'il avait aussi affaire à une femme de caractère.

— À demain, dit-il en repliant le bras.

Christopher alla s'asseoir sur son canapé, bouleversé. La mort de son frère avait été un tel choc pour la famille. Ses parents, Simon et lui-même s'en relevaient à peine. Et à la souffrance s'ajoutait désormais le doute.

Il entra sans bruit dans la chambre de Simon et fut soulagé de constater que le petit garçon dormait sur le côté, le sweat-shirt de son père serré contre sa poitrine qui se soulevait paisiblement au rythme de sa respiration.

Christopher éteignit la veilleuse et sortit de la chambre, sachant qu'il ne trouverait pas le sommeil de la nuit.

15

Assis derrière le volant dans le parking en sous-sol, Christopher se sentait nauséeux et épuisé. Il ne s'était endormi qu'au tout petit matin, une heure à peine avant que Simon ne le réveille. Le reste de la nuit n'avait été fait que de pensées obsédantes qui avaient tourné en boucle dans sa tête : pourquoi Adam ne lui avait-il pas parlé de ce voyage en Norvège ? Qu'avait-il découvert là-bas ? Avait-il vraiment été assassiné ? L'hypothèse lui semblait tellement absurde.

— Tu vas vomir ?

Assis à l'arrière, Simon commençait à s'impatienter.

— Pourquoi, tu veux voir ce que j'ai mangé ce matin ?

— Bahhh, c'est dégoûtant.

Christopher sourit et démarra la voiture. Même si cela lui en coûtait d'avoir l'air détendu, il devait tout faire pour éviter à Simon de s'inquiéter. Il lança donc une conversation ludique en demandant à Simon quel était son personnage historique préféré et pourquoi. Il enchaîna sur les personnages de dessin animé et conclut sur les princesses de Disney en forçant Simon à répondre malgré ses protestations.

Quand ils arrivèrent devant la maison en meulière vieillotte des grands-parents à Rosny-sous-Bois, Christopher reçut un texto.

Au cas où vous auriez oublié mon numéro. Appelez-moi dès que vous avez quelque chose, même si ça vous paraît inutile. Sarah

Je vous appelle dans moins d'une heure. Christopher

— C'est qui ? demanda Simon en détachant sa ceinture.
— Le travail, le travail.
Et il sortit rapidement pour ouvrir la portière arrière.
— Ah oui, au fait, Simon, j'ai eu énormément de boulot cette semaine, alors je vais aller me reposer un peu pendant le déjeuner. OK ?
— Tu vas vomir si tu manges, c'est ça ?
— Non, mais je mangerai mieux après avoir dormi un peu.
— OK !
— Allez, va dire bonjour à mamie.
Le petit garçon bondit hors de la voiture et courut sur le chemin de cailloux blancs jusque vers sa grand-mère qui venait de sortir sur le pas de la porte, son tablier de cuisine autour du cou. Elle ouvrit les bras et embrassa son petit-fils comme si elle ne l'avait pas vu depuis un an, alors qu'il venait déjeuner tous les dimanches. Puis le garçon entra dans la maison en appelant son grand-père.
Christopher s'approcha à son tour.
— Bonjour, maman, dit-il en la serrant affectueusement dans ses bras.

— Bonjour, mon chéri. Regarde-toi un peu… j'ai l'impression que t'as maigri. Si j'avais su, j'aurais fait plus à manger !

— Ah là là, catastrophe ! Ça va mériter une sérieuse séance de confession à l'église dès demain, ce genre d'erreur !

— Arrête de te moquer ! répliqua sa mère en bougonnant gentiment. Tu sais, si je n'avais pas la foi, je ne sais pas comment je tiendrais depuis… depuis la mort d'Adam. Au moins, là, je me dis qu'il est quelque part et qu'il est bien.

Christopher approuva en regardant sa mère d'un air affectueux.

C'était une femme d'une soixantaine d'années, aux cheveux bruns mis en plis et au visage un peu empâté qui inspirait la confiance et le réconfort. De nature discrète et généreuse, elle faisait partie des chrétiens qui trouvent dans la religion non pas une force supérieure à laquelle se soumettre, mais une façon d'exprimer au mieux leur profonde humanité. Enfant, Christopher avait adhéré à cette croyance. Mais lorsque ses camarades de catéchisme lui avaient demandé ce qu'il avait commandé comme cadeau pour sa communion, il avait commencé à questionner le sens de sa démarche. C'est d'ailleurs de cette époque qu'il datait la naissance du scepticisme qui allait devenir son mode de pensée.

À la suite de sa décision, son père s'était même mis en colère, mais sa mère était parvenue à l'apaiser pour laisser à son fils le choix de sa vie. Elle lui avait dit : « Crois en ce que tu veux, tant que tu es gentil. »

— Simon a l'air de bien aller, confia la mère de Christopher.

— Ça dépend des jours, mais, en ce moment, ça va. En tout cas la journée. Le soir, il est, disons, plus pensif.

Ils entrèrent dans la maison et Christopher y retrouva l'immuable odeur de soupe qui flottait dans l'air et le tic-tac régulier de la vieille horloge avec laquelle il avait grandi. Comme à son habitude, son père était assis dans son fauteuil, en train de replier son journal pour accueillir Simon qui arrivait vers lui en courant.

— J'ai faim, lança le petit garçon en entourant son grand-père pour poser la tête sur son ventre.

— Ça tombe bien, moi aussi, lui répondit son grand-père en l'attrapant par la taille pour faire semblant de le manger.

Simon se mit à crier tout en riant à gorge déployée. Edward le reposa à terre et se leva en poussant un long soupir.

— Ah, les enfants. Heureusement que vous étiez plus calmes avec ton frère, dit-il sans pour autant tourner la tête vers son fils.

Christopher faillit lui répondre qu'ils avaient surtout rapidement compris qu'ils se prenaient une claque s'ils faisaient trop de bruit. Mais il s'abstint. Depuis la mort d'Adam, l'heure n'était plus aux règlements de comptes. Même si, une fois de plus, Edward ne se déplaça pas pour saluer son fils et se dirigea directement vers la table de la salle à manger.

— Bon, on déjeune, Marguerite !

— Il est tellement content de voir son petit-fils, s'excusa Marguerite en voyant la déception de Christopher. Ne lui en veux pas.

— T'inquiète…

Christopher observa son père tandis que celui-ci prenait la direction de la table du salon d'un pas alerte pour un homme de soixante-quinze ans qui avait subi un infarctus il y a quelques années.

Mais à bien y regarder, il lui sembla que le visage ridé et un peu buté de son père s'était encore plus recroquevillé sur lui-même. Comme s'il passait son temps à froncer les sourcils et à se triturer la peau dans de profondes réflexions. Souffrait-il plus qu'il ne le laissait voir de la mort de son fils ? Si c'était le cas, il aurait préféré mourir que de l'avouer.

— Et toi, comment tu vas ? demanda Marguerite à Christopher en rejoignant la cuisine.

— Écoute, justement, je suis un peu fatigué. J'ai eu plusieurs conférences cette semaine et Simon a fait quelques cauchemars qui ont rendu les nuits compliquées. Donc, exceptionnellement, j'aimerais vous laisser déjeuner et aller me reposer un peu là-haut.

— Où ça là-haut ?

— Dans la chambre d'Adam.

La mère de Christopher reposa le plat qu'elle s'apprêtait à emporter dans la salle à manger. Ses yeux se voilèrent.

À son tour, Christopher sentit la peine nouer sa gorge et il serra sa mère dans ses bras.

— Je suis désolé, je ne voulais pas…

— Non, non, ne dis pas ça, je suis heureuse que tu ailles dans la chambre de ton frère. J'ai essayé de la garder intacte. Tu trouveras quelques-uns de ses vêtements dans l'armoire et puis des cartons de différentes choses. Dont un de livres qui étaient empilés à côté de sa table de nuit. Je me suis dit que c'étaient les derniers qu'il avait touchés, alors je les ai gardés. Mais j'ai revendu tous les autres.

Christopher hocha la tête, à la fois ému et un peu inquiet du caractère sacré que sa mère conférait aux affaires de son fils.

— Je sais combien vous vous aimiez, ajouta-t-elle. Vas-y, on s'occupe de Simon.

Christopher sortit de la cuisine et se dirigeait vers l'escalier menant à l'étage quand la voix de son père l'interpella.

— Je crois comprendre que tu ne te joins pas à nous. Mais tu pourrais au moins dire la bénédiction, tonna Edward en replaçant un verre devant lui.

Christopher leva les yeux au ciel.

— Tu sais bien que c'est une habitude que ton père a rapportée de son Amérique natale, chuchota sa mère en le tirant discrètement par le bras. Et que là-bas, c'est chacun son tour. Fais un effort. T'es pas obligé de dire une parole religieuse...

— Alors, allons-y pour la bénédiction, souffla Christopher en s'asseyant.

Sa mère et son père joignirent les mains devant eux et fermèrent les yeux. Christopher croisa le regard de Simon, qui avait l'air curieux de voir comment son oncle allait se tirer de ce mauvais pas.

— Seigneur, merci pour ce bon repas cuisiné avec amour par sainte Marguerite et bientôt dévoré par des ventres ingrats... et gras pour certains. Amen... ton plat.

Simon pouffa de rire sous le regard complice de Christopher et s'arrêta aussitôt. La vaisselle venait de trembler sous le poing d'Edward.

Christopher n'en revenait pas que son père ose encore à son âge le traiter avec la même sévérité qui le terrorisait lorsqu'il était enfant.

— On n'insulte pas la religion sous mon toit, dit Edward en maîtrisant sa colère. Tu fais ce que tu veux chez toi, mais ici, on a toujours respecté Dieu et ça ne changera pas.

Marguerite posa une main sur le bras de son mari pour l'inviter à se calmer. Si Simon n'avait pas été là, Christopher aurait expliqué à son père qu'il n'était plus question qu'il lui parle sur ce ton. Mais le jeune garçon n'avait pas besoin de voir le peu de famille qui lui restait se déchirer. Prenant sur lui, Christopher s'excusa de sa maladresse, prétextant qu'il était fatigué, et monta à l'étage. Non sans avoir au préalable lancé la conversation sur les grands progrès de Simon en anglais, pour détendre l'atmosphère.

*

Sur le palier, l'odeur de soupe s'effaça au profit de celle de la cire qui recouvrait l'escalier en bois. Sur la droite, une pièce tout en longueur faisait office de grenier où s'entassaient les souvenirs de voyage de ses parents. À gauche, un couloir tapissé de papier peint vert menait aux chambres. Au fond, celle de ses parents, et de chaque côté du corridor, la sienne que son père avait réaménagée en bureau et, juste en face, celle d'Adam que sa mère avait tenu à conserver telle qu'elle était lorsqu'il avait quitté la maison à seulement trente ans.

Christopher n'y avait pas mis les pieds depuis des années. Il entra et ne sut dire ce qui le troubla le plus. L'impression que rien n'avait changé ou le soin maniaque avec lequel sa mère avait rangé la pièce. Comme si elle voulait que tout soit en ordre le jour où Adam reviendrait à la maison.

Le lit était fait, pas une trace de poussière sur la table de chevet ou la vieille armoire rustique, ni sur le petit bureau rangé contre le mur du fond, sous la fenêtre. La moquette bleu roi conservait les traces de l'aspirateur et le papier peint bleu dégageait encore l'odeur du produit d'entretien avec lequel il avait été lessivé. Dans la bibliothèque, les collections de bandes dessinées d'Adam étaient classées dans l'ordre et ses ouvrages de médecine rangés par thématique.

Devant l'inspectrice, Christopher avait laissé entendre qu'il saurait où et quoi chercher, mais maintenant qu'il était dans la chambre d'Adam, il se sentait démuni et l'hypothèse du meurtre de son frère lui semblait irréelle. Sans conviction, il souleva quelques livres, regarda derrière les bandes dessinées qu'il feuilleta une à une en espérant peut-être y découvrir un hypothétique message sur un morceau de papier. Il s'allongea pour inspecter sous le lit, fouilla les tiroirs du petit bureau où il ne trouva que des photocopies de cours de médecine et des stylos.

Christopher se résigna à ouvrir l'armoire qui recouvrait un grand pan de mur. Tous les vêtements qu'Adam portait quand ils vivaient encore chez leurs parents étaient là. Repassés, pliés et rangés dans des effluves de lavande. Empilés sur le fondement de l'armoire se trouvaient deux gros cartons marqués : « *Affaires Vélizy, ne pas jeter.* »

Sa mère avait même conservé ses vêtements et ses affaires d'adulte ? Intrigué, Christopher sortit les cartons et les déposa sur la moquette. Puis il s'agenouilla et ouvrit le premier.

Une longue boîte en plastique recouvrait le haut du carton. Christopher y reconnut l'écriture de Nathalie sur le couvercle « *Photos de notre mariage* ♡ ». À l'intérieur, toute une série de clichés que Christopher fit glisser entre ses doigts. Il se revit en costume, en train de tenir son frère par les épaules, tous les deux souriant vers l'objectif alors que Christopher n'avait pu s'empêcher de lui faire des oreilles d'âne. Puis une autre, plus intime, un peu floue, où le photographe les avait surpris juste avant qu'Adam ne marche vers l'autel. Adam et Christopher étaient front contre front, chacun une main sur la nuque de l'autre. Christopher se souvenait qu'Adam avait peur. Peur de perdre le lien qui l'unissait à son frère en se mariant. Mais Christopher l'avait rassuré en lui jurant que rien ne les séparerait et qu'il était certain que son union avec la femme qu'il aimait lui apporterait le bonheur qu'il avait trop tardé à savourer. Il avait ajouté combien il était fier de le voir se marier avant lui alors que, depuis leur enfance on ne cessait de lui rappeler qu'il était « en retard » sur son grand frère.

Christopher referma la boîte et souleva une pile de papiers et de cahiers ficelés ensemble. C'était tout le parcours scolaire de son frère. Des carnets de notes aux appréciations dévalorisantes « *Élève de grande capacité, mais tellement moins sérieux que son frère* », « *Beaucoup de possibilités, mais peu de volonté* », mais aussi des lettres de motivation inachevées qui prouvaient qu'Adam n'avait trouvé que très tard le métier qui allait le passionner. Rien que Christopher ne sût déjà.

En revanche, la pile de livres qu'il repéra au fond du carton le surprit un peu plus. Il s'agissait uniquement d'ouvrages d'histoire traitant de la Seconde Guerre mondiale et de la guerre froide, alors qu'Adam n'avait jamais parlé à Christopher de son intérêt apparemment si marqué pour cette période.

Intrigué, il les parcourut et remarqua qu'ils étaient soulignés, annotés et souvent raturés. La plupart des passages concernés évoquaient la façon dont la guerre avait conduit les Américains et les Russes à pousser leurs recherches scientifiques au-delà de ce qui aurait été le cas en période de paix. On y expliquait par exemple comment l'effort de guerre avait permis la découverte d'une méthode de production de masse de la pénicilline qui sert encore aujourd'hui à toute l'industrie pharmaceutique, comment on avait mis au point des médicaments contre le mal de mer des soldats dont les molécules sont toujours commercialisées, ou comment le besoin de conservation des aliments avait conduit à la mise au point de denrées en poudre que l'on consomme encore de nos jours.

Christopher reposa le dernier ouvrage et se massa le cou. Pourquoi Adam, qui adorait partager son savoir et notamment avec son frère, ne lui avait-il jamais parlé de ces recherches ? Il en ferait part à l'inspectrice, même s'il ne voyait pas trop en quoi cela pourrait l'aider dans son enquête.

Il lui restait le dernier carton à examiner quand son père entra dans la chambre sans frapper.

— Je croyais que tu te reposais ?

Christopher s'adossa contre la porte de l'armoire en secouant la tête.

— Oui, enfin non, j'avais envie de penser à Adam…

Son père épousa d'un regard dubitatif les livres d'histoire étalés par terre et les deux cartons ouverts.

— Je ne comprendrai jamais pourquoi ta mère a gardé tout ce fatras…

Christopher haussa les épaules.

— C'était son petit dernier. Je crois qu'elle se sent coupable de ne pas avoir pu le protéger…

— C'est vrai que ta mère se faisait beaucoup de souci pour l'avenir d'Adam, et notamment son avenir professionnel. Je n'étais pas très présent, mais je me souviens qu'elle m'appelait tous les jours pour me demander de faire quelque chose pour lui, pour l'aider à trouver un travail. Heureusement, tu étais là et tu l'as aidé à choisir une voie…

Christopher hocha la tête, à la fois surpris par la confidence de son père et impatient qu'il s'en aille pour reprendre ses recherches.

— Bon, allez, reprit Edward. Ne passe pas non plus ta journée à ressasser de vieux souvenirs. On en a assez d'une comme ça à la maison…

Le père de Christopher jeta un dernier coup d'œil aux piles de papiers, secoua la tête, puis referma la porte.

Christopher leva les yeux au ciel, agacé par la réflexion de son père, et sortit le contenu du deuxième carton : un tas de papiers administratifs. Sa mère avait réellement tout ramassé chez son fils défunt. Mais qu'est-ce qu'il pouvait espérer y trouver d'intéressant ? Pêle-mêle y étaient rangés des factures d'électricité, des relevés bancaires, des feuilles de remboursement de santé et des fiches de salaire.

Christopher soupira. Non, vraiment, cette recherche lui semblait vaine. Mais il irait jusqu'au bout de cette investigation familiale pour n'avoir rien à regretter.

Il s'assit en tailleur et étudia chaque document administratif un à un. Il était au milieu de son tri quand il reçut un nouveau message de Sarah.

Alors ?

Rien de concret pour le moment.
Je vous tiens au courant.

Christopher considéra d'un œil las la pile de relevés bancaires qu'il lui restait à éplucher.

Par acquit de conscience, il regarda chaque bulletin en se disant qu'il trouverait peut-être une grosse somme d'argent perçue ou transférée. Après tout, cela pouvait constituer un début de piste pour le meurtre de quelqu'un. Il y passa plus d'une heure, et à la fin ses yeux brillaient de fatigue. Mais aucun montant ne lui sembla dépasser la normale.

Il terminait d'étudier la dernière feuille quand il remarqua néanmoins un détail qui attira son attention. Tous les relevés provenaient de la même banque et étaient tous au nom d'Adam et de Nathalie, sauf trois d'entre eux issus d'une banque différente, la SwissCox, et libellés au seul nom d'Adam. Les relevés étaient récents et avaient été édités un an avant la mort d'Adam.

Christopher, qui espérait découvrir des sommes mirobolantes cachées, déchanta rapidement. Le compte n'était que très peu approvisionné, d'à peine 300 euros. En revanche, un débit du même montant, 25,80 euros, était prélevé tous les mois. Christopher lut sur le relevé que ce débit se faisait au profit de la banque elle-même. À quoi pouvait-il correspondre ?

Mû par ses réflexes de journaliste, il se connecta sur le site de l'institut bancaire SwissCox via son téléphone et téléchargea la grille des tarifs pratiqués par la banque.

Christopher parcourut le document à toute vitesse et ne trouva la réponse qu'à la toute fin de la brochure. Cette fois, son rythme cardiaque s'emballa pour de bon. Le débit de 25,80 euros correspondait au tarif exact de la location d'un coffre privé à accès permanent.

Il attrapa son téléphone, appela Sarah et lui résuma la situation.

— Et Adam ne vous avait bien sûr jamais parlé de ce coffre ?

— Non.

— Comme il ne vous avait pas parlé de sa visite à Gaustad ou de ses recherches approfondies sur la Seconde Guerre mondiale.

— Vous fatiguez pas, je suis convaincu.

— Alors, fouillez la chambre. Il faut absolument trouver cette clé.

— De toute façon, si elle est quelque part, ça ne peut être qu'ici. Il n'y a plus aucune autre affaire d'Adam ailleurs. Je vous rappelle.

Christopher vida chaque tiroir, regarda sous le bureau, défit intégralement le lit, inspecta les doublures de chaque vêtement, déplaça les meubles, vérifia les cloisons. En vain. Il ne trouva rien. Mais peut-être avait-il cherché trop vite.

Il remonta des cartons vides de la cave en expliquant à sa mère qu'il emportait les affaires de son frère chez lui. Qu'il voulait prendre le temps de se recueillir dans un endroit qui ne lui rappelait pas trop de souvenirs. Marguerite sembla surprise, mais elle accéda à la demande de son fils à condition qu'il y fasse attention et les lui rapporte vite.

— Qu'est-ce que tu vas faire avec toutes ces vieilleries ?

Le père de Christopher lisait de nouveau son journal en surveillant Simon qui jouait aux Playmobil dans le jardin.

— Je pense que c'est pas bon que maman garde ça ici, chuchota Christopher. Ça l'aide pas à passer à autre chose. Il est temps qu'elle s'en débarrasse.

Son père hocha la tête et se replongea dans sa lecture.

Après avoir chargé cinq cartons dans le coffre de la voiture, Christopher était impatient de retrouver Sarah. Mais il ne voulait pas priver Simon de la sérénité de son dimanche. Il le laissa faire un gâteau aux pommes avec sa grand-mère et jouer au ballon avec son grand-père pendant plus d'une heure.

Ce n'est qu'en fin de journée qu'ils prirent le chemin du retour. Épuisé par toutes ces activités, Simon s'endormit rapidement.

Une fois chez lui, Christopher le porta jusque dans sa chambre. Il le déposa dans son lit, le déshabilla, le borda et l'embrassa sur le front. Puis il sortit de la chambre, et alla se passer de l'eau sur le visage dans la salle de bains.

Les mains appuyées sur le rebord du lavabo, Christopher réalisait seulement maintenant le bouleversement que cette inspectrice norvégienne venait de provoquer dans sa vie. Il savait qu'il ne trouverait plus la paix tant qu'il n'aurait pas éclairci les zones d'ombre autour de la mort de son frère.

Pourquoi Adam s'intéressait-il tant aux découvertes scientifiques de la seconde moitié du XXe siècle ? Pourquoi s'était-il rendu dans cet hôpital psychiatrique de Gaustad voir ce patient ? Qu'avait-il découvert de si important pour qu'on l'assassine, comme Christopher le redoutait désormais ?

Il s'essuya le visage et repassa devant la chambre de Simon pour aller dans la sienne. Dans l'embrasure de la porte, il vit le petit garçon glisser hors de son lit les yeux à moitié fermés et accomplir son rituel du soir. Il se mit à plat ventre, tira du carton sous son lit le vieux sweat-shirt de son père et se coucha en le serrant contre lui.

Christopher soupira et poursuivit vers sa chambre.

— Christopher ?

Christopher rebroussa chemin et passa la tête par l'entremise de la porte, à la façon d'un rongeur émergeant de son terrier. En le voyant, Simon rigola.

— C'est vrai que t'es rigolo.

— Tu m'as appelé juste pour te payer ma tête à 11 heures du soir ? essaya de plaisanter Christopher.

Simon baissa les yeux.

— Non, je suis juste content que tu m'aies pas laissé tout seul après... ajouta Simon.

Et il ferma les yeux.

Christopher fut envahi d'une émotion qu'il n'avait jamais éprouvée : le bonheur de se sentir indispensable pour quelqu'un. Il observa Simon rejoindre le sommeil d'une respiration lourde.

À un moment, il marmonna quelque chose qui aurait pu ressembler à « papa ». Christopher s'approcha, lui posa une main sur le front et caressa son visage.

Simon se retourna encore et serra contre lui le sweat-shirt de son père. Il avait la moitié du visage enfoui dedans, comme les jeunes enfants font avec leur doudou.

Christopher allait se lever pour partir quand il s'arrêta brutalement, le cœur battant à toute allure. Comment n'y avait-il pas pensé plus tôt ? Cela faisait tellement partie de son quotidien qu'il ne le voyait même plus.

Christopher fit glisser le sweat-shirt que Simon tenait dans les mains, serré contre lui. Puis il sortit de la chambre et palpa à toute allure le vêtement. Il ne sentit rien. Il se calma et reprit sa fouille plus posément.

C'est là qu'il lui sembla distinguer un élément plus dur dans une couture. Il fonça vers la cuisine, ouvrit un tiroir et saisit une paire de ciseaux. Les mains tremblantes, il découpa le tissu en un large cercle, sépara les deux pans du vêtement en deux et laissa échapper un souffle de surprise. Une minuscule clé avait été cachée dans la doublure. Le numéro 302 y était inscrit.

– 16 –

Il était presque 21 heures quand Christopher décrocha son téléphone pour appeler Sarah.

— J'ai trouvé la clé. Dans la doublure du sweatshirt d'Adam que Simon garde comme doudou.

— Bien...

Sarah hésita à formuler la suite de sa pensée. Elle savait que la banque ne l'autoriserait certainement pas à accéder au coffre. En tant que frère du défunt, Christopher aurait beaucoup plus de chances. Mais en lui demandant de venir avec elle, elle le mettait cette fois clairement en danger. Et au-delà de la vie de cet homme qu'elle commençait à apprécier, elle pensait aussi au petit garçon.

— Je vais passer prendre la clé chez vous.

— Vous savez très bien qu'ils ne vous laisseront jamais accéder au coffre. Flic ou pas. Même moi, je ne suis pas certain d'en avoir le droit.

— Christopher, comme vous l'avez compris, les personnes qui se cachent derrière toute cette histoire sont prêtes à déployer de grands moyens pour protéger leur secret...

La menace de meurtre était à peine voilée et, une fois encore, Christopher peinait à croire que tout cela fût bien réel.

— Attendez… Imaginez que l'on vous refuse l'accès au coffre. Votre demande va faire des vagues et remonter jusqu'aux oreilles de ceux qui sont derrière tout ça. Et ils s'arrangeront pour bloquer définitivement l'accès au coffre d'Adam. Je ne connaîtrai alors jamais la vérité sur la mort de mon frère et je n'aurai aucun moyen d'arrêter ceux qui l'ont tué et qui chercheront peut-être à faire de même avec moi… Bref, je m'expose un peu plus sans aucun moyen de répliquer.

— C'est probable, mais, tant que vous ne leur montrez pas que vous cherchez aussi à connaître la vérité, ils vous laisseront certainement tranquille.

— La quête de la vérité, c'est ma vie, et vous voudriez que je fasse une exception pour la personne qui comptait le plus pour moi ?

— Je pense à vous, mais à Simon aussi…

Christopher serra les poings d'indécision. Évidemment que lui aussi pensait à Simon. Il ne pensait même qu'à cela. Le dilemme était insoutenable. Mais comment pourrait-il élever l'enfant de son frère toute sa vie dans le mensonge ? Il se connaissait, il n'y parviendrait pas.

— Je viens avec vous.

À l'autre bout du fil, Sarah ferma les yeux sous le poids de la responsabilité.

— OK, soyons-y pour l'ouverture lundi matin alors.

— Euh… je suis désolé, mais je ne pourrai me libérer qu'à partir de 18 heures.

Sarah resta sans voix. Comment pouvait-il lui répondre une absurdité pareille compte tenu des circonstances ?

— Il va falloir vous arranger autrement alors…

— Écoutez, je mesure pleinement l'incongruité de ma demande et, croyez-moi, je suis peut-être encore plus impatient que vous de tirer cette affaire au clair, mais pas au prix de la santé mentale de Simon.

— C'est-à-dire ?

— Lundi est le premier jour des vacances scolaires et j'ai promis à Simon de passer toute la journée avec lui.

Christopher imaginait Sarah ouvrir de grands yeux exaspérés. Lui-même doutait de ce qu'il était en train de dire et, pourtant, une petite voix intérieure lui soufflait de ne pas céder.

— Vous savez, Simon est en lutte permanente contre le traumatisme de la mort de ses parents. Cela m'a pris beaucoup de temps pour l'aider à retrouver un semblant d'équilibre et cela passe par la confiance qu'il a en moi. Trahir ma promesse pourrait anéantir tout le travail accompli… et je ne peux pas prendre ce risque.

— Je comprends.

La réponse sans équivoque de Sarah déstabilisa Christopher, qui resta sans voix.

— Je serai devant la SwissCox à Villejuif à 18 heures, poursuivit Sarah. Je viens de vérifier sur leur site, ils sont ouverts jusqu'à 19 heures. Ça ira ?

— Euh, oui…

— Déposez Simon chez vos parents avant de venir et demandez-leur de partir en province pour le week-end. Plus il sera loin, moins nous prendrons de risques. Bonne nuit, à demain.

— OK… lâcha Christopher. Mais attendez.

— Oui ?

— Vous pensez vraiment que je vais pouvoir accéder au coffre ? J'ai la clé, mais j'imagine qu'ils vérifient l'identité du propriétaire, non ?

— Ça dépend des banques. SwissCox fait clairement référence à une domiciliation du siège social en Suisse. On a peut-être une chance que seule la clé suffise.

— Et si ça ne marche pas ?

— On verra sur place. De toute façon, on n'a pas d'autre choix pour le moment. Reposez-vous. À lundi, 18 heures.

17

Il était un peu plus de 16 heures quand Christopher déposa Simon chez ses parents ce lundi 22 février en fin de journée.

Christopher leur raconta qu'on l'avait appelé pour une interview qu'il attendait depuis des mois et qu'il devait absolument y aller aujourd'hui. Il servit le même mensonge à Simon en lui jurant que ça n'arriverait plus. Mais le petit garçon fondit en larmes.

— Je veux voir papa et maman… hoqueta Simon en entrant dans la maison. Pourquoi… pourquoi je peux pas les voir !

Une main plaquée sur la bouche pour étouffer son émotion, Marguerite regardait son fils et son petit-fils en priant Dieu du fond du cœur de les soulager de leur peine. Edward se frottait le front comme pour effacer un sentiment de malaise.

— Je n'ai pas toutes les réponses, Simon… déclara Christopher en s'accroupissant. Mais je te promets que je cherche. La seule chose dont je suis certain, c'est qu'ils t'aiment toujours et qu'ils t'aimeront tout le temps de là où ils sont. Maintenant, tu devrais rejoindre ta grand-mère. Elle va te préparer un lit douillet comme celui d'une souris et peut-être même qu'elle va te lire une super histoire avant de dormir, OK ?

Quand ils disparurent à l'étage, Christopher se laissa retomber sur une marche et posa la tête entre ses mains en soupirant.

Il savait qu'il devait leur demander de partir tout de suite dans un hôtel loin d'ici. Mais il n'avait plus la force de faire subir un traumatisme de plus à Simon. S'il voyait que les craintes de Sarah s'avéraient fondées, il préviendrait immédiatement ses parents et leur demanderait de vite s'en aller.

— Qu'est-ce qu'il se passe, Christopher ? demanda Edward quand ils furent seuls.

— Je t'ai dit, c'est le boulot, un type qu'on cherche à interviewer depuis six mois vient de nous dire qu'il était d'accord, mais maintenant. J'ai pas le choix.

Edward hocha la tête d'un air dubitatif.

— Et qu'est-ce qu'il a de si important à dire, ce gars-là ?

Christopher fut surpris par la question. Son père n'avait pas pour habitude de s'intéresser à son travail.

— Il… C'est compliqué. Et puis…

— Écoute, je te demande ça parce que j'ai l'impression que tu nous caches quelque chose. T'es pas obligé de nous parler de toute ta vie, mais peut-être qu'on pourrait mieux t'aider si on en savait plus.

Christopher se leva et se dirigea vers la porte d'entrée. La considération impromptue de son père l'agaçait. Pour une fois qu'il s'intéressait à lui, il le stressait encore plus.

— Au contraire, vous m'aiderez en ne me posant aucune question. Je crois d'ailleurs que maman l'a bien compris. Demande-lui conseil de temps en temps, ça aidera tout le monde.

Edward jeta un regard noir à son fils, mais Christopher l'ignora et claqua la porte.

Il sauta dans sa voiture et programma son GPS sur l'adresse de la banque SwissCox à Villejuif.

Une pluie fine rendait la chaussée glissante et la lumière des phares fatigante pour les yeux. Christopher ne put s'empêcher de penser que son frère et Nathalie avaient connu les mêmes mauvaises conditions météo le soir de leur accident. À la différence près que Christopher roulait bien au-dessous de la vitesse à laquelle le véhicule d'Adam avait percuté la rambarde de sécurité. La police avait été formelle, la voiture était lancée à plus de 110 km/h sur une route limitée à 70. Christopher ne comprenait pas comment l'accident aurait pu être provoqué. Ni le moteur ni les freins n'avaient été trafiqués et aucun véhicule n'était venu couper la trajectoire de la voiture d'Adam.

La voix du GPS tira Christopher de sa réflexion pour lui annoncer qu'il était parvenu à destination. L'enseigne éclairée de l'établissement bancaire apparut bientôt derrière un rideau de pluie au bout de la rue. En se garant, il aperçut Sarah, adossée au mur jouxtant la porte d'entrée, les bras croisés, vêtue d'un blouson en cuir clair et d'un col roulé beige relevé sur le cou.

Il descendit de voiture et courut s'abriter à côté de l'inspectrice. L'avancée murale qui les surplombait était si fine que les gouttes rasaient leur visage et venaient s'écraser sur la pointe de leurs chaussures.

— Bonsoir, dit-il sans savoir s'il devait lui serrer la main.

Sarah répondit d'un petit hochement de tête, les mains enfouies dans ses poches.

Christopher frissonna en sentant une goutte de pluie glisser dans son cou. Il plongea la main dans sa poche et en sortit la petite clé.

— Et si on me réclame une pièce d'identité, je fais quoi ?

— On verra.

— Vous ne pouvez pas demander une perquisition du coffre en tant qu'inspectrice ?

Sarah fit non de la tête.

— Pas sans mandat délivré par un juge. Ce qui, dans le cas d'une collaboration entre deux pays, prendrait des semaines de procédure. Et on n'a pas le temps.

Christopher secoua la tête en poussant un long soupir.

— Je vois, donc tout se joue dans quelques secondes et c'est sur moi que ça repose ?

Sarah acquiesça en silence.

Ils longèrent le mur de la banque jusqu'à la porte pour éviter la pluie autant que possible et se présentèrent devant l'entrée de l'établissement, sous un auvent. Un interphone indiquait qu'il fallait sonner pour obtenir l'autorisation d'entrer.

Le cœur battant de plus en plus vite, Christopher appuya sur le bouton vert.

Au silence d'une dizaine de secondes succéda l'ouverture du sas permettant l'entrée dans la banque.

Christopher poussa la porte, suivi de Sarah. Ils passèrent sous un portique de détection de métal. Sarah ayant anticipé ce contrôle, elle avait laissé son arme dans sa valise, elle-même rangée dans une consigne de la gare de Lyon.

Les dalles en marbre rose qui tapissaient le hall d'entrée étaient si parfaitement cirées qu'elles reflétaient leurs corps avec la fidélité et la luminosité de l'eau. Nul doute, l'endroit était réservé aux personnes fortunées.

Deux vigiles se tenaient discrètement dans les coins de la pièce et, derrière un comptoir en acajou, deux employés étaient occupés chacun avec un client tandis qu'un troisième commis leur adressait un sourire, les invitant à le rejoindre.

L'homme qui les accueillit devait avoir une trentaine d'années. En costume-cravate, les cheveux parfaitement coiffés, très mince, il affichait un sourire professionnel. Ses gestes étaient précis, méticuleux, comme chorégraphiés pour susciter la confiance et le respect du client.

Christopher posa la clé du coffre sur le comptoir de marbre.

— Bonsoir, je suis M. Clarence et j'aimerais accéder à mon coffre, s'il vous plaît.

— Bien sûr.

Le réceptionniste baissa brièvement les yeux vers l'écran de l'ordinateur dissimulé sous son comptoir.

— Bien… nous allons pouvoir descendre à la salle des coffres.

Christopher se décrispa, mais sentit que Sarah restait tendue. Pourquoi ? Le plus dur était fait. On ne lui avait pas demandé de pièce d'identité.

— En revanche, reprit le réceptionniste en suivant une ligne du doigt sur l'écran de son ordinateur, je suis désolé, mais le coffre est nominatif et madame ne sera pas autorisée à nous accompagner. Souhaitez-vous un café ? Un thé pour patienter ?

Sarah déclina l'offre d'un non de la tête. Christopher, qui avait tressailli en entendant le « en revanche », souffla de nouveau.

— Bi… Bien, conclut le réceptionniste. Nous allons pouvoir y aller. Il me manque juste votre pièce d'identité.

La main tendue, l'employé regardait Christopher de ce même sourire poli.

— Je…

Du coin de l'œil, Christopher eut le sentiment que les deux vigiles en poste avaient bougé.

— Monsieur Clarence, il y a un problème ?

— Écoutez, s'expliqua Christopher, je suis le frère d'Adam Clarence, qui est décédé il y a un an. J'ai retrouvé cette clé dans ses affaires et je venais récupérer ce qui lui appartenait, voilà tout.

L'employé de banque consulta du regard les deux vigiles et prit un air embarrassé.

— Je suis désolé, mais vous auriez dû immédiatement me faire part de cette… version. À moins que… Attendez. Puis-je voir votre pièce d'identité, s'il vous plaît ?

Christopher consulta Sarah du regard. Elle battit des cils en signe d'acquiescement.

— Pourquoi ? demanda Christopher.

Le réceptionniste consultait l'écran de son ordinateur les sourcils froncés, comme si quelque chose l'intriguait.

— Parce qu'il se peut que je n'aie pas vu quelque chose.

Christopher tendit fébrilement sa carte d'identité.

— Merci, dit le réceptionniste en regardant attentivement la carte.

Il pianota sur son clavier et hocha la tête d'un air entendu, affichant un grand sourire contrit.

— Veuillez nous excuser pour ce malentendu, monsieur Clarence, dit-il, la tête légèrement inclinée dans un geste de repentir. Je n'avais pas vu que votre frère avait enregistré une procuration à votre nom pour l'ouverture du coffre. Si vous voulez bien me suivre, je vais vous conduire à la salle. Madame, si vous voulez bien patienter ici.

Christopher crut que ses jambes allaient se dérober sous lui. Il se retourna vers Sarah qui venait de pousser un soupir d'extrême soulagement.

*

Le réceptionniste guida son client vers l'escalier en marbre noir menant aux sous-sols de la banque. Christopher dut s'habituer à la faible luminosité des petits spots disposés au sol. Ils arrivèrent dans une salle d'attente munie de canapés en cuir noir et d'une petite table sur laquelle reposaient quelques magazines de finance et d'immobilier de luxe ainsi que trois bouteilles d'eau minérale. Deux vigiles, les mains croisées dans le dos, étaient postés devant la lourde porte circulaire menant à la salle des coffres privés.

— Je vais chercher la seconde clé du coffre de votre frère, monsieur Clarence, afin de procéder à l'ouverture, dit le réceptionniste. Si vous voulez bien patienter ici, je n'en ai que pour quelques secondes.

L'employé s'éclipsa par une petite porte et Christopher prit place sur l'un des canapés. Cette attente l'angoissa un peu plus. Il n'en revenait pas qu'Adam ait prévu une procuration pour lui. S'il l'avait fait, c'est qu'il se sentait menacé. Christopher chercha sa respiration. Le danger devenait de plus en plus palpable. Il pensa à Simon.

— Ça va, monsieur Clarence ? Vous voulez un verre d'eau ?

Le réceptionniste revenait à l'instant et regardait Christopher d'un air soucieux.

— Non, ça ira, répondit Christopher en se passant une main sur le visage. Allons-y.

Il se leva et attendit que l'employé de banque déverrouille la porte blindée. L'épais cercle de métal s'ouvrit sur une chambre forte éclairée d'un néon. Au centre luisait une table en inox.

— Le coffre de votre frère est donc le numéro 302, dit le réceptionniste en désignant un emplacement en hauteur. Enclenchez la clé dans la serrure gauche et je vais faire de même dans la droite.

Christopher inséra la clé et tourna au signal de l'employé. On entendit un déclic et la porte rectangulaire s'entrouvrit, dévoilant la poignée d'un coffret en métal qu'il fallait tirer comme un tiroir escamotable.

— Prenez le temps qu'il vous faut, dit le réceptionniste. Quand vous aurez terminé, replacez votre coffre et appuyez sur ce bouton rouge près de l'interphone pour sortir.

Le réceptionniste parti, Christopher fit glisser le boîtier de métal et le déposa sur la table. Puis il souleva le couvercle.

Sous la lumière blafarde apparut une enveloppe épaisse de format A4. Le coffre ne contenait rien d'autre.

À la fois inquiet et ému, Christopher plongea la main à l'intérieur de l'enveloppe et en retira une liasse de feuilles et une plus petite enveloppe blanche et vierge.

Il commença par examiner le paquet de feuilles.

On y voyait des textes très probablement tapés sur une vieille machine à écrire.

Il s'agissait visiblement d'un mémo classé top secret datant du 13 octobre 1963 – en pleine guerre froide, songea Christopher – rédigé en anglais et intitulé « Éléments projet 488 / MK-Ultra ». Il émanait d'un certain Nathaniel Evans et était adressé à Charles Parquérin. Christopher reconnut immédiatement le nom du P-DG de Gentix, dont son frère lui avait souvent parlé, notamment pour lui dire que les employés ne le voyaient jamais et que certains étaient même convaincus qu'il était mort. En revanche, Nathaniel Evans ne lui disait absolument rien. Il lut le mémo.

I. Nous vous rappelons l'indispensable livraison des doses de LS 34 à la date convenue. Un membre de l'US Air Force prendra directement contact avec vous afin que les produits soient acheminés vers la base en marge des circuits officiels.

II. Afin d'assurer la continuité des expériences, nous sollicitons votre appui dans le recrutement d'éléments tests. Veillez à ce que ces derniers soient des individus isolés, dont l'absence prolongée ou définitive n'attirera pas l'attention. En aucun cas ils ne doivent être informés des objectifs de nos expériences, sous peine de faire échouer le *process*.

Christopher reposa le document d'une main hésitante, une goutte de sueur glissant le long de son dos. Tout ce qu'il venait de lire lui semblait irréel. Et plus que tout le papier à en-tête siglé de la Central Intelligence Agency. La CIA.

Jusqu'ici, il avait nourri le secret espoir que toute cette histoire soit finalement une méprise.

Mais cette fois, il tenait entre les mains des preuves de pratiques médicales illégales et inhumaines, menées dans les années soixante, en secret, par la plus puissante des agences de renseignements au monde. Et cela en collaboration avec le laboratoire Gentix qui employait Adam. Le tout, semblait-il, dans le cadre d'un programme de recherche militaire pour des applications touchant à la biologie et au cerveau. D'ailleurs, le titre MK-Ultra lui rappelait quelque chose. Mais il était encore trop ébranlé pour se concentrer sur ses souvenirs.

Il massa sa nuque raide et essuya de nouveau ses paumes moites sur son jean. Puis il étudia les trois autres documents.

D'apparence beaucoup plus récente et datés du 25 août 2003, les deux premiers étaient des bons de commande de Gentix à deux sociétés différentes. L'un était destiné à une entreprise céréalière pour l'acquisition de dix kilos de *Claviceps purpurea*, substance que Christopher connaissait depuis ses enquêtes sur le trafic de drogue et que l'on appelait plus communément ergot de seigle. L'autre était adressé à une ferme domiciliée en Champagne-Ardenne et confirmait la commande de cinq kilos de pieds de pavot.

En marge de ces documents, Adam avait noté un commentaire éloquent : « *Aucune de ces deux substances n'entre dans la composition de nos produits. Utilisation ? Dépense inutile ? À vérifier.* » D'une autre couleur, comme si le commentaire avait été ajouté plus tard, on pouvait lire : « Fabrication LS 34 : interdit ! »

Sur la troisième feuille avait été photocopié un relevé des frais de poste de la société Gentix. Le tableau courait sur une dizaine d'années et au minimum trois fois par mois, Adam avait surligné une ligne d'un envoi à 250 euros vers une boîte postale en Norvège. Son commentaire disait « *À vérifier* ».

Christopher se laissa retomber contre le dossier de son siège, le regard perdu dans le vide. Voilà d'où toute cette affaire avait dû partir. Voilà d'où étaient nés les soupçons de son frère. Adam avait été recruté en tant que directeur financier adjoint de Gentix, avec comme mission principale de maîtriser les coûts de l'entreprise. Or Gentix ne devait pas savoir à quel point Adam était un homme méticuleux qui pouvait passer des heures et des jours à vérifier des détails dont personne ne se souciait. C'était une forme de trouble obsessionnel compulsif chez lui : le besoin d'être sûr de n'avoir rien oublié et d'avoir tout compris.

Les dirigeants avaient certainement imaginé qu'il se pencherait sur les grosses dépenses ou à tout le moins les moyennes et les petites, mais pas les micro-dépenses.

Mais c'était mal connaître son jusqu'au-boutisme, qu'il tenait d'ailleurs de son père qui, lors de ses rares incursions dans leur éducation, n'avait cessé de les obliger à aller au bout du bout de tout ce qu'ils entreprenaient.

C'est donc à partir de l'audit interne de Gentix qu'Adam avait remonté la piste jusqu'à retrouver le patient de Gaustad. Il avait probablement discrètement intercepté l'un des colis destinés à la Norvège, prélevé un échantillon et fait analyser son contenu, découvrant la production clandestine de LS 34 en interne. En suivant la trace du colis envoyé en Norvège, il était remonté jusqu'à l'hôpital psychiatrique de Gaustad. D'ailleurs, plusieurs photos étaient attachées au dos de ce dernier document et même si elles ne représentaient que des vues extérieures du bâtiment, elles laissaient clairement à penser qu'Adam s'était rendu sur place.

Christopher posa la main sur les deux derniers documents et se retourna pour s'assurer que personne n'était entré dans la chambre forte. Plus il progressait dans les révélations léguées par son frère, plus il avait le sentiment d'être surveillé, menacé. Comme si des tueurs pouvaient débarquer d'une seconde à l'autre pour le supprimer, lui et ses preuves accablantes.

Mal à l'aise et pressé de quitter cette salle métallique et oppressante, il posa sur le côté la petite enveloppe et fit rapidement glisser devant lui une feuille dans un bruissement de papier.

Dessus était dessiné une espèce de schéma sur lequel Christopher reconnut l'écriture penchée de son frère. Quatre grands cercles étaient tracés sur la feuille. Dans le premier était inscrit *CIA*, dans le second, *Ford Foundation*, dans le troisième *Hôpital de Gaustad*. Entre chaque cercle, des flèches et des notes manuscrites expliquaient en détail les liens entre les trois organismes. Au milieu des trois cercles se trouvait un quatrième où était écrit *Application militaire* souligné trois fois.

En résumé, la Ford Foundation, officiellement la plus grande organisation caritative des États-Unis, avait été selon plusieurs historiens et journalistes l'une des couvertures fétiches de la CIA pour récolter des fonds destinés à financer certaines opérations secrètes durant la guerre froide. Après une minutieuse enquête, une historienne avait même révélé plusieurs rencontres entre Allen Dulles, le directeur de la CIA de l'époque, et le patron de la Ford Foundation pour, disait-elle, la recherche mutuelle de « nouvelles idées ».

Or, constata Christopher en lisant chaque ligne des rigoureuses déductions de son frère, il était claire-ment établi, à travers plusieurs documents médicaux et financiers, que la Ford Foundation avait apporté un important soutien financier à l'hôpital de Gaustad en Norvège. La CIA semblait tout particulièrement s'intéresser à cet hôpital parce que son directeur de l'époque était un pionnier dans la recherche sur la chirurgie du cerveau, et notamment la lobotomie.

De chacun de ces trois cercles, *Ford Foundation*, *CIA* et *Gaustad*, partait une flèche qui convergeait vers le cercle *Application militaire*, sous lequel s'alignait une série de questionnements :

Objet des recherches ?
Nature des expériences ?
Résultats ?
Prolongement secret du programme ?
MK-Ultra ?

La bouche sèche, la nuque tendue, Christopher n'en revenait pas. Sur quelle immense affaire son frère avait-il mis la main ? Le journaliste qu'il était se sentait dépassé par l'ampleur de ce qu'il avait sous les yeux.

En se demandant bien ce qu'il allait trouver dans la petite enveloppe, il la décacheta avec précaution et en tira deux feuilles sur lesquelles un texte tapé à l'ordinateur avait été imprimé. Dès les premiers mots, Christopher pâlit et la nausée lui souleva l'estomac.

« Si tu continues à chercher ce qui doit rester caché, tu en paieras le prix : ta femme et ton fils sous tes yeux. Et tu suivras. »

L'autre menace était du même acabit.

« Dernier avertissement. La mort ne sera qu'un cadeau que tu réclameras à genoux pour toi et ta petite famille si tu n'abandonnes pas immédiatement. »

S'il avait fallu une preuve de plus pour croire à l'assassinat de son frère, Christopher la tenait entre ses mains tremblantes de stupéfaction et de rage.

Assommé, il resta immobile, debout sous le néon de la chambre forte dont l'air vibrait d'un lointain bourdonnement électrique. Il prit conscience que le peu de sérénité qu'il avait tenté de construire depuis la mort d'Adam venait de voler en éclats.

En hâte, il rangea tous les documents dans l'enveloppe kraft, replaça le coffre désormais vide dans son emplacement et claqua la porte qui se verrouilla toute seule.

Puis il demanda depuis l'interphone à ce qu'on le laisse sortir. Il adressa un bref signe de remerciement au réceptionniste en faisant son possible pour dissimuler sa fébrilité.

Il passa devant Sarah, qui fut presque satisfaite de le voir si pâle et si pressé : il avait forcément trouvé quelque chose.

18

La porte se referma sur l'habitacle sec et feutré de la voiture. Christopher essuya l'eau qui ruisselait dans ses yeux en laissant échapper un soupir. Puis il tendit l'enveloppe de documents à Sarah.

— Tout y est, preuve de la production de LS 34 par Gentix, menace de mort sur mon frère et... implication de la CIA dans un projet d'expérimentation mentale des années soixante qui devait semble-t-il profiter à l'armée.

Sarah observa Christopher, ses cheveux trempés d'où glissaient les gouttes de pluie sur son front et entre les poils de sa barbe naissante. Son regard avait définitivement perdu son éclat d'ironie et de distance amusée. Il semblait accablé, dépassé et particulièrement soucieux.

Comme pour chacune de ses affaires, Sarah ressentit la douleur et la peine de son témoin. Sauf que cette fois, elle eut envie de l'aider. Plus que les autres. Elle s'avouait de plus en plus l'admiration qu'elle avait pour cet homme.

Pour le bouleversement qu'il avait dû opérer dans sa vie en choisissant d'élever Simon. Tout en lui respirait l'ancien célibataire, libre de ses mouvements, habitué à plaire et à multiplier les conquêtes sans engagement et sans se soucier de l'avenir. Et pourtant, il avait refusé de placer Simon en famille d'accueil ou même chez ses parents. Non, il l'avait pris sous son aile, comme s'il s'agissait de son propre fils. Et si l'on ajoutait ce qu'elle avait vu de lui lors de la conférence, elle était à peu près certaine qu'il était un père de substitution soucieux d'éveiller l'esprit de son enfant adoptif.

Face à Christopher, Sarah venait de comprendre que c'était cet engagement qu'elle évaluait finalement le véritable courage d'un homme. Non pas à sa capacité à prendre des risques ou à affronter des dangers extrêmes. Mais à la force inouïe dont il devait faire preuve pour trouver un jour la force de devenir le veilleur d'une famille.

— Vous imaginiez que cette affaire remontait si loin ? demanda Christopher alors que Sarah terminait d'examiner le dernier document contenu dans l'enveloppe.

— Vous voulez parler de la CIA ? le relança-t-elle en tapotant un texto.

— La CIA, l'armée américaine, vous vous rendez compte de quoi on parle ? Si vous n'étiez pas flic et là, à côté de moi, j'aurais l'impression que... cela n'arrive pas vraiment.

La pluie continuait de frapper sur le toit et les vitres de la voiture avec l'acharnement du déluge.

Sarah consulta les photos de la façade de l'hôpital de Gaustad.

— Votre frère n'a pas dû être autorisé à entrer dans la cellule du patient 488.

— Pourquoi vous dites ça ?

— Sinon, il aurait forcément pris en photo les graffitis sur les murs.

— Quels graffitis ?

Sarah afficha les clichés sur l'écran de son téléphone et tendit l'appareil à Christopher.

— C'est censé représenter quelque chose ?

— Il s'agit toujours des trois mêmes formes reproduites à l'infini. Regardez bien et vous verrez le contour d'un poisson, d'une flamme et d'un arbre.

Christopher agrandit les photos d'un écart de l'index et du pouce et finit par voir ce que Sarah venait de lui expliquer.

— Oui, je les vois… Mais ça peut vouloir dire quoi ?

— Cela fait partie des mystères de cette enquête…

Christopher essuya les gouttes de pluie qui tombaient dans ses yeux.

— Et puis ce projet MK-Ultra, ça ne vous dit rien ? ajouta-t-il en rendant son téléphone à Sarah.

— Écoutez, Christopher, je vais faire mes propres recherches. À partir de maintenant, vous devriez vous occuper de Simon. Merci de m'avoir aidée. Je vous tiendrai au courant de la suite.

— MK-Ultra… Je suis sûr d'avoir déjà vu ça quelque part, poursuivit Christopher. Il faut que je creuse cette piste.

— Bon, mais en attendant, partez loin d'ici avec Simon, dans un endroit inattendu, jusqu'à ce que je vous dise de revenir. D'accord ?

— OK, OK… Je vais voir comment je m'organise. Mais vous allez faire quoi avec tout ça ? C'est quoi la suite de votre enquête ?

Sarah savait exactement ce qu'elle allait faire dans la minute qui suivrait le départ de Christopher. Mais elle tut sa pensée, pour le protéger.

— Moins vous en saurez, moins vous vous exposerez au danger. Vous avez déjà fait beaucoup. Bon courage... Prenez soin de vous et de Simon.

Sarah s'apprêtait à ouvrir la portière quand Christopher la rattrapa par le bras.

— Il pleut fort, il est plus de minuit, nous sommes en banlieue, vous ne trouverez pas de taxi. Je vous accompagne jusque chez Parquérin... et promis je m'en vais. J'ai autant envie que vous que l'affaire avance vite.

Sarah faillit sourire d'étonnement. Comment avait-il deviné ?

— Je sais que c'est là que vous allez vous rendre maintenant que vous avez la preuve qu'il a bien produit du LS 34 après les années soixante-dix. N'est-ce pas ? Vous avez un levier pour le faire parler...

Sarah coiffa ses cheveux mouillés vers l'arrière, dégageant complètement son front et sa figure. Malgré la pénombre, Christopher distingua la partie brûlée du visage de l'inspectrice. Sa paupière abîmée et l'absence de cils et de sourcils.

— Vous prenez un trop grand risque en m'accompagnant.

— Qu'est-ce qui vous est arrivé ?

— L'incendie que le directeur de Gaustad a déclenché était fait pour tuer.

Christopher fronça les sourcils.

— Et vous croyez que je peux retrouver une vie normale après tout ce que j'ai découvert en deux jours ? Vous croyez que je vais reprendre mon métier et attendre les hypothétiques conclusions de votre enquête ?

— C'est ce que les gens font en général.

— Et vous, vous feriez quoi ?

Sarah sonda Christopher quelques instants de ses yeux bleu clair. Elle savait qu'elle n'agissait pas comme elle l'aurait dû. Mais c'était plus fort qu'elle. Elle lui fit signe de changer de siège pour se placer derrière le volant. Alors qu'elle descendait pour changer de place, elle reçut une réponse à son texto, mémorisa le message et s'assit à la place du chauffeur.

Puis elle régla le siège et les rétroviseurs à sa convenance et programma le GPS.

— Comment savez-vous où habite Parquérin ?

— Il est sur liste rouge, mais mes collègues de la police d'Oslo ont heureusement accès à ce type de données confidentielles, répondit-elle en désignant son portable du menton. À partir de maintenant, vous avez trente-trois minutes pour me dire tout ce que vous savez sur le projet MK-Ultra, dit Sarah en découvrant le temps de trajet indiqué par le GPS.

Elle refit tomber sa mèche de cheveux devant ses yeux et s'apprêta à démarrer.

— Laissez votre visage dégagé, ça vous va mieux, dit Christopher en se baissant pour regarder le ciel gorgé de pluie par la fenêtre.

Sarah ouvrit la bouche pour répliquer, mais se ravisa. Elle considéra Christopher un instant avec toute l'intensité de son regard.

Puis elle secoua la tête, noua ses cheveux en arrière et démarra en direction de la riche ville de Marnes-la-Coquette.

*

— Je vous écoute. Qu'est-ce que vous savez du projet MK-Ultra ? dit Sarah avant de s'engager sur le périphérique sud.

Les yeux rivés sur son smartphone, Christopher leva la main pour lui demander de patienter. L'alternance d'obscurité et de lumière au gré des lampadaires rendait difficile la lecture des sites qu'il consultait.

— À la prochaine sortie, tournez à droite, dit le GPS. Il vous reste seize kilomètres.

Il fallut encore quelques minutes à Christopher pour terminer la lecture des notes qu'il avait prises il y a quelques années sur le projet MK-Ultra. Puis il éteignit son smartphone.

— C'est un truc de dingue…

— Quoi ?

— Tout ce que je viens de lire est cohérent avec les documents que l'on a trouvés, mais aussi avec tous les bouquins sur la guerre froide de mon frère.

Sarah laissa Christopher poursuivre sans le presser.

— Bon, je vous lis texto ce que je viens de dénicher sur le site du *New York Times*. C'est un peu scolaire, mais ça a au moins le mérite d'être clair. Le projet MK-Ultra est la diminution de l'expression Mind Kontrol. Ce programme secret a justement été révélé au grand public par un article du *New York Times* en 1974 puis par une commission d'enquête du Sénat américain en 1977. Bref, il est tristement officiel et avéré que pendant près de vingt ans, de 1950 à 1970, la CIA a conduit des expériences sur des sujets non consentants dans le but de contrôler l'esprit humain. Cela se faisait à base d'injections de drogues, notamment du LSD, mais aussi de stimulations électriques, sensorielles et psychiques sur des patients d'hôpitaux psychiatriques sans famille, des prostituées ou des prisonniers de guerre. Le but avoué, ou en tout cas premier, était de réussir à faire parler les espions russes et si possible de parvenir à les retourner contre leur propre camp. La commission sénatoriale chargée d'enquêter sur ce projet a mis au jour vingt mille documents relatifs à ces expériences et révélé qu'il avait bénéficié d'un budget de vingt-cinq millions de dollars en dehors de...

Le téléphone de Sarah sonna et Christopher s'arrêta de parler. L'inspectrice regarda brièvement l'écran. C'était Stefen Karlstrom, son supérieur. Elle laissa son répondeur se déclencher sans un mot.

Christopher, qui commençait à comprendre le langage *a minima* de Sarah, en conclut qu'elle attendait qu'il poursuive.

— Ce programme de contrôle mental a donc coûté vingt-cinq millions de dollars en dehors de tout contrôle étatique. Bref, pendant vingt ans, ils ont fait ce qu'ils voulaient sans que personne vienne leur demander des comptes, ni financiers ni scientifiques et encore moins éthiques. Budget quasi illimité pour des expériences sur des sujets humains sans aucun contrôle. On imagine jusqu'où ils ont pu aller...

Christopher, qui venait de relever la tête, reconnut la zone du périphérique sur laquelle ils se trouvaient.

— Ne suivez pas le GPS. Sortez porte de Saint-Cloud, indiqua-t-il à Sarah. On va passer par Boulogne. C'est plus court et je connais bien le chemin.

Sarah s'assura d'un coup d'œil dans le rétroviseur qu'elle pouvait tourner et se rangea sur la file de droite du périphérique pour sortir.

— Je venais de temps en temps dans la forêt de Marnes-la-Coquette pour aller courir avec mon frère quand nous étions encore ados, poursuivit Christopher. C'est le seul moment où notre père daignait faire un effort pour nous emmener en balade parce qu'il y avait un golf pour lui juste à côté. Un sport auquel il n'a d'ailleurs jamais jugé bon de nous initier. Bref. Je ne sais pas pourquoi je vous parle de ça. C'est juste que passer par là me fait bizarre, c'est un moment qu'Adam et moi on aimait bien et...

Christopher sentit sa gorge se nouer et serra les poings.

— Ce Charles Parquérin a intérêt à parler. Si c'est lui qui a tué Adam, je...

— Je suis là pour trouver et arrêter ceux qui ont fait ça à votre frère, Christopher. Vous connaissez très bien votre métier, mais celui-ci n'est pas le vôtre.

Sarah avait parlé d'une voix douce et Christopher s'apaisa provisoirement.

— Que sait-on d'autre sur le programme MK-Ultra ? reprit-elle alors qu'elle venait de stopper à un feu rouge.

— Eh bien, l'enquête a estimé que le projet MK-Ultra contenait environ cent cinquante projets, mais dont il ne reste pas grand-chose puisque, en 1972, Richard Helms, le directeur de la CIA, a ordonné la destruction de toutes les archives du programme.

Le feu passa au vert et Sarah tourna en suivant la direction de Marnes-la-Coquette.

— Des détails sur l'ambition de ces projets ?

— Vous espérez que l'un d'eux explique l'état de celui que vous appelez patient 488 ?

— Peut-être.

— Je vous donne les plus frappants de la petite liste qui a pu être obtenue grâce à un carton d'archives oublié par ceux qui étaient chargés de détruire les preuves : injection de substances provoquant un raisonnement illogique et une impulsivité au point que le sujet se discrédite en public, de substances augmentant les capacités mentales et les capacités de perception, de substances produisant de façon réversible les signes et symptômes de maladies connues, et pouvant être ainsi utilisées pour simuler des maladies, de substances rendant la persuasion de l'hypnose plus facile, de substances altérant la personnalité de telle façon que la tendance du sujet à devenir dépendante d'une autre personne est augmentée... et un dernier projet évoque des expériences menées dans des camps de vacances sur des enfants sans en préciser l'objet.

Christopher s'arrêta de lire, bouleversé. Sarah s'efforça de rester concentrée sur son enquête.

— Voilà, termina Christopher, c'est en synthèse tout ce qu'il y a de connu sur cet ignoble projet MK-Ultra, qui a été définitivement et officiellement arrêté en 1988 seulement.

Pendant quelques instants, on n'entendit que le bruit du moteur et des roues sur le bitume.

— Vous êtes arrivé dans deux cents mètres, indiqua la voix du GPS.

Plus aucune lumière communale n'éclairait la route et les phares rendaient l'obscurité de la forêt encore plus profonde.

— Je vais me garer devant l'entrée de la maison et vous pourrez repartir chez vous. On est bien d'accord ?

Christopher hocha la tête.

Sarah ralentit en repérant les numéros affichés sur les devantures des maisons. Après avoir longé un mur qui semblait interminable et qui les éloignait des autres pavillons, ils trouvèrent le numéro 23 accroché en caractères de fer forgé au sommet d'une haute grille. De l'autre côté des barreaux, on discernait une allée bordée de sapins qui menait à un manoir.

— Nous y sommes... Prenez ma place et rentrez vite chez vous.

Sarah coupa le moteur et sortit de la voiture. L'air frais de la nuit lui fouetta le visage. Elle regarda vers la grille en se demandant si Parquérin lui ouvrirait facilement ou si elle devrait s'introduire chez lui clan-destinement.

C'est là qu'elle remarqua que le portail était légè-rement entrouvert. Christopher sortit à son tour du véhicule pour en faire le tour et reprendre la place du conducteur.

Il n'avait pas fait trois pas dehors qu'il entendit un martèlement rapide derrière lui.

— Poussez-vous ! cria Sarah.

Mais il était loin d'être aussi entraîné qu'elle. Il eut à peine le temps de se retourner que sa tête fut projetée contre la carrosserie. La bouche en sang, à moitié évanoui, il s'agrippa à la portière au moment où son agresseur s'apprêtait à lui planter un couteau dans le ventre. Sarah glissa sur le capot et arriva juste à temps pour bloquer le bras assassin.

— Fuyez ! cria-t-elle à Christopher.

Complètement sonné, le regard embrumé et une douleur insupportable irradiant dans toute la tête, Christopher se dirigea là où ses pas le menèrent. Il tituba à tâtons et se retint sur la grille d'entrée de la maison. Il se laissa glisser par l'entrebâillement sans réfléchir ni savoir où il allait. Il prenait seulement le premier chemin venu pour fuir la mort.

Aveuglé par la douleur et l'obscurité, il sentit des branches lui griffer le visage, entendit des bruits de lutte et de vitre brisée derrière lui. Il trébucha sur une racine et s'écroula de tout son long dans la boue.

— Cours ! hurla Sarah avant de pousser un cri de douleur.

Du sang coulant sur ses yeux, Christopher se redressa péniblement sur ses jambes. Il tenta de marcher, d'un pas ivre, et chuta de nouveau lourdement. Il chercha à se relever, mais s'effondra de nouveau à terre.

À bout de forces, il se traîna dans la boue jusque sous les branchages d'un bosquet avant de laisser retomber sa tête dans la terre en gémissant.

C'est là qu'il entendit des pas s'approcher. Il n'eut même pas le temps de bouger que les feuillages s'écartèrent au-dessus de sa tête. Christopher se protégea instinctivement le visage.

— C'est moi, murmura Sarah.

— Putain, j'ai cru que c'était...

Sarah s'accroupit aux côtés de Christopher en reprenant son souffle.

— Comment vous vous sent... Comment tu te sens ? chuchota-t-elle.

Christopher avait du mal à analyser son état. Son front le lançait comme s'il allait exploser.

Sarah ausculta son visage.

— Appuie fort sur la plaie, là sur le front, pour stopper le saignement, et parle plus doucement...

— Où est le type qui nous a agressés ? murmura Christopher en compressant sa blessure de la paume de sa main.

— Neutralisé.

Il la regarda comme si elle n'était pas vraiment humaine. Comment avait-elle fait pour se débarrasser d'un type qui avait manqué le tuer ?

— C'est là que je me dis qu'on n'a pas tous les mêmes chances de survie dans la vie... Vous croyez... Tu crois qu'il y en a d'autres ?

— Probable.

— C'était qui ? Un membre de la sécurité de Parquérin ?

— Ça me semblerait bizarre. Ce type appartient à la mafia russe si j'en crois les tatouages qu'il porte au bras, chuchota Sarah. Et puis la grille de la villa n'a pas été ouverte, elle a été forcée. Non, ce type est entré chez Parquérin par effraction.

— C'est bizarre. Qui d'autre que nous pourrait en vouloir au directeur de Gentix ?

— C'est la bonne question, mais pas le temps d'y réfléchir. Pour le moment, tu ne retournes pas vers la voiture et tu restes près de moi. Ce type n'est certainement pas venu tout seul et il doit y en avoir d'autres qui rôdent dans les environs. Je sais pas si on aura une deuxième chance de leur échapper.

Sarah examina la blessure de Christopher. Le sang s'était arrêté de couler et un hématome commençait à se former.

— Si tu t'agites pas trop, ça ira.

Sarah tendit la main au jeune homme pour l'aider à se relever, et sortit l'arme qu'elle avait récupérée sur son agresseur. Elle la pointa vers le sol et avança à pas comptés entre les branches en direction de la maison, un manoir d'allure ancienne qui aurait pu ressembler de loin à un relais de chasse.

Ils quittèrent l'abri des feuillages et s'engagèrent à pas de loup sur le gazon de l'immense jardin. La lune était à moitié pleine et permettait de voir jusqu'à une dizaine de mètres de façon à peu près distincte. Au-delà, c'est l'imagination qui prenait le pouvoir.

D'ailleurs, quelques mètres devant eux se dressait une silhouette immobile. Après s'être assuré qu'elle ne bougeait vraiment pas, ils la contournèrent avec prudence. Drapée dans une tunique flottant au vent, elle toisait ses contemplateurs de toute sa hauteur, son visage squelettique enfoui sous un capuchon, une main au doigt tendu, l'autre empoignant une faux.

Un souffle de vent fit bruisser les feuilles des arbres et Sarah stoppa net, scrutant l'obscurité. Cachée derrière un tronc d'arbre, elle montra à Christopher la porte d'entrée du manoir, qui n'était plus qu'à une dizaine de mètres.

Elle lui fit signe de rester accroupi et de ne pas bouger en attendant son signal. Puis elle fila comme une ombre. Ses pas foulaient l'herbe humide tandis qu'elle avançait courbée. Le talon de ses bottines se posa sur les lattes de bois de la terrasse et elle parvint à se coller au mur juste à côté de la porte d'entrée.

Elle la poussa du bout de la main. Comme elle le redoutait, le battant s'ouvrit tout seul. Elle attendit quelques secondes, passa une main rapide dans l'embrasure. Rien.

Elle ordonna à Christopher de la rejoindre et, quand il fut à son tour plaqué contre le mur, elle lui intima l'ordre de patienter tandis qu'elle se glissait seule dans le manoir, son arme braquée devant elle, l'œil dans le viseur.

Elle fit irruption dans un hall d'entrée haut de plafond, avec sur la gauche une porte en vitrail d'église donnant sur un salon marbré, en face, un couloir qui s'enfonçait vers le cœur de la maison, et sur la droite un escalier couvert d'un tapis rouge menant à l'étage. Elle pivota sur elle-même et faillit appuyer sur la détente : une silhouette était allongée par terre, à plat ventre.

L'inspectrice lui décocha un léger coup de pied. Aucune réaction. Elle s'agenouilla. Pas de pouls. Elle retourna le cadavre. Un homme brun d'une trentaine d'années qu'elle n'avait jamais vu. Probablement un membre de la sécurité personnelle de Parquérin.

D'un vif mouvement de main, elle autorisa Christopher à entrer. Elle lui désigna un très léger filtre de lumière qui passait sous une porte donnant sur le couloir en face d'eux. Ils s'approchèrent en silence et leur cœur s'emballa lorsqu'ils entendirent des voix.

Sarah poussa le battant de la porte, révélant un escalier s'enfonçant dans le sol et d'où remontaient des éclats de voix.

On distinguait au moins deux personnes, dont l'une parlait fort et l'autre avec une faiblesse maladive.

Sarah posa un pied sur les marches et pencha la tête. Sur la droite, à mi-parcours, l'escalier s'ouvrait sur la pièce du sous-sol. Elle s'allongea sur les marches avec la félinité d'une lionne et observa.

Dans ce qui était manifestement une cave, elle vit un vieil homme assis dans son fauteuil roulant, les bras ligotés dans le dos, le visage tuméfié et la tête reposant sur son menton, comme un morceau de chair trop lourd. Malgré les blessures, elle reconnut Charles Parquérin dont elle avait vu le visage sur Internet.

Devant lui, un homme de haute stature, glabre, au cou large, était en train de s'essuyer les mains sur un chiffon maculé de sang. Derrière le P-DG de Gentix, un autre homme, plus petit, le menton terminé par une barbichette, tenait un téléphone portable devant le visage du supplicié.

— Bien, monsieur Parquérin, dit une voix sortie du haut-parleur du téléphone. Vous résistez plus long-temps que je ne l'aurais imaginé. Mais voyez-vous, l'état dans lequel vous devez vous trouver, si mes hommes ont bien fait leur travail, n'atteint même pas le centième des souffrances que vous et vos amis m'avez infligées pendant toutes ces années. Donc, je réitère ma question : que cherchiez-vous à savoir en me faisant subir toutes ces expériences et, surtout, qu'avez-vous trouvé ?

La voix était chevrotante, comme si la personne avait du mal à respirer.

Comme évanoui, Charles Parquérin ne releva pas la tête. Le plus grand des deux bourreaux lui saisit la mâchoire et lui redressa sèchement le menton.

— Réponds, ou j'appuie plus fort…

— Je vous en prie, arrêtez, parvint à ahaner Parquérin. Je sais ce que vous cherchez, mais je ne connais pas les réponses à vos questions. Je vous le jure.

— Je ne vous crois pas ! s'emporta la voix dans le haut-parleur. Mais reprenons alors au début : combien étions-nous de patients 488 ?

Charles Parquérin entrouvrit ses lèvres collantes de sang.

— Vous… étiez plusieurs. Mais deux seulement ont survécu… Vous et un autre dont j'ai appris la mort très récemment.

— Bien, reprit la voix chancelante dans le haut-parleur tandis que le bourreau relâchait la mâchoire du P-DG de Gentix. Vous voyez que vous pouvez répondre. Continuez comme ça et votre calvaire prendra rapidement fin. Donc… que cherchiez-vous sur nous et qu'avez-vous trouvé ? J'ai subi vingt ans de tortures ! Et je suis en train de crever dans des souffrances que vous n'imaginez pas ! Vous me devez des réponses ! À quoi tout cela a-t-il servi !?

Le colosse aux mains tachées de sang frappa Parquérin au visage dans un bruit mat, puis il s'empara d'un couteau et lui enfonça lentement la pointe sous la rotule. Le vieux dirigeant poussa un cri qui fit tressaillir Sarah.

— Si vous ne savez pas, qui sait ?! Répondez et tout s'arrêtera ! hurla l'homme dans le téléphone.

Sarah s'apprêtait à intervenir pour profiter de la diversion, mais elle sentit la main de Christopher la saisir avec une fermeté inattendue. Elle le toisa. De la tête, il lui fit un signe de négation. Surprise, elle lut au fond de son regard une détermination qu'elle n'imaginait pas.

— Si on intervient, on le sauve, il prend des avocats et on ne connaîtra jamais la vérité, murmura-t-il.

Même si l'idée n'était pas digne, Christopher avait raison : ils en apprendraient plus en écoutant ce que Parquérin allait dire sous la torture qu'en lançant une procédure judiciaire.

Elle se rassit et regarda Christopher par-dessus son épaule. Il tremblait et ses yeux étaient rouges. Elle se demandait combien de temps il allait tenir.

— Je vous jure que je ne sais pas ce qu'ils cherchaient. Je leur fournissais seulement le LS 34, jusqu'à aujourd'hui... c'est tout.

— Mensonge !

— Ils voulaient explorer des domaines scientifiques vierges... pousser la recherche plus loin qu'elle n'était jamais allée... et à n'importe quel prix. C'est tout ce que j'ai compris au cours des années où je les ai fournis. J'ignorais qu'ils vous faisaient souffrir...

Un pesant silence succéda à l'aveu de Parquérin. On discernait à peine le souffle fatigué de l'homme qui posait les questions.

— Alors, je vous le demande une dernière fois, monsieur Charles Parquérin. Qui m'a fait ça ?

Parquérin resta silencieux, laissant seulement échapper des gémissements de douleur.

L'homme aux mains tachées de sang alla chercher une pince dans une petite sacoche posée sur une table. Puis il l'approcha des yeux de Charles Parquérin. Le vieil homme hoqueta de terreur.

— Un seul nom et j'arrête tout, dit la voix dans le téléphone.

Le vieil homme tremblait de tout son corps, ses dernières résistances sur le point de céder. Le bourreau approcha la pince des mains, saisit un ongle et tira non pas d'un coup sec, mais lentement, si bien que la peau se déchira en emportant d'épais morceaux.

Le hurlement fut insoutenable. Christopher se retourna brutalement et contint un haut-le-cœur.

— Qui ?! relança l'homme malade dans le combiné.

La pince saisit le bout d'un autre ongle. Le vieil homme s'affaissa complètement.

— Nathaniel Evans, lâcha-t-il dans un souffle d'agonie.

— Qui ça ?

— Nathaniel Evans.

Sarah croisa le regard de Christopher. Ils venaient tous deux de reconnaître le nom de celui qui avait rédigé le mémo de la CIA contenu dans les documents rassemblés par Adam.

— Il vit encore ? reprit la voix dans le combiné.

— Je... Je crois... répondit le vieux dirigeant.

— Où est-il ?

Charles Parquérin tourna la tête sur le côté, comme s'il luttait une dernière fois pour ne pas parler.

— Où est-il ?

— En France.

— Son adresse !

— Je ne l'ai pas vu depuis longtemps.

— Son adresse !

— 113, rue des Peupliers... À Rosny-sous-Bois.

Sarah sentit Christopher se crisper derrière elle. Elle se retourna. Il était livide, la bouche entrouverte, les yeux écarquillés de terreur.

— Quoi ? chuchota-t-elle.

Il ne bougeait plus.

— Christopher ! Qu'est-ce qu'il se passe ?

— C'est... l'adresse de mes parents.

19

Juste au-dessous d'eux, dans la cave, les deux hommes qui avaient torturé le vieux dirigeant de Gentix échangèrent quelques mots en russe. Puis le plus grand des deux s'adressa à Charles Parquérin :

— On va aller à l'adresse que tu nous as donnée. Toi, tu vas rester ici jusqu'à ce qu'on revienne. Si tu nous as menti... (il nettoya une croûte de sang séché sous un ongle) on reprendra tout à zéro. Jusqu'à ce que tu comprennes. C'est clair ?

Charles Parquérin geignit, la tête branlante sur sa poitrine. Le plus trapu des deux malfrats le bâillonna.

Sarah fit signe à Christopher de remonter doucement les marches. Mais il était encore sous le choc de ce qu'il venait d'entendre. Les deux tueurs gravissaient désormais l'escalier en échangeant des paroles en russe. Sarah jura entre ses dents et secoua Christopher. Désorienté, il se redressa d'un coup et remonta à toute vitesse sans penser au boucan qu'il faisait.

— Стоп[1] ! brailla l'un des deux Russes.

---

1. « Stop ! » en Russe.

Sarah tira une balle au jugé pour se laisser le temps de rejoindre Christopher. La réplique ne se fit pas attendre et des morceaux de l'encadrement de la porte du sous-sol volèrent en éclats.

Ils franchirent le hall, jaillirent à l'extérieur et traversèrent le jardin en courant de toutes leurs forces.

— Qu'est-ce que tu fais ! vociféra Sarah en voyant Christopher sortir son téléphone de sa poche.

La police devait aller chercher Simon immédiatement. Sans répondre, il composa le 1 puis s'apprêtait à appuyer sur le 7 quand un nouveau coup de feu éclata l'écorce d'un arbre juste à côté de lui.

Christopher lâcha le portable qui tomba à terre. Il se baissa brutalement pour le chercher.

— Christopher, non ! lui ordonna Sarah en le tirant par le bras.

Mais Christopher ne réfléchissait plus clairement. Il ne pensait qu'à sauver Simon. Il se dégagea d'un mouvement brusque, fouillant le sol à toute vitesse à la recherche de son téléphone.

Sarah se positionna devant lui.

— Prends la voiture, tu arriveras avant la police !

Sarah tira deux coups de feu en direction des ombres qui venaient de surgir hors de la maison.

— Maintenant ! lança Sarah.

Christopher essaya de se remettre à courir, trébucha, entendit un nouvel échange de coups de feu, se releva et fondit vers le chemin menant au portail d'entrée. Il courait les mains devant le visage, ignorant les griffures et les gifles des branches.

Quand il repéra enfin la grille de sortie, il fonça droit vers la voiture, enclencha la clé et démarra en trombe. Il fit une dizaine de mètres avant de s'arrêter et de regarder dans son rétroviseur.

Et alors qu'il espérait voir Sarah courir vers lui, c'est la silhouette d'un de ses poursuivants qui jaillit d'entre les arbres.

Christopher écrasa l'accélérateur.

Le cœur battant à tout rompre, les mains crispées sur le volant, il avala la quinzaine de kilomètres qui le séparaient du domicile parental dans un cauchemar d'angoisse. Nathaniel Evans, quel qu'il soit, ne pouvait pas résider à l'adresse de ses parents. Il y avait forcément une erreur. Parquérin voulait se venger des découvertes d'Adam en faisant tuer toute sa famille. C'était la seule explication possible.

Christopher arriva enfin devant le vieux pavillon en meulière, se gara en hâte, sortit de la voiture et se rua vers la porte d'entrée.

Il manqua glisser sur les dalles mouillées du perron, sortit sa clé de la maison et ouvrit la porte. Sans se préoccuper du bruit qu'il faisait, il grimpa à l'étage, parcourut le couloir en un clin d'œil, pénétra dans le bureau de son père et poussa un soupir de soulagement en voyant Simon enroulé dans ses couvertures sur le canapé-lit.

Christopher calma sa respiration et s'approcha du petit garçon pour lui caresser les cheveux.

— Simon, chuchota-t-il. C'est moi, mon chéri. Désolé de te réveiller en pleine nuit, mais il faut qu'on parte. Tout de suite.

Sans lui laisser le temps de prendre conscience de ce qui lui arrivait, Christopher le prit par la main et accéléra sa sortie du lit.

— Non... Je suis fatigué, gémit l'enfant.

— Je sais, mais tu vas pouvoir dormir à la maison. Allez, viens.

Simon se redressa, les yeux embués de sommeil, puis se leva. Christopher le tira par le bras vers la porte de la chambre.

— Mais... mes affaires, se plaignit Simon.

— On reviendra les chercher. Viens.

Ils sortirent de la chambre. Simon fronça les sourcils en regardant Christopher.

— Pourquoi tu saignes de la figure ?

Dans la précipitation, Christopher avait oublié sa blessure et l'apparence effrayante qu'il devait avoir maintenant que les chairs étaient gonflées.

— Je me suis fait mal bêtement. Je te raconterai dans la voiture, tu verras, ça vaut le coup. Allez, en route ! dit-il en faisant trottiner Simon devant lui.

Combien de temps lui restait-il avant que les tueurs ne débarquent ? Sarah était-elle parvenue à les neutraliser ? Avait-elle succombé ? Bien qu'il renâclât à envisager cette hypothèse, il devait faire preuve de pragmatisme s'il voulait sauver Simon et ses parents. Et, par conséquent, faire comme si Sarah était morte et que les tueurs allaient arriver d'une minute à l'autre.

— Je t'en supplie, Simon, dépêche-toi.

— Mais on va où ?

Christopher ouvrit la porte de la chambre de ses parents et se rendit vite compte qu'il n'y avait que sa mère dans le lit.

— Maman ! Maman, réveille-toi...

Sa mère avait toujours eu le sommeil lourd et Christopher dut s'y prendre à deux fois. Marguerite se redressa alors en sursaut.

— Seigneur... Christopher, qu'est-ce que tu fais ici ? Qu'est-ce qu'il se passe ?

— Viens avec moi, il ne faut pas rester ici.

— Quoi ? Mais... tu es devenu fou ?

— Maman, fais-moi confiance, lève-toi ou tu risques de te faire tuer.

— De me faire... Mais mon Dieu, qu'est-ce que tu t'es fait au visage ? demanda-t-elle paniquée en repoussant les couvertures.

— Je te dis de me croire et de venir avec moi, s'impatienta Christopher en regardant par la fenêtre pour vérifier qu'aucune voiture n'était encore arrivée.

Sa mère réalisa alors que Simon était dans la chambre.

— Simon, mon chéri, ça va ? demanda-t-elle en lui caressant la joue.

Le petit garçon fit une moue et tourna la tête. Christopher ne laissa pas le temps à sa mère de s'appesantir et la saisit par la main pour l'entraîner en dehors de la chambre. Ils traversèrent le couloir en hâte et descendirent l'escalier.

— Mais qu'est-ce qu'il se passe à la fin ! Qui va me tuer ?

— Où est papa ? l'interrompit Christopher.

— Je ne sais pas. Il a dû aller boire un verre de lait et lire le journal, comme toutes les fois où il fait des insomnies.

Parvenu en bas de l'escalier, Christopher regarda par l'œilleton de la porte. Toujours aucune voiture en vue, à part la sienne. Sa mère tira alors sur la main de son fils.

— Christopher ! Explique-moi !

— Je sais que j'ai l'air fou et, crois-moi, je penserais la même chose de moi si je me voyais dans cet état, mais je viens de découvrir les preuves que... (il chuchota dans l'oreille de sa mère pour que Simon ne l'entende pas) l'accident d'Adam n'était pas un accident. Il a été assassiné.

Marguerite porta une main devant sa bouche en laissant échapper un petit cri de stupeur.

— Et ça va être notre tour si on reste ici, ajouta Christopher.

Il s'apprêtait à sortir quand il entendit son père lui demander.

— Vous allez où ?

Christopher fit volte-face. Son père était dans le salon, debout, en robe de chambre.

— Edward, Dieu merci tu es là ! s'exclama Marguerite. Christopher dit que l'on va se faire tuer et qu'il faut partir d'ici.

En entendant sa grand-mère, Simon se serra contre de son oncle.

— Christopher, qu'est-ce qu'il se passe ? demanda Edward.

Christopher dévisagea son père et un détail lui sauta aux yeux. Il portait des chaussures et non des chaussons. Et, à bien y regarder, il était encore habillé sous sa robe de chambre.

— Christopher, je t'ai posé une question ! Pourquoi tu emmènes Simon et ta mère ? insista Edward de sa voix autoritaire.

— On y va, se pressa de dire Christopher en prenant Simon et sa mère par le bras. Et toi, ajouta-t-il à l'adresse de son père, fais ce que tu veux, mais sache que des types peu recommandables sont en route

252

vers la maison et qu'ils viennent y chercher un certain Nathaniel Evans.

Alors que la mère de Christopher regardait son fils d'un air plein d'incompréhension, Edward ne broncha pas. Mais Christopher en était certain : il avait lu la peur dans son regard.

Marguerite se dégagea de la poigne de son fils.

— Arrête ! Je ne comprends plus rien !

— Maman, viens. Je t'en supplie, fais-moi confiance.

Marguerite jeta un regard désespéré vers son mari. Edward lui fit signe de venir vers lui. Christopher la regarda hésiter, un pincement au cœur.

Et c'est là qu'il entendit une portière claquer juste à l'extérieur de la maison. Il entraîna Simon en courant vers la baie vitrée menant au jardin. Mais il n'avait pas fait trois pas que la porte d'entrée s'ouvrit avec fracas. Le plus petit des deux hommes qui torturaient Parquérin fit irruption dans le salon et saisit brutalement la mère de Christopher pour lui presser le canon de son arme sur la tempe.

*

La douleur des liens qui cisaillaient ses poignets jusqu'au sang n'était rien au regard de la souffrance qu'il éprouvait à voir Simon attaché à côté de lui sur une chaise.

— Simon… chuchota Christopher. Mon chéri, ça va aller, OK ?

La tête penchée, apeuré, le petit garçon hocha la tête comme s'il devait obéir à Christopher. Mais il respirait par saccades derrière les mèches de ses cheveux en bataille et ses jambes étaient agitées d'un sautillement saccadé.

En face d'eux, Edward et son épouse étaient ligotés chacun à une chaise, côte à côte. Marguerite se mordait les lèvres en regardant son petit-fils. Edward observait leur ravisseur.

Ce dernier marmonna quelques mots en russe dans son téléphone, prit en photo le père de Christopher, effectua une manipulation puis déposa le combiné sur la table basse du salon, entre Simon et Christopher d'un côté et Marguerite et Edward de l'autre.

La même voix faible et maladive que Christopher avait entendue lors de l'interrogatoire du P-DG de Gentix dans la cave déclara :

— Nathaniel Evans... Vingt-deux ans... cinq mois, et... six heures. Voilà depuis combien de temps je te cherche.

Christopher quitta un instant Simon des yeux pour surveiller la réaction de son père. Mais Edward était impassible.

— Je te cherche depuis le jour où j'ai réussi à m'enfuir de cet asile dans lequel toi et tes amis m'aviez enfermé. Et depuis, j'ai consacré ma vie à te retrouver...

La mère de Christopher essaya de capter le regard de son mari, mais il l'ignora.

— Oh, je sais que ta femme et ton fils ne te connaissent pas sous ce nom, reprit la voix fatiguée. Comme ils doivent ignorer le monstre que tu es réellement...

Le père de Christopher ne cilla pas, fixant d'un regard sévère le téléphone.

— Edward, dis-moi que tout ça est une erreur, supplia Marguerite.

Le grand-père de Simon tourna la tête vers sa femme.

— Cet homme est fou. Je ne sais pas pourquoi il m'appelle comme ça. Tout ça est...

— Nathaniel ! intervint la voix. Tu ne te souviens donc pas de Lazar ? Toi qui as passé tellement de nuits à m'empêcher de dormir et à me traîner dans ta salle d'expérience encore et encore alors que je te suppliais d'en finir. Tu ne peux pas avoir oublié tous ces moments que l'on a passés ensemble. Et puis, malgré les années, je reconnais si bien ton visage.

— Qu'est-ce que vous voulez ? demanda alors Edward. Ce que vous dites n'a aucun sens. Je ne sais pas qui est ce Nathaniel ! Relâchez-nous et trouvez les personnes que vous cherchez !

— Amusant, dit Lazar. Mais en même temps, je comprends que tu sois gêné devant ton fils et ta femme. Je l'aurais probablement été avec ma famille, si seulement je l'avais revue un jour. Mais, vois-tu, pendant toutes ces années où tu as joué avec mon corps et mon cerveau, j'ai tenu en pensant à eux, à cet instant merveilleux où je les retrouverais et les serrerais dans mes bras. Et puis le jour où j'ai réussi à m'échapper du tombeau dans lequel tu m'avais enfermé pour continuer à me faire subir tes tortures, je me suis imaginé face à eux, le jour des retrouvailles. Et j'ai pris conscience de mon corps brisé, de mon regard vide et, pire que tout, de mon âme brûlée, celle dans laquelle tu as pris tant de plaisir à fouiller et fouiller encore, jusqu'à faire de moi un fantôme. Alors, j'ai su qu'il valait mieux que je sois mort à leurs yeux...

Lazar avait terminé de parler d'une voix faible. Dans le salon, un silence lourd flottait dans l'air. Le moment semblait irréel. Les odeurs du repas du soir planaient encore dans la pièce. Chaque bibelot, chaque coussin était à sa place. Sauf que tous les membres de la famille étaient ligotés à des chaises alors qu'un homme les menaçait d'une arme à feu.

— Qu'est-ce que vous voulez ? demanda Christopher alors que le visage de Simon avait viré au livide.

— Qui parle ?

— Christopher, le fils d'Edward.

— Je suis au soir de ma vie, répondit Lazar. Alors oui, je veux voir mourir celui qui m'a fait ça. Mais avant, je veux connaître la vérité.

— Sur quoi ? s'agaça Christopher devant le mutisme de son père et la détresse déchirante de sa mère.

— Je veux savoir à quoi j'ai servi ! À quoi ces années de torture que l'on m'a infligées étaient-elles destinées, Nathaniel ? Qu'avez-vous cherché ? Pourquoi nous appeliez-vous patients 488 ?

Christopher tourna la tête vers son père. Le vieil homme avait dans les yeux une détermination qui rappela à Christopher les moments de colère que lui et son frère redoutaient, enfants.

— Est-ce que tout ça est vrai ? lui demanda Christopher.

Edward serrait les mâchoires si fort que ses muscles tremblaient.

— Est-ce que tout cela est vrai ? Réponds !

Les sanglots de Marguerite éclatèrent dans le silence.

— La vérité, Nathaniel ! La vérité ! Maintenant ! ordonna Lazar de sa voix nasillarde.

L'homme armé surveillait chaque geste de ses victimes d'un œil nerveux.

— Assume ce que tu as fait, Nathaniel ! Il est trop tard pour taire la vérité. Libère-toi à ton tour. Libère-toi du mensonge dans lequel tu vis depuis tant d'années !

— Edward ! cria Marguerite dans une cascade de sanglots. Quoi que tu aies fait, je te pardonne. Mais réponds-lui. Je t'en supplie.

Edward respirait bruyamment.

— Tu peux avoir été un bourreau, un sadique, mais tu ne peux pas être un lâche ! lança Lazar. Pas devant ta femme et ton fils…

Christopher vit le visage de son père virer au rouge. La colère venait d'exploser en lui.

— Qui es-tu, Lazar, pour me donner des leçons sur la conscience ? Toi qui as trahi ton propre pays ? Toi qui as tué des innocents pour obtenir des informations ? Toi qui as torturé pour obtenir un nom, un code, une adresse ? Toi pour qui l'espionnage était un défouloir pour les recoins les plus obscurs de ta perversité !

La voix d'Edward mourut dans le silence. Les yeux tremblants de larmes, Marguerite était blême. Christopher, qui pourtant s'attendait à une telle révélation, fut parcouru d'un frisson de stupeur.

*

L'homme de main de Lazar scrutait ses prisonniers de son œil mauvais. Edward reprenait sa respiration, les yeux vacillants de haine.

— Bien, maintenant que l'aveu est fait, déclara Lazar de sa voix traînante, réponds à ma question : que cherchiez-vous sur nous ? Et qu'avez-vous trouvé ?

— Tu ne le sauras jamais. Jamais tu ne me feras trahir mon pays.

Christopher fixait son père en ayant peine à croire ce qu'il entendait. Marguerite secouait la tête. Chaque nouvelle parole de son mari la poussait un peu plus dans l'effroi.

— Je sais que toi et tes amis étiez à l'époque de grands chercheurs, visionnaires, poursuivit Lazar. Mais désormais, tout cela n'a plus de sens, et je te laisse une dernière chance de te repentir… en me livrant la vérité.

— Tu mourras dans l'ignorance, Lazar, éructa Edward.

À la sonorité cassante de la voix du père de Christopher succédèrent les gémissements de Marguerite. Puis Lazar reprit :

— Je t'aurai laissé ta chance. Serguëi !

Le Russe s'avança vers Edward, le contourna et colla le canon sur la tempe de Marguerite.

— Non ! cria Christopher. Réponds-lui !

Serguëi tourna sa main, le bout du canon vrillant la peau de Marguerite.

— Une inspectrice norvégienne est au courant de toute l'affaire, lança subitement Christopher. De toute façon, tu es pris, tu ne peux plus rien cacher ! Dis-lui ce qu'il veut savoir.

Comment son père pouvait-il se murer dans le mutisme alors que l'on menaçait d'exécuter sa femme ?

Christopher remarqua que les yeux de Simon étaient mi-clos, sa tête dodelinant sur sa poitrine. Victime d'un malaise, il allait perdre connaissance. Christopher se garda bien de le maintenir éveillé.

— Tu te souviens, Edward, quand tu me disais de compter jusqu'à trois avant de m'endormir, dit Lazar.

Je ne voulais pas parce que je savais qu'en me réveillant, la souffrance serait encore pire que celle que je quittais. Eh bien, pour toi, je vais compter de nouveau. Pour te laisser le temps de réfléchir. Il paraît que le stress aiguise la clairvoyance. C'est ce que tu me disais à l'époque avant de reproduire sur moi tes expériences pour la énième fois.

Les yeux noyés de larmes, le corps tremblant, Marguerite tourna un regard de supplique vers son mari.

— Un... lança Lazar.

Raide comme un soldat prêt à se faire fusiller, Edward ignora la détresse absolue de son épouse. Mais dans ses yeux, Christopher lut le terrible combat qu'il menait pour se taire.

— Mamie, pleura Simon avant de s'évanouir.

— Ça va aller, mon chéri. Hein, ne t'inquiète pas pour moi, d'accord. Je t'aime, mon chéri.

— Papa ! lâcha Christopher alors qu'il n'avait pas appelé son père ainsi depuis plus de trente ans. Je t'en supplie, tu ne peux pas faire ça.

— Deux... poursuivit Lazar d'une voix traînante.

Christopher croisa le regard de sa mère. Sous les larmes et l'effroi, elle lui sourit, comme pour lui dire une dernière fois combien elle l'aimait. Puis elle posa les yeux sur Simon et les ferma.

— Réponds ! hurla Christopher en tirant jusqu'au sang sur ses attaches.

— Trois, acheva Lazar.

Le coup de silencieux explosa dans le silence du salon et la tête de Marguerite retomba sur sa poitrine.

20

Christopher suffoquait, le cœur sur le point de s'arrêter. Confrontée à l'absurde, sa conscience décrocha du présent et flotta dans un espace vide et sans douleur. Cette douce antichambre de la folie qui vous épargne la souffrance en vous faisant sournoisement perdre la raison. Il y serait peut-être resté éternellement si ses années de reporter de guerre ne l'avaient pas partiellement accoutumé à la violence. Et puis il y avait Simon. Et il avait le devoir d'essayer de le protéger.

Christopher tourna la tête vers son père. Le menton relevé, les yeux frémissants, le vieil homme était impassible, affichant l'attitude terrifiante de celui qui accepte sa souffrance pour accomplir son devoir.

— Je vois que tu n'as pas changé, Nathaniel, soupira Lazar. La quête du savoir et le devoir avant... l'humanité. Bien... je regrette de devoir en arriver là, Nathaniel, mais peut-être tiens-tu plus à tes enfants qu'à ta femme ?

Sergueï darda son lourd regard broussailleux en direction de Christopher et s'approcha de lui, son arme encore tachée du sang de sa mère.

Christopher le suivit des yeux, le cœur battant si vite que son corps entier tremblait.

— Écoutez, il doit y avoir une autre solution… bégaya-t-il. Peut-être que…

Il s'arrêta de parler en sentant le contact glacial du métal sur sa tempe. Edward tourna la tête pour la première fois et regarda son fils.

— Ne fais pas ça, Lazar, menaça-t-il à la surprise de Christopher. Ou crois-moi, tu le regretteras.

— Qu'aurai-je à regretter ? Je vais mourir d'ici quelques jours.

— Justement, tu le regretteras d'autant plus.

— Pardon ?

— Profite de tes derniers instants pour te repentir. Tu me remercieras.

— Cesse tes insinuations ! Parle clairement !

— Pour la première fois de ta vie, fais-moi confiance. Ne t'en prends pas à mon fils ou tu le paieras cher, très cher…

Lazar ne répondit pas. Comme s'il réfléchissait. La nuque raide, presque paralysée, Christopher jeta un bref regard à Simon. L'enfant était toujours inconscient.

Le canon de l'arme s'enfonça un peu plus dans sa peau et le força à pencher la tête sur le côté.

— Si tu ne le fais pas pour moi, fais-le pour Simon, supplia Christopher en regardant son père. Lui, j'en suis sûr, tu l'aimes.

— Je n'ai plus de temps à perdre, s'impatienta Lazar. Sergueï, tue le gamin si Nathaniel ne répond pas à ma question.

— Quoi ?! Non, non, non ! Pitié, cria Christopher. Vous ne pouvez pas faire ça ! Pas un enfant ! (Puis, faisant volte-face, il fixa son père :) Papa ! Papa !

Le tueur russe pointa l'arme sur la petite tête de l'enfant évanoui. Christopher en pleura de rage.

— Non !

— Je reprends donc, dit Lazar en élevant sa voix fatiguée. Que cherchiez-vous à découvrir à travers vos expériences sur les patients 488 et qu'avez-vous trouvé ? Je veux tout savoir, Nathaniel ! Un !

Christopher se débattait comme un animal enragé sur sa chaise. Les sangles lui sciaient les chairs, ses articulations craquaient sous la tension de ses muscles.

— Quelle que soit la raison pour laquelle tu te tais, aucune, aucune ne vaut la vie de Simon ! hurla Christopher.

Son père osa regarder son petit-fils en face. Des larmes coulèrent le long de ses yeux. Il y a encore quelques heures, il lui lisait une histoire de chevaliers et de dragon pour l'endormir en mimant les scènes, et encore un peu plus tôt, il faisait une partie de ping-pong avec lui.

— Deux ! assena Lazar d'une voix agacée.

— Arrêtez ! cria Christopher.

— Qu'il parle ! rétorqua Lazar.

Edward regarda son fils. Dévasté, Christopher pleurait, le corps tendu, comme s'il voulait se glisser entre le canon de l'arme et Simon.

— Dernier avertissement, Nathaniel.

— Comment peux-tu nous avoir enseigné la prière et laisser faire ça ?! Tu n'as pas le droit de te renier à ce point !

Edward regardait dans le vide.

— C'est toi qui porteras cette responsabilité, conclut Lazar.

Serguei se recula et visa la nuque de l'enfant. Christopher tira avec une telle rage sur ses liens qu'il écorcha la peau de sa main. Le tueur arma son pistolet.

— Trois, lâcha Lazar.

— Stop, dit Edward sans élever la voix.

Christopher vit le doigt du tueur appuyer sur la détente et s'arrêter juste avant que le coup ne parte.

— Je t'écoute, trancha la voix de Lazar à l'intention d'Edward.

— Les réponses sont dans un dossier que je garde ici, répondit le père de Christopher.

— Où ?

— Dans la commode qui est derrière moi.

— Serguei, va le chercher !

— Il ne pourra pas ouvrir le coffre. Il est à reconnaissance digitale. Et si l'envie te venait de me sectionner un doigt comme tu avais l'habitude de le faire lorsque tu travaillais encore pour les Russes, sache qu'il capte aussi les pulsations.

— Serguei, détache-le et fais-lui ouvrir ce coffre. Sois méfiant.

Le tueur passa derrière Edward et, tandis qu'il tenait pointée son arme sur sa tête, défit les liens d'un coup de couteau.

— Ne tente rien ou je tue le gamin en premier, lança le Russe.

Edward se leva lentement et s'approcha de la commode en acajou sur laquelle se trouvait une sculpture de mouettes que Christopher voyait depuis qu'il était tout petit. Puis il s'accroupit pour ouvrir l'une des portes et déplaça des cartons de verres qu'il posa par terre à côté de lui. Il plaqua la paume de sa main sur la paroi digitale du fond de la commode, qui s'escamota et révéla la porte d'un coffre-fort.

Edward composa un code à quatre chiffres et en sortit une pochette grise cartonnée avec une délicatesse que Christopher ne lui connaissait pas. Puis il se releva.

— Libérez Simon et mon fils, dit-il en tenant la pochette du bout des doigts.

Sergueï ne se donna même pas la peine d'attendre la réponse de son supérieur. Il arracha la chemise grise des mains d'Edward.

— Tu l'as ? s'inquiéta Lazar.

— Oui.

— Ouvre-la !

Sergueï recula et, sans quitter Edward des yeux, il ouvrit le dossier.

— Il y a une enveloppe.

— Qu'est-ce qu'il y a dedans ? s'agaça Lazar.

Le tueur russe décacheta l'enveloppe et Christopher remarqua que son père surveillait chaque mouvement du tueur.

À l'instant où il déchirait le papier kraft, le Russe poussa un cri de dégoût et tituba en arrière, lâchant son arme. Même de là où il était, Christopher sentit l'odeur âcre qui émanait de l'enveloppe. Et avant qu'il ne comprenne ce qu'il se passait, Edward avait couru vers le pistolet tombé à terre.

Sergueï reprit ses esprits plus vite que prévu et décocha un coup de pied dans le bras d'Edward. Le vieil homme lâcha l'arme en tombant à la renverse. Le Russe toussa et se frotta les yeux en essayant de se relever. Mais il perdit l'équilibre, s'appuya sur une table basse qui bascula dans un fracas de bibelots brisés.

Le père de Christopher se releva et se précipita vers la porte donnant sur le jardin de derrière. Il laissa tomber sa robe de chambre sous laquelle il était déjà habillé, jeta un dernier coup d'œil par-dessus son épaule, puis ouvrit la porte et partit en courant.

— Sergueï ! Qu'est-ce qu'il se passe ?! Sergueï, braillait Lazar dans le combiné.

Plié en deux, le tueur vomit avant de répondre d'une voix affaiblie.

— Nathaniel s'est enfui… la lettre… piégée…

— Rattrape-le ! ordonna Lazar.

Le Russe tenta de se redresser, mais il ne tenait pas debout.

— Je… je ne peux pas.

Un moment de silence, puis la voix de Lazar reprit, tranchante :

— Christopher Clarence. Rattrapez votre père et ramenez-le ici. Ou Simon ira rejoindre votre mère.

Le tueur tituba jusqu'à Christopher, tira un couteau de sa poche et trancha les liens qui le retenaient attaché à la chaise.

Christopher se leva, envisagea l'espace d'une seconde de s'attaquer au tueur russe affaibli par la substance contenue dans l'enveloppe. Mais le risque était bien trop grand.

— Dépêche-toi, s'énerva Lazar, si tu veux que je tienne ma promesse.

— Et vous, ne vous avisez pas de faire du mal à mon fils, répliqua Christopher en partant en courant. Ou jamais vous n'aurez vos réponses ! S'il le faut, je tuerai mon père moi-même.

Christopher avait déjà ouvert la porte donnant sur la forêt et aperçut de justesse la silhouette de son père se faufiler en dehors du jardin par la grille du fond.

Cette fameuse grille que ni lui ni son frère n'étaient autorisés à franchir lorsqu'ils étaient petits. La forêt étant, selon leur père, trop dangereuse.

*

Christopher traversa le jardin à toutes jambes, mais dut brutalement ralentir sa course en pénétrant dans la forêt. Il y faisait sombre et il risquait de se cogner contre un arbre. À quelques mètres devant lui, il entendait les bruits de pas de son père fouler le sol jonché de feuilles mortes et de brindilles.

Edward se déplaçait vite, comme s'il voyait dans le noir ou qu'il connaissait le chemin par cœur.

Christopher progressait plus lentement, se baissant parfois au dernier moment pour éviter une branche, ou sautant de justesse par-dessus un trou.

Il finit par déboucher à la lisière de la forêt et aperçut au loin la silhouette de son père traverser un champ sous la lumière blafarde de la lune. Il prenait la direction de ce qui, dans la pénombre, ressemblait à de petites cabanes de jardin alignées les unes à côté des autres.

Ses yeux s'étant habitués à l'obscurité, Christopher s'élança à toute vitesse à la suite de son père. Mais ce dernier refermait déjà la porte de l'un des cabanons dans lequel il venait de disparaître.

Christopher y pénétra une dizaine de secondes plus tard.

Il n'y avait qu'une toute petite pièce aux murs de planches, encombrée d'outils posés par terre ou suspendus à des crochets. Mais, en dehors des équipements de jardinage, l'endroit était vide. Essoufflé, Christopher avança sur la vieille moquette verte déchirée recouvrant le sol, regarda derrière un grand bidon vide, souleva une bâche en plastique et dut se rendre à l'évidence : son père avait disparu. Il ressortit de la cabane, en fit le tour à la recherche d'une porte dérobée, mais ne trouva rien. Il retourna à l'intérieur et envisagea la seule solution possible.

Il s'agenouilla, souleva le morceau de moquette qui recouvrait le sol et découvrit la poignée d'une trappe. Prudent, il s'allongea et colla son oreille contre la dalle de bois.

Il distingua la voix étouffée de son père.

— Non, je n'ai rien dit... et tout sera détruit.

Christopher retenait sa respiration pour ne pas perdre un mot.

— Non... Christopher n'y survivra pas... Mais je préférais vous prévenir, que vous preniez vos dispositions. D'autant que Parquérin m'a dit qu'une inspectrice d'Oslo enquêtait sur 488. Et sur l'île... Il se peut qu'il reste des éléments que l'on a dû abandonner... Oui, monsieur, oui, je suis désolé, j'aurais dû tout détruire en partant, mais vous comprenez, nous avions mis tant de temps à construire tout cela et je comptais y retourner... Oui, monsieur, je suis désolé... Je vais essayer de partir... Bien, monsieur... Au revoir, monsieur.

Christopher souleva brutalement la trappe. Son père leva les yeux et croisa le regard de son fils qui sauta dans l'ouverture pour atterrir lourdement au pied d'une petite échelle. Edward recula vers une petite table en acajou. Christopher saisit d'un coup d'œil la pièce meublée d'un fauteuil et d'un bureau vide au-dessus duquel avaient été punaisées quelques photos de visages et de bâtiments inconnus.

— Qui es-tu ? assena-t-il.

Son père le regarda sans rien dire. Christopher se précipita sur lui et le saisit par le bras.

— Et puis on s'en fout, tu rentres avec moi à la maison et tu donnes à ces hommes ce qu'ils veulent !

— Lâche-moi, aboya Edward en se dégageant d'un mouvement brusque.

Christopher l'attrapa par le col et planta son visage devant le sien.

— Tu es une ordure ! Une ordure qui se croit plus intelligente et au-dessus de tout ! Mais tu n'es qu'un malade mental, un sadique !

Et, d'un geste brutal, il tira son père jusqu'au bas de l'échelle.

— Monte ! lui ordonna Christopher.

Son père le regarda sans bouger.

— Monte cette putain d'échelle !

Edward détourna le regard.

Christopher le menaça d'un poing.

— Exécuter ta femme, ça ne te suffit pas ! Tu veux aussi tuer ton petit-fils ?! C'est ça ? Monte !

— Tu crois quoi ? Que j'ai passé ma vie à vivre dans le secret pour tout révéler maintenant ?

Christopher écrasa son poing dans l'estomac de son père qui se courba en deux.

— Monte cette échelle, répéta froidement Christopher.

Le souffle court, Edward leva des yeux amusés vers son fils.

— Tu vois que toi aussi tu uses de la force pour obtenir ce que tu ne peux avoir…

Et il se laissa tomber à terre.

Dans un sursaut de rage, Christopher souleva son père et le chargea sur son dos. Mais l'homme était trop lourd et il se débattit avec hargne. Le corps glissa, Christopher perdit l'équilibre et lâcha son père dont la jambe heurta le sol dans un sinistre craquement d'os. La plainte d'Edward résonna dans la petite pièce.

À bout de forces et de nerfs, Christopher s'appuya contre un mur. Ses lèvres se mirent à trembler et des larmes lui brûlèrent les yeux.

— Pourquoi tu fais ça ? demanda-t-il entre deux pénibles inspirations.

Edward se redressa sur les coudes et se traîna jusqu'à un mur en grimaçant. En se tortillant, sa chemise s'ouvrit et Christopher remarqua que quelque chose en dépassait.

Sans laisser à son père le temps de réagir, il lui arracha ce qu'il avait semble-t-il essayé de cacher sous ses vêtements.

— C'est quoi, ça ? dit-il en brandissant une petite liasse de feuilles.

Edward regarda ailleurs.

Christopher feuilleta rapidement les documents. Il y vit à plusieurs reprises le mot patient 488, des colonnes de chiffres entrecoupées d'annotations manuscrites. Des dates figuraient en haut de chaque page. Elles partaient d'aujourd'hui et remontaient jusqu'à l'année 1976. Il y reconnut aussi les graffitis similaires à ceux qu'il avait déjà vus sur les photos présentes dans le dossier compilé par Adam. Sauf qu'ici, toutes les images avaient été agrandies et les contours des trois formes de poisson, d'arbre et de feu surlignées de couleurs différentes afin de mieux les identifier.

— C'est quoi ?

Edward soupira.

— Parle ou je te jure que la douleur que tu ressens n'est rien... le menaça Christopher en levant le pied au-dessus de la jambe brisée de son père.

Le vieil homme grimaça et leva une main en signe de renoncement.

— OK... Derrière toi, sous le bureau, il y a un buffet. Ouvre-le, dit Edward.

Christopher se retourna.

— Avec une enveloppe piégée aussi ?

— Non. Je n'avais pas prévu que quelqu'un vienne jusqu'ici.

Christopher ouvrit le buffet avec prudence.

Il s'y trouvait seulement une bouteille d'alcool et une boîte à cigares.

— Tu te fous de moi ?

— Donne-moi la bouteille de whisky et la boîte à cigares !

— Parle ! s'emporta Christopher.

— Tu n'as pas l'étoffe d'un bourreau, Christopher. Et moi, j'ai vécu à une époque où chacun d'entre nous a été préparé à souffrir pour garder ses secrets. Donne-moi cette bouteille, un verre et un cigare pour me soulager, et je te parlerai.

Christopher ne cessait de compter les secondes qui le séparaient de Simon, qu'il avait dû abandonner avec ce tueur sans âme.

Pris en otage, il remplit un verre de whisky qu'il posa sans ménagement à côté de son père. Ce dernier le prit d'une main hésitante et avala une gorgée du liquide ambré. Christopher le regarda faire, brûlant d'impatience.

270

— Le cigare si tu parles, dit-il d'une voix pleine de mépris.

Son père reposa le verre à côté de lui en poussant un soupir d'aise.

— Le dossier que tu as pris sur moi est le suivi médical et psychologique du patient 488 de Gaustad depuis 1977. Ses analyses sanguines mensuelles, son comportement au jour le jour et ses dessins…

— C'est donc bien toi qui le surveillais ?

— Oui…

— À quoi cela te servait-il ? Qu'est-ce que tu cherchais ? Dépêche-toi !

— Les recherches que nous avons effectuées et les résultats que nous avons obtenus dépassent tout ce que tu peux imaginer, Christopher, commença Edward comme s'il avait savamment dosé l'attente que son fils était capable d'endurer. Et ces recherches méritent tous les sacrifices.

— C'est quoi ces recherches qui valent la vie de ta femme et de ton petit-fils ?

— Un cigare, demanda Edward.

— Réponds !

Edward détourna la tête. Christopher décocha un coup de pied dans la jambe de son père, qui hurla de douleur. Mais son cri terminé, il s'enferma de nouveau dans son mutisme d'un air de défi.

Christopher céda. Il prit un cigare et le briquet plaqué or rangé dans la boîte et les jeta à son père. Ce dernier ramassa les objets un à un et alluma son cigare. Il tira une bouffée.

— Maintenant, parle. C'est quoi cette foutue découverte que Lazar veut connaître ?

Une volute de fumée flotta dans l'air, dissimulant un instant Edward. Quand le nuage se dissipa, le visage du vieil homme n'était plus le même.

— Ce que j'ai vu et compris fait qu'aujourd'hui, je ne peux plus regarder un humain normalement. Voici le résultat de nos recherches. Chaque fois que je vois quelqu'un, je me dis : s'il savait…

Pour la première fois, Christopher distingua chez son père une expression qu'il ne lui connaissait pas. Son regard s'était animé. Quelque chose de passionné brûlait en lui, une flamme qu'il leur avait cachée toutes ces années sous un masque d'indifférence et d'austérité.

Christopher avait peut-être encore une chance d'obtenir ce que Lazar voulait entendre. Mais il allait devoir faire preuve de beaucoup d'habileté pour amener son père à la faute.

— S'il savait quoi ?

Edward inspira une nouvelle bouffée, ignorant la question de son fils.

Christopher garda son calme et poursuivit :

— Tu as dit nos recherches. Je croyais que tu étais seul.

Edward orienta son regard de façon à peine perceptible vers un point situé au-dessus de son bureau, avant de baisser les yeux.

Habitué à scruter les réactions des personnes qu'il interviewait dans le cadre de son métier, Christopher remarqua ce détail et se retourna à son tour vers le mur couvert de photos qu'il n'avait vu que brièvement.

On y reconnaissait des clichés de constructions antiques d'apparence grecque, asiatique et certainement égyptienne. Une carte des constellations et même des peintures rupestres d'une grotte préhistorique.

Seule une image était différente parmi toutes ces représentations. Une photo en noir et blanc punaisée au-dessus de toutes les autres, où l'on voyait trois hommes vêtus de blouse blanche et portant des lunettes aux montures épaisses si typiques des années soixante. Ils souriaient tous à l'objectif, et Christopher reconnut son père, plus jeune, au centre.

— C'est quoi cette photo ? Qui sont ces hommes avec toi ?

Edward se contenta de poser un regard impassible sur son fils.

— Donne-moi la bouteille de whisky en entier, j'ai trop mal.

— Ce sont eux que tu appelais au téléphone ? rétorqua Christopher, ignorant la question. Et puis c'est quoi cette île à laquelle tu faisais allusion et où se trouvent d'autres documents ?

Edward se massa le haut de la jambe dans une grimace de douleur.

— Tu es au moins aussi perspicace que ton frère. Mais tu devrais savoir que cela ne paye pas…

Christopher sentit un vertige lui tourner la tête.

— Oui… j'ai été obligé de le faire.

Christopher écrasa ses ongles dans la paume de ses mains, tremblant de rage.

— Comment as-tu pu faire ça ?

Edward considéra son fils avec une moue navrée.

— Tout est la faute de ta mère.

— Quoi ?

— Quand ton frère n'arrivait pas à trouver du travail après ses études de finances, ta mère était très angoissée. Elle me harcelait en permanence pour que j'intervienne et que j'aide ton frère. Cela a fini par m'empêcher de travailler sur mes projets personnels. Si bien qu'un jour, j'ai fait ce que je n'aurais jamais dû faire : aider Adam à entrer chez Gentix. La seule société dans laquelle j'avais des relations. Adam n'en a jamais rien su, mais c'est moi qui ai demandé à Parquérin d'accepter sa candidature. Pas une seconde je n'aurais pu imaginer ce qui allait se passer ensuite...

— Adam a découvert que le LS 34 était encore produit et livré à un hôpital psychiatrique d'Oslo, enchaîna Christopher.

— C'est exact. Et quand j'ai appris que ton frère commençait à fouiner de ce côté-là, j'ai plusieurs fois essayé de l'en dissuader, anonymement bien sûr, mais il n'a rien voulu entendre. Malgré les menaces que j'ai fait peser sur Nathalie et Simon...

Christopher frissonna d'effroi. Mais il garda le silence, laissant son père se confier sur ses crimes et, il l'espérait, sur l'objet de ses recherches qui intéressait tant Lazar.

— Il n'était pas prévu qu'Adam meure, maugréa Edward en admirant les reflets ambrés dans son verre. L'accident n'était pas prévu... Ce soir-là, il devait juste prendre conscience que ceux qu'il aimait étaient vulnérables. Vu que je l'avais menacé dans une lettre anonyme de représailles sur son fils, lorsqu'il a entendu parler des vomissements inexpliqués de Simon, il a paniqué.

— Tu as rendu Simon malade pour faire peur à Adam ?

À chaque révélation, Christopher peinait à croire au machiavélisme glacial de son père.

— Le vomitif que je lui ai donné n'a eu d'effet que pendant deux heures. Ce n'était rien, repartit Edward d'un geste agacé. Ton frère a seul pris des risques en conduisant comme un fou sur la route pour revenir de chez ses amis au plus vite. C'est lui seul le responsable de sa mort et de celle de sa femme. C'est lui qui a rendu Simon orphelin. Pas moi.

Christopher luttait contre une dévorante pulsion de violence à l'égard de son père. Mais la vie de Simon passait avant sa soif de vengeance.

— Pourquoi vos recherches doivent-elles à ce point rester secrètes ? Pourquoi tant de morts pour les protéger ?

— Parce qu'en révéler la teneur ferait plus de morts encore… et parce que j'ai juré fidélité à ceux qui ont financé ces recherches.

— Dans le cadre du projet MK-Ultra ?

— J'ai soif. Donne-moi la bouteille.

— Réponds d'abord.

Edward haussa les épaules. Christopher prit un air navré.

— Et dire que tu fais preuve d'une loyauté dont ils n'ont que faire. Il m'a fallu deux jours pour découvrir que le projet patient 488 était financé par la CIA via le programme MK-Ultra. S'ils avaient vraiment voulu que cela reste secret, ils y auraient consacré des moyens plus efficaces. Tu te bats pour une cause qui n'en est plus une et pour des gens qui se fichent de toi.

Le père de Christopher tira une nouvelle bouffée sur son cigare et soupira.

— Donne-moi la bouteille de whisky ou tu ne sauras plus rien.

Christopher se leva, déposa la bouteille d'alcool par terre et revint s'adosser au mur, à moitié vaincu. Comment briser la carapace d'indifférence de son père, comment le forcer à sauver son petit-fils ? Comment toucher le cœur de cet homme qui avait malgré tout été son père ?

— Tu sais… même si tu as partagé notre vie pendant toutes ces années, même si tu nous as portés dans tes bras quand nous étions encore petits, Adam et moi… je veux bien croire qu'au fond, tu ne nous aimais pas. En tout cas pas assez au regard de ton ambition professionnelle, et tu sais quoi, je ne t'en veux pas. Mais de là à provoquer la mort de ton fils et à laisser tuer maman ? D'ailleurs, pourquoi tu n'as pas utilisé ton enveloppe piégée lorsque ce Lazar menaçait de la tuer ? Tu n'avais pas besoin d'attendre qu'il pointe son arme sur Simon…

— Parce que, si on s'en sortait, ta mère serait devenue une menace pour la confidentialité de mes recherches. J'ai laissé Lazar faire ce que j'aurais eu à faire moi-même.

Un coup de poing dans l'estomac lui aurait fait le même effet.

— Mais tu es intervenu pour sauver Simon… reprit Christopher, la gorge nouée. Parce que je sais que tu es différent avec lui… D'ailleurs, il l'a toujours senti et Dieu sait s'il t'aime. Après la mort d'Adam et de Nathalie, tu lui as offert tout ce que son père n'avait pas eu le temps de lui transmettre et que j'étais incapable de lui donner… Ta vie a peut-être été consacrée à tes recherches, mais aujourd'hui, ce qui donne du sens à ton existence, c'est Simon et la profonde affection que vous avez l'un pour l'autre.

Christopher termina de parler sans bouger, le regard flou de larmes.

Dans le silence qui succéda, Edward se pencha en avant et tira plusieurs feuilles qu'il avait cachées dans son dos.

— L'humanité a besoin de gens comme nous pour progresser, dit-il en étalant les feuillets autour de lui. Des gens qui font passer la science et son pouvoir avant leurs sentiments.

— Il y a quoi sur ces documents ? demanda Christopher.

Son père prit la bouteille de whisky et la vida sur ses jambes et les feuilles.

Christopher comprit alors trop tard comment son père l'avait manipulé tout au long de la conversation. D'un geste vif, Edward saisit le briquet avec lequel il avait allumé son cigare et enflamma ses vêtements et les feuilles trempées d'alcool. En l'espace d'un clin d'œil, le corps du vieil homme s'embrasa, comme s'il avait été frappé par un cocktail Molotov.

21

Christopher voulut tirer son père des flammes, mais ce dernier le repoussa d'un violent coup de pied. Le whisky ayant coulé jusqu'au sol en bois, le feu s'éleva de plus belle, léchant déjà les murs de la cavité souterraine. Edward hurla alors que les flammes s'enroulaient autour de son corps, le transformant en torche humaine. Une écœurante odeur de chair brûlée empoisonna l'air et une épaisse fumée emplit la pièce.

Christopher se protégea le visage et chercha ce qu'il pouvait sauver des flammes avant de s'enfuir. Juste au-dessus du bureau, il repéra la seule photo encore épargnée. Celle, en noir et blanc, de son père et de ses deux camarades scientifiques.

Il parvint à saisir la photo qui se recourbait déjà sous l'effet de la fournaise et se rua vers l'échelle.

Il se hissa hors de la cache secrète et sortit en courant de la cabane alors que les flammes brûlaient déjà le plancher.

Serrant dans sa main l'unique indice qu'il avait pu récupérer, les jambes flageolantes de peur, Christopher retraversa la plaine où se reflétaient désormais les ombres dansantes des flammes de l'incendie, retrouva le chemin de la forêt et arriva jusqu'à la maison de ses parents.

Sa blessure au front lui martelait le crâne. Mais rien ne pouvait surpasser l'angoisse qui l'étreignait. Il entra par la porte vitrée du jardin. Le tueur russe mit Christopher en joue un instant avant de reporter le canon en direction du petit garçon, dont les yeux étaient toujours clos et la tête appuyée sur sa poitrine.

— Le fils est de retour, dit Sergueï en direction du combiné téléphonique posé sur la table basse. Mais sans le père…

— Simon, je suis là, chuchota Christopher en s'approchant de l'enfant inconscient. Tout va bien se passer maintenant. Je te le promets.

— Où est Nathaniel Evans ? demanda Lazar.

Christopher retira sa main de la poitrine de Simon après s'être assuré qu'il respirait toujours. Puis il ferma les yeux avant de parler, comme s'il prononçait une dernière prière silencieuse.

— Mon père s'est suicidé et a mis le feu à ses travaux.

— Sergueï. Tu sais ce qu'il te reste à faire.

— Attendez ! cria Christopher. J'ai trouvé quelque chose qui va vous intéresser. Il y a deux autres personnes qui détiennent certainement les réponses que vous cherchez.

— Je sais… et ils sont morts. Evans était le dernier à pouvoir parler.

— Mon père a évoqué une île où se trouveraient d'autres documents ! s'empressa de dire Christopher. Il a affirmé qu'il devait encore les détruire. C'est qu'ils sont importants et toujours là-bas !

— Quelle île ?

— Je… Je l'ignore, répondit Christopher en baissant la tête. Mais…

— Alors, cette information ne me sert à rien. Il peut s'agir de n'importe quelle île dans le monde !

Sergueï se rapprocha lentement de Christopher.

— Écoutez, j'ai fait tout ce que j'ai pu, paniqua Christopher. Ni Simon ni moi n'avons à payer pour les crimes de mon père. Le monstre, c'était lui, pas nous. Nous sommes tout le contraire…

Lazar ne répondit pas. Dans le haut-parleur du téléphone, on entendait seulement le lointain va-et-vient mécanique de son appareil d'assistance respiratoire.

— Écoutez, je vous jure que je ne dirai rien de ce qu'il s'est passé. Je ne chercherai jamais à vous retrouver, supplia Christopher.

— Sergueï, débarrasse-toi d'eux, ordonna Lazar.

— Non ! hurla Christopher.

Impassible, le tueur russe visa Christopher au niveau de la tempe.

— Attendez, attendez ! Je vais trouver ce que vous cherchez à votre place, lança Christopher dans un dernier espoir. Oui, je vais découvrir ce que mon père vous a fait. Je vais trouver les réponses que vous cherchez. Moi seul peux y arriver. Mais si vous me tuez ou que vous touchez à Simon, vous mourrez dans l'ignorance. Et tout ce que vous avez fait jusqu'ici n'aura servi à rien !

— Attends, Sergueï… susurra Lazar.

En nage, Christopher déglutit en sentant le canon de l'arme toujours collé à sa tempe.

— Tu comptes t'y prendre comment pour retrouver les recherches de ton père ? Tu viens de me dire que tout a brûlé.

— Il a appelé quelqu'un avant que je le surprenne dans sa cabane. Il avait l'air de travailler pour lui. Il est forcément au courant. Je vais retrouver cette personne et la faire parler. À n'importe quel prix.

— Et quel est ton plan ?

Christopher n'avait aucune idée de la façon dont il pourrait remonter la piste de ce mystérieux interlocuteur. Mais sa vie et celle de Simon dépendaient de sa réponse.

— Qu'est-ce que vous avez à perdre à me laisser essayer ? Je suis journaliste d'investigation. Mon boulot est de trouver ce que les gens veulent cacher. J'ai des contacts, du métier, des ressources et une raison personnelle de découvrir la vérité. Je suis votre meilleure chance.

Christopher guettait la réponse de Lazar, la tête penchée sous la pression du pistolet sur son crâne.

— Sergueï, prends le téléphone, dit soudain Lazar. Et enlève le haut-parleur.

Le grand Russe s'exécuta sans détourner son arme pointée sur Christopher.

Il échangea quelques mots en russe avant de reposer le téléphone sur la table et de fouiller dans sa poche intérieure.

— Voilà ce que l'on va faire, dit Lazar. Je vous laisse soixante-douze heures pour m'apporter une réponse. C'est le temps qu'il me reste à vivre d'après mes médecins.

Soixante-douze heures, songea Christopher, c'est impossible.

— Et pour que les choses soient bien claires entre nous, reprit Lazar, je veux savoir ce qu'on a cherché à découvrir à travers les expériences pratiquées sur moi et en connaître le résultat définitif. Et je veux aussi la tête de celui qui dirige encore cette opération aujourd'hui.

— D'accord... Je vais faire tout ce que je peux, souffla Christopher.

— Bien, mais afin de m'assurer que vous tiendrez parole, le gamin vient avec moi.

Christopher eut juste le temps de lever les yeux vers Simon avant qu'un large morceau de scotch le bâillonne et que l'enfant se réveille en sursaut.

— Non, non, non ! Pas ça ! Pas ça !

Sergueï menaça Christopher de son arme. Puis il recouvrit le visage de Simon d'une cagoule alors que le petit garçon se débattait en pleurant.

— Bouge pas, sale gosse, ou tu vas avoir mal, très mal.

— Simon ! Simon, ne bouge plus, mon chéri. Je vais venir te chercher bientôt. D'accord ? Le monsieur ne te fera aucun mal parce qu'il sait que, sinon, je ne lui donnerai pas ce qu'il veut. Ne bouge plus, je t'en supplie, mon chéri.

Simon n'écoutait plus, hurlant de désespoir. Sergueï saisit l'enfant et le jeta sur son épaule avant de l'emmener dehors.

— Mais... vous allez où ?! cria Christopher en se levant pour les suivre.

Le tueur se contenta de poser son arme sur la tête du petit garçon. Christopher recula.

— Simon, je te jure que je viendrai te chercher, où que tu sois, cria Christopher.

Sergueï sortit et claqua la porte de la maison.

— Je vous en prie, ne faites pas de mal à Simon, implora Christopher dans le combiné toujours posé sur la table.

— Je vous contacterai sur ce téléphone, lui rétorqua Lazar. Mais que les choses soient bien claires. Si vous tentez de négocier la libération de Simon sans m'apporter les réponses que j'attends, je le tuerai. C'est compris ? Si la police est prévenue ou que vous essayez de me rechercher, Simon n'y survivra pas non plus. Mettez-vous bien ça dans la tête.

Christopher ne répondit pas.

— C'est clair ?

— Oui, oui !

Serguéï rentra dans la maison, seul. Il se dirigea vers le cadavre de la mère de Christopher et la chargea sur son dos.

— Mais qu'est-ce que vous faites ? supplia Christopher.

— Nous vous débarrassons du corps afin que vous ne soyez pas forcé d'ébruiter ce qu'il s'est passé ici cette nuit, expliqua Lazar. Je vous recontacte dans soixante-douze heures. Tâchez d'avoir obtenu ce que je vous ai demandé.

Serguéï passa la porte de la maison en emportant le corps de Marguerite. Christopher, cloué par l'horreur, ne sursauta même pas quand la porte d'entrée se referma en claquant.

Il eut seulement la force de regarder par la fenêtre du salon la camionnette noire du ravisseur s'éloigner avec Simon.

Dévasté, il tomba à genoux.

*

Deux heures plus tard, Sarah le trouva prostré dans un coin du salon. Elle s'accroupit et posa doucement la main sur son épaule. Christopher leva la tête vers elle. Plus tard, il se rappela qu'elle avait le côté droit du visage tuméfié et qu'elle saignait de la lèvre.

— Que s'est-il passé ? demanda-t-elle.

Christopher regarda autour de lui longuement, puis baissa les yeux.

22

Deux heures et demie plus tôt, dans le Minnesota

Le 4 × 4 Dodge noir aux vitres teintées tressauta lorsque les roues quittèrent la 90 qu'il suivait depuis Columbus pour s'engager sur la large avenue privée bordée de sapins et d'une pelouse fraîchement tondue.

— Nous venons d'entrer sur le campus de Liberty University, monsieur. Il est 19 h 46. Votre conférence commence dans un quart d'heure. Nous serons pile à l'heure. Préférez-vous que je vous laisse vous concentrer ou souhaitez-vous être informé de vos derniers messages ?

Le jeune homme qui venait de parler portait un costume noir se confondant avec le cuir des sièges de la voiture. Les cheveux courts, le visage en pointe à peine arrondi par des lunettes au cerclage doré, il dégageait en temps normal une certaine assurance proche de l'arrogance du jeune premier. Mais à cet instant, il paraissait seulement attendre la réponse de son patron avec fébrilité.

Assis à l'autre extrémité de la banquette, Mark Davisburry jouait avec sa chevalière, contemplant l'immensité verdoyante du campus.

Les cheveux blancs peignés en arrière, la cravate finement nouée sur un costume taillé sur mesure, il avait dans le regard la distance de ceux qui laissent à leur entourage la tâche de gérer la trivialité du quotidien pour ne penser qu'à l'usage stratégique qu'ils vont faire de leur pouvoir.

— Prenez rendez-vous avec le ministre de la Santé. Dites-lui que j'ai trouvé la solution pour lui faire économiser les vingt-cinq milliards qui lui manquent pour boucler son budget. À combien est notre action à l'instant ?

L'assistant tapota rapidement sur sa tablette tactile et affiche le cours boursier de Medic Health Group sur son écran.

— Nous venons de passer les 49,36 dollars, monsieur. Ce qui nous fait une moyenne de...

— ... + 5 % sur la semaine. Rédigez un communiqué de presse assez vague, mais formel, sur la sortie imminente de notre future IRM à bas coût. Cela évitera de trop grosses prises de bénéfices. Qu'avons-nous d'autre à régler ?

Alors que l'assistant réfléchissait aussi vite qu'il le pouvait, son écran lui signala l'arrivée d'un nouvel e-mail. Il parcourut le contenu du message à toute vitesse et sentit une petite poussée de chaleur lui rougir le visage. S'efforçant de paraître calme, il passa un doigt entre son cou et le col de sa chemise et posa discrètement sa main sur les commandes de la climatisation de son accoudoir pour baisser la température d'un degré.

— Eh bien, vous devez répondre au conseil d'administration qui a demandé une session extraordinaire le 23 février prochain... Le même jour que... l'anniversaire de la disparition de votre mère.

— Nous verrons plus tard. Maintenant, quelle est la mauvaise nouvelle, Jonas ?

— Pardon, monsieur ?

— Vous avez baissé la température parce que le dernier mail que vous avez lu vous a donné chaud. N'est-ce pas ? Que disait-il qui risque de me déplaire ?

Jonas décolla son dos du dossier en cuir. Son patron avait fêté ses quatre-vingts ans il y a quelques mois, mais il faisait encore preuve d'une vivacité physique et intellectuelle qui obligeait Jonas à être en permanence sur le qui-vive.

— Eh bien, un nouveau sondage sur la place de la religion pour nos concitoyens vient de paraître dans le *Daily Tribune*, monsieur. Il est inquiétant, mais il donne raison à votre combat.

Jonas guetta une réaction de son patron, qui ne vint pas.

— Donc, poursuivit-il la bouche sèche, une série de plusieurs enquêtes menées de septembre à décembre sur plusieurs dizaines de milliers d'individus révèlent que la part des protestants aux États-Unis vient de passer sous la barre historique des 50 %, à 48 %. Ce pourcentage était de 50 en 2011, et de 53 en 2007. Nous assistons à une véritable désaffection. Et il en va de même pour les autres religions puisque, désormais, un de nos compatriotes sur cinq déclare (Jonas sembla troublé par ce qu'il allait dire) n'avoir aucune appartenance religieuse…

Davisburry posa les lèvres sur sa chevalière à l'effigie de saint Michel terrassant le dragon et regarda par la fenêtre. Bientôt, tous ces sondages feraient sourire. Lui le premier.

Gonflé de contentement à l'idée de ce qu'il préparait, il se laissa aller à la nostalgie.

Lorsque le SUV noir passa devant l'immense stade qui faisait la fierté sportive de l'université, Mark Davisburry se souvint que la première fois qu'il était venu ici, il avait aperçu les joueurs des deux équipes de football américain un genou à terre, tête baissée. Au départ, il avait cru qu'ils s'apprêtaient à se lancer les uns contre les autres. Mais le coup de sifflet n'était jamais venu et les deux équipes étaient restées ainsi immobiles, têtes penchées pendant au moins une minute. Ce n'est qu'en s'approchant un peu plus près qu'il avait compris que les joueurs priaient avant de débuter le match.

Avec ses douze mille étudiants, son site de huit hectares, Liberty University était la plus grande, mais aussi la plus performante université évangélique du monde. Une puissance affichée en toutes lettres sur le panneau d'entrée de son campus du Minnesota : « *Liberty University : Training champions for Christ* ».

Le véhicule de luxe ralentit et se gara devant le bâtiment principal de l'université, une majestueuse architecture romaine à colonnades, surmontée d'un fier fronton triangulaire.

Le directeur adjoint de Liberty attendait son hôte de marque en bas des marches, les bras croisés dans le dos, avec un sourire contrit. C'était un homme d'une soixantaine d'années, aux cheveux probablement teints en brun et dont le double menton se trouvait à l'étroit dans son col de chemise.

— Nous sommes arrivés, monsieur, précisa Jonas dans l'habitacle feutré du cross-over. Il vous reste deux minutes avant le début de votre intervention.

Mark Davisburry tapa sur la vitre qui le séparait de l'avant du véhicule, ajusta son nœud de cravate pourtant impeccable et sortit de la voiture lorsque son chauffeur lui ouvrit la porte.

— Soyez le bienvenu, monsieur Davisburry. Nous sommes très heureux et très honorés de votre présence parmi nous aujourd'hui, dit le directeur adjoint en tendant la main à son hôte.

— Je vous en prie, Mac, répondit Davisburry en lui donnant une poignée de main rapide. D'autant que je crois qu'il nous reste peu de temps pour les politesses d'usage.

— Oui, bien sûr. Si vous voulez bien me suivre, le doyen va très certainement vous annoncer d'une seconde à l'autre.

Mark Davisburry fut conduit dans les coulisses de l'amphithéâtre principal.

Derrière le rideau qui le séparait de la scène, il observa le doyen conclure une prière pour remercier les généreux donateurs qui avaient permis à l'université d'atteindre cette année le budget record de cinquante-quatre millions de dollars. Les deux mille étudiants présents terminèrent leur prière par un amen collégial et applaudirent avec ferveur. Quand le silence fut de retour, le doyen se retourna et aperçut son invité en coulisses. Il lui adressa un signe de la main et un sourire auquel Davisburry répondit chaleureusement.

— Et aujourd'hui, mes chers étudiants, reprit le doyen, nous avons l'honneur de recevoir parmi nous non seulement notre plus fidèle et conséquent donateur, mais aussi un homme dont la vie et le parcours sont à eux seuls une contribution à la grandeur de notre sainte religion. Pour la première fois et à l'occasion de notre fête de fin d'année, il a accepté de venir nous faire part de son témoignage et de son expérience. Je vous demande d'accueillir comme il se doit Mark Davisburry.

Alors que la salle se levait en applaudissant à tout rompre, l'homme d'affaires traversa la scène sous les feux puissants des projecteurs. Le doyen, un grand homme très mince et voûté au visage long, lui serra la main et lui donna une accolade avec un sourire sincère.

Mark Davisburry lui rendit la politesse, puis se tourna vers l'assemblée alors que le doyen s'éclipsait en coulisses.

Les deux mains posées sur le pupitre, dominé dans son dos par une immense croix suspendue devant un épais rideau grenat, Davisburry contempla son auditoire. Les applaudissements s'atténuèrent et il ne parla qu'une fois la vaste salle plongée dans le silence le plus complet.

— Je ne crois pas en Dieu, lança-t-il avant de se taire.

On entendit des cris choqués suivis de murmures. Un brouhaha de malaise commença à bruisser dans l'assemblée. Sur le côté de la scène, le doyen pâlit.

— Je ne crois pas en Dieu. Voilà la phrase que l'on m'a forcé à répéter chaque jour lorsque j'étais enfant, reprit Mark Davisburry.

Il aperçut quelques sourires soulagés sur les visages des premiers rangs et perçut le bruissement enthousiaste des étudiants qui se chuchotaient à l'oreille.

— Je suis né à Saint Anthony, dans le Minnesota. C'est là-bas que mon père avait choisi d'établir le siège social de son entreprise de fabrication de matériel médical Medic Health Group que vous devez connaître. À l'époque, c'était une entreprise familiale d'une dizaine d'employés. Mais mon père était déjà très fier de sa création. Et j'ai bien dit *sa* création, qu'il pensait ne devoir qu'à lui et à lui seul. Ainsi, chaque matin, lorsqu'il me condamnait à avaler mon porridge, il me demandait en même temps si je croyais en Dieu. Et je n'avais qu'une réponse possible : « Non, père, je ne crois pas en Dieu. » Il me répondait : « C'est bien, dans ce cas, tu iras loin, comme moi. »

L'homme d'affaires marqua une pause, laissant l'assemblée contester les propos de son père en murmurant.

— Ma mère, qui était professeur de mathématiques, était croyante. Au début de leur mariage, mon père était amoureux et lui avait fait croire que lui aussi était croyant pour la séduire. Jusqu'à ce que le masque tombe et qu'il lui interdise d'aller à l'église, de porter un signe religieux ou même de posséder une bible à la maison. Pour lui, croire en Dieu était une perte de temps et un signe de bêtise. Un jour, il a surpris ma mère en train de cacher un petit crucifix dans une boîte à bijoux. Il l'a frappée en lui hurlant que, la prochaine fois, il la mettrait dans le même état que son idiot de Jésus sur la croix.

Ignorant cette fois l'indignation des étudiants, Mark couvrit la rumeur en élevant la voix.

— Mais comme vous le savez, la foi est plus forte que la peur. Alors, ma mère a fait mine de renoncer devant lui. Mais en cachette, elle me faisait chaque soir découvrir les merveilles de Dieu, Notre-Seigneur. Comme mon père avait jeté tous les ouvrages religieux, elle avait appris des passages entiers de la Bible par cœur et elle me les récitait. Avant de m'endormir, nous priions tous les deux pour que mon père soit délivré du Mal. Pour mes douze ans, elle m'offrit une bible miniature que je pus cacher sans que mon père la trouve jamais.

L'homme d'affaires tira de sa poche un ouvrage pas plus haut qu'un pouce et à peine plus épais qu'un livre de poche.

— Lorsque j'avais seize ans, ma mère est morte dans un accident de bus.

Malgré lui, Mark se sentit ému. Il réprima un trémolo dans sa voix et continua son récit.

— Pendant quatre ans, je n'ai vécu qu'avec mon père. À vingt ans, je suis parti de la maison, en lui faisant croire que j'avais trouvé du travail comme représentant commercial itinérant. Il sembla satisfait que je me fasse les dents sur un métier difficile. En réalité, je devenais pasteur dans un petit village du Texas. L'expérience dura cinq ans jusqu'à...

Mark soupira.

— Jusqu'à ce qu'un soir, après le service, je rentre chez moi en passant par le jardin public et que je croise une bande de voyous s'apprêtant à violer une de mes jeunes paroissiennes. Je vous mentirais si je vous disais que je n'ai pas eu peur. Je tremblais lorsque je leur ai ordonné d'arrêter. Je savais ce qu'ils allaient me faire et c'est ce qu'ils ont fait, à coups de barre de fer et de chaussures à coque. Mais la fille a pu s'échapper.

À ce stade du récit de sa vie, Mark savait qu'il allait en partie mentir à ses auditeurs. Mais il était encore trop tôt pour dire la vérité.

— Je suis resté plusieurs jours dans le coma et Dieu a voulu que je me réveille. À l'instant où j'ai ouvert les yeux, j'ai eu une certitude : plutôt que de demander de l'aide à Dieu, il fallait que je l'aide à accomplir son dessein sur Terre. Nous étions alors en 1956, en pleine guerre froide, et la CIA se surpassait pour gagner la bataille contre les Russes. J'ai su que c'était là que je devais être pour aider Dieu à protéger le peuple américain.

Mark allait reprendre quand il sentit une vibration sur sa poitrine. Il était pourtant persuadé d'avoir éteint son téléphone.

— J'ai travaillé à l'agence pendant vingt-trois ans, et puis mon père est décédé et m'a légué son entreprise, devenue la vingt-deuxième fortune américaine. Dieu me montrait le chemin. J'avais entre les mains la richesse pour répandre l'Évangile au plus grand nombre. J'ai quitté la CIA, repris le flambeau paternel et consacré une large partie de mes bénéfices...

Pour la première fois de sa vie, Mark s'arrêta en plein milieu d'un discours. Le téléphone s'était remis à vibrer. Et soudain, il comprit. La vibration venait de sa poche gauche. Là où il rangeait son second téléphone. Celui dont une seule personne détenait le numéro.

Il vit les regards étonnés des étudiants qui ne comprenaient pas pourquoi il s'était arrêté de parler en plein milieu d'une phrase.

Il leva la main en signe d'excuse et quitta la scène sans un mot. Il sortit le téléphone de sa poche, ignora les regards ahuris de son assistant et du doyen, leva un doigt pour qu'on le laisse tranquille et décrocha.

— Nathaniel, qu'est-ce qu'il se passe ?

23

La tête prise dans l'étau de ses mains, assis sur le rebord du canapé, Christopher ne bougeait plus. Il avait tout juste eu la force de raconter à Sarah le drame qui venait de se dérouler chez ses parents. Et puis il s'était tu et n'avait plus bougé.

Sarah l'observait en silence. Elle n'avait pas besoin de lui demander pour savoir qu'il revoyait le dernier regard de sa mère avant d'être exécutée, qu'il entendait encore les cris de Simon emmené de force et que, par-dessus tout, il crevait de douleur de n'avoir rien pu faire pour éviter tout ça.

Elle s'assit à ses côtés et posa sa main sur la sienne. Il la serra fort. Il lui faisait même mal, mais elle prit sur elle, ne bougeant pas, lui offrant une prise ferme et confiante. Lui qui avait bouleversé sa vie pour élever un petit garçon qui n'était pas le sien. Lui qui lui avait accordé sa confiance. Lui qui aujourd'hui avait besoin d'elle plus que n'importe qui au monde.

Christopher relâcha sa prise.

— On a soixante et onze heures devant nous, dit-elle.

Christopher la regarda, circonspect.

— On ?

Elle se contenta d'un petit hochement de tête.

— Maintenant, écoute-moi. Si tu veux sauver Simon, il va falloir que tu oublies tout ce que tu as vu et entendu aujourd'hui. Il a besoin de toute ton intelligence et de toute ta volonté.

Christopher se pinça les lèvres. Il se sentait si faible, si inutile.

Sarah s'attarda sur sa blessure au front qui s'était remise à saigner.

— Où est-ce que tes parents rangeaient leurs médicaments ?

— Là-haut, dans la salle de bains.

Sarah redescendit une minute plus tard et nettoya sa plaie avec doigté.

— Je sais pas quoi faire... balbutia Christopher. Comment Lazar veut-il que je découvre ce qu'il n'a pas trouvé en vingt ans ? C'est impossible ! Impossible ! Mon père cachait toutes ses recherches dans sa cabane qui a brûlé. Et je ne sais pas où est cette foutue île !

— De quelle île tu parles ?

Christopher réalisa qu'il avait omis des détails dans son récit.

— Mon père a parlé à quelqu'un au téléphone avant que j'arrive dans sa cachette. Il disait que le reste des documents se trouvait sur l'île où avaient eu lieu les expériences et qu'il fallait les récupérer... ou les détruire. Mais quelle île ? J'en sais rien !

Christopher écrasa son poing de colère sur le parquet. Sans broncher, Sarah acheva de soigner sa blessure. Après tout, elle préférait le voir en colère qu'asthénique.

— Garde le coton sur toi pour le moment. On ne laisse aucune trace ici, dit-elle en se relevant.

— Pourquoi ? On va où ?

— Ton père a prévenu quelqu'un de ce qu'il se passait et c'était certainement pas pour lui conseiller de nous laisser tranquilles. Et je te parle même pas de la police qui va arriver pour enquêter sur l'incendie de la cabane. On va vite avoir de gros soucis. Faut pas rester ici. On va à l'hôtel et on réfléchira sur place à tête reposée.

Christopher accepta l'aide de Sarah pour se relever.

— Tu as tout ce qu'il te faut ? demanda-t-elle. Tes papiers, de l'argent ? Je ne sais pas jusqu'où tout ça va nous mener…

Christopher hocha la tête.

— Alors, on y va.

Juste avant de franchir le seuil de la maison, Christopher se retourna et embrassa le salon du regard. Dans sa tête se mêlèrent une multitude de souvenirs. Il revit sa mère affublée de son éternel tablier, contente de servir un bon plat, son frère et lui, enfants, jouant ensemble aux petites voitures sur le parquet, et plus tard, Simon ouvrant ses cadeaux de Noël au pied du sapin auprès de sa mère et de son père, sous le regard bienveillant de Marguerite, si heureuse de voir sa famille ainsi rassemblée.

— Christopher, dit Sarah.

Il lui fit comprendre d'un battement de cils qu'il avait entendu et referma la porte sur ses derniers souvenirs.

24

Mark Davisburry descendit les marches du bâtiment principal à petits pas rapides, son assistant Jonas le suivant juste derrière.

Le chauffeur jeta sa cigarette en voyant son patron arriver et se précipita pour lui ouvrir la porte. L'homme d'affaires s'engouffra dans le véhicule et claqua la portière. Jonas prit place de l'autre côté de la banquette, soucieux du comportement de son patron, qui n'avait pas pour habitude de réagir avec tant d'empressement.

— C'est à propos du projet 488, laissa échapper Davisburry en tirant sur son nœud de cravate.

Jonas saisit alors l'inquiétude de son supérieur.

— Puis-je vous demander ce que...

— Nathaniel Evans vient de m'appeler en urgence de sa cache, le coupa Davisburry. Il était poursuivi par son deuxième fils sur les ordres de Lazar. Il craint qu'après Adam, Christopher n'ait mis la main sur des documents qui pourraient lui permettre de localiser l'île où ont été réalisées les premières expériences... Et tout révéler avant que nous ayons terminé.

— Attendez. Pourquoi craignez-vous qu'il trouve le centre sur l'île ? Il n'y a plus rien là-bas. Tout a été vidé lorsque le programme a été officiellement stoppé.

Davisburry secoua la tête.

— Evans vient de m'avouer qu'il n'était pas certain d'avoir détruit toutes les preuves.

— Quoi ? Mais c'est…

— Taisez-vous, Jonas. Vous n'étiez pas à leur place. Quand le scandale du projet MK-Ultra a éclaté en 1977, le gouvernement a voulu effacer toutes les preuves du dossier le plus vite possible. Evans et ses collègues ont appris du jour au lendemain que le centre fermait. Ça a été la panique. Les militaires ont débarqué et leur ont ordonné de quitter les lieux sur-le-champ. Evans et son équipe ont pris tout ce qu'ils pouvaient, mais, dans la précipitation, ils ont peut-être laissé des éléments.

— Et l'armée n'a pas tout nettoyé derrière eux ?

— Si, sauf qu'Evans ne leur a montré que la partie supérieure du bâtiment, celle dans laquelle ils pratiquaient les expériences « officielles ».

Jonas saisissait désormais l'ampleur du danger qui planait sur leur avenir.

— Et merde…

— Je lui faisais confiance, Jonas. Mais le pire, c'est que je comprends pourquoi il n'a pas tout fait disparaître en partant. Evans a voué sa vie à ces recherches, il ne voulait pas que l'on détruise tous les équipements qu'il avait mis tant de temps à construire et qu'il ne pouvait emporter dans la précipitation du départ. Je pense qu'il espérait avoir l'occasion de revenir les chercher un jour, quand l'agitation médiatique et gouvernementale se serait calmée.

— Et il n'y est jamais retourné ?

— L'île a été fermée au public juste après et mise sous contrôle de l'armée. Compte tenu des nouvelles directives du gouvernement bien décidé à faire amende honorable aux yeux du grand public, Evans aurait été la dernière personne autorisée à y entrer. L'interdiction a duré vingt-six ans. Quand l'île a rouvert son aéroport au tourisme, il y a une dizaine d'années, Evans a voulu y retourner, mais, à cette époque, il lui était devenu interdit de prendre l'avion à la suite de son infarctus. Et pas question pour lui d'y envoyer quelqu'un d'autre.

— Alors, il s'est dit que, de toute façon, tout le monde avait oublié ce centre perdu sur une île à moitié déserte et que personne n'y retournerait. C'est ça ?

— Après tout, seuls lui et quelques rares personnes décédées au cours des dernières années avaient connaissance de la nature réelle des expériences et du niveau secret enfoui sous la base. Et puis, entre-temps, Gaustad était parvenu à reconstruire l'un des appareils d'Evans pour récolter les données sur 488 et les lui transmettre afin qu'il poursuivre ses recherches. Il n'avait plus besoin de ses vieux documents ou de ses vieux outils. Il avait ce qu'il lui fallait et a préféré laisser disparaître le souvenir de cette ancienne base plutôt que de demander à quelqu'un d'aller y faire le ménage et de prendre le risque d'exposer notre secret…

— Cela veut donc dire que si le deuxième fils d'Evans trouve l'île… reprit Jonas.

— … il aura potentiellement les moyens de comprendre certaines choses. Et nos quarante-deux années d'expériences seront anéanties. Nos sacrifices pour découvrir la vérité deviendront des crimes, siffla Davisburry, les lèvres pincées. Nos recherches pour le progrès seront taxées d'expériences inhumaines et notre projet sera dans le meilleur des cas arrêté, dans l'option la plus probable repris par d'autres qui le détourneront ou en tireront toute la gloire.

— Qu'est-ce que vous comptez faire ?

Mark Davisburry fit tourner sa chevalière autour de son doigt comme chaque fois qu'il réfléchissait.

— Allons au siège.

Puis il fit défiler une série de numéros sur son smartphone. Jonas le regarda faire, intrigué, se demandant qui son patron pouvait bien appeler.

Le téléphone sonna longtemps avant que Mark Davisburry ne parle.

— Johanna. C'est moi. Je vais avoir besoin de tes services. Rapidement. Rappelle-moi.

Et il raccrocha.

— Je croyais que vous seul et moi étions au courant du projet 488, marmonna Jonas.

— Johanna ne veut pas savoir pourquoi elle fait les choses, juste combien on la paye pour les faire.

L'homme d'affaires tourna la tête sur le côté, signifiant à son assistant que la discussion était terminée. Il frappa sur la vitre de séparation et ordonna au chauffeur qu'on le conduise au siège social. Vite. Le SUV démarra et s'éloigna du campus de Liberty University, laissant le doyen et les étudiants dans l'incompréhension la plus totale.

25

Il était difficile de savoir si les fleurs du papier peint de la chambre avaient toujours eu cette apparence verdâtre ou si les années avaient transformé la couleur originelle en y ajoutant des couches de poussière et de crasse. Sur la table de chevet, un minable abat-jour à franges éclairait d'une pâle lueur verte le couvre-lit miteux. Il était 6 h 30 du matin et la pièce était encore plongée dans la pénombre.

— Au moins, on ne sera pas tentés de faire la grasse matinée, lança Sarah en découvrant l'intérieur de leur chambre d'hôtel.

Christopher y entra le premier.

— Je vais prendre une douche en deux minutes et j'arrive.

C'était la première phrase qu'il prononçait depuis qu'ils avaient quitté la maison de ses parents. Jusque-là, Sarah l'avait guidé comme un aveugle. Elle referma la porte derrière elle après s'être assurée que personne ne traînait dans le couloir. Puis elle cala le dossier de la seule chaise de la chambre contre la poignée de la porte.

— Je n'ai pas choisi cet hôtel pour la décoration, se justifia-t-elle en parlant la joue collée contre la porte de la salle de bains. Mais parce qu'ici, au moins, rien n'est informatisé. On aura plus de mal à nous trouver.

Elle n'obtint pour réponse qu'un bruit de jet de douche. Elle haussa les épaules et s'inspecta brièvement dans la glace. Elle conclut qu'elle aussi aurait bien besoin de se laver pour se régénérer physiquement et moralement. Entre sa blessure à l'œil, sa coupure au bras et les multiples traces de lutte sur son visage, elle ressemblait à une survivante.

Renonçant à se soucier de l'image qu'elle renvoyait pour le moment, elle sortit les documents découverts dans le coffre d'Adam et les étala un à un sur le lit. Comment retrouver la trace d'une île dans tout cela ? se demanda-t-elle. D'abord en relisant patiemment chaque pièce.

Cinq minutes plus tard, Christopher sortit de la salle de bains, habillé et les cheveux mouillés. Il s'était aussi rasé, et même si les cernes et l'angoisse assombrissaient toujours son visage, il semblait plus alerte. Il regarda Sarah, qui elle-même se surprit à le fixer avec un peu trop d'insistance.

— Et le lit double dans une seule chambre, c'est votre technique pour abuser des hommes en détresse ? lança Christopher en se forçant à garder un peu de cet entrain qui d'ordinaire le caractérisait.

Contente de voir qu'il faisait un effort pour se ressaisir malgré l'angoisse qui l'étreignait, Sarah l'encouragea.

— Je suis à ce point défigurée que je devrais user d'une telle ruse pour mettre un homme dans mon lit ?

En temps normal, Christopher aurait répliqué, mais l'angoisse eut raison de l'étincelle de légèreté dont il venait de faire preuve. Il se contenta d'un hochement de tête et d'un sourire reconnaissant.

— Merci d'être là, Sarah…

— C'est purement professionnel. Au boulot.

Christopher se contenta de répondre d'un petit signe de la main pour informer Sarah qu'il avait bien noté la subtilité.

— Juste une dernière chose, Sarah. Pourquoi tu fais ça ? Tu es intelligente, tu sais dans quoi tu t'embarques. Tu mens probablement à ta hiérarchie, tu mets ta vie en danger. Enfin, je veux dire, ça n'a aucun sens que tu sois là.

Sarah savait qu'elle devrait, à un moment ou à un autre, répondre à cette interrogation. Elle reposa le mémo de la CIA qu'elle tenait entre les mains.

— Disons que je le fais aussi pour moi. Et pour une raison qui est supérieure à tous les risques que tu as justement évoqués.

— Une raison qui serait au-dessus de ta vie ?

— Tout dépend de ce qu'on appelle la vie. Maintenant, je ne suis pas certaine que tu aies besoin d'en savoir plus. La seule chose qui compte, c'est que je te promets de donner le meilleur de moi-même pour sauver la vie de Simon. OK ?

— Je n'ai pas d'autre choix que de me contenter de cette réponse. Au boulot.

Puis il contempla à son tour les documents éparpillés sur le couvre-lit miteux. La preuve que du LS 34 avait bien été livré à l'hôpital de Gaustad par Gentix après son interdiction de commercialisation, les notes d'Adam sur les connexions entre Gaustad, la CIA et la Ford Foundation, la photo des murs gribouillés de la cellule du patient 488 et enfin le cliché aux bords brûlés représentant le père de Christopher en blouse de scientifique entouré de ses deux collaborateurs.

— Merde, souffla Christopher.

— Quoi ?

— Je n'arrive pas à me concentrer. Je n'arrête pas de penser à Simon. Où il est, comment ils le traitent, à quoi il pense, est-ce qu'il pleure, est-ce qu'il…

Incapable de terminer sa phrase, il porta une main à son ventre alors que l'anxiété lui nouait de nouveau les entrailles.

Sarah s'assit à côté de lui.

— Christopher. Je ne te le dirai qu'une fois parce que ce n'est pas facile à entendre. Mais la meilleure façon de sauver Simon… c'est de ne pas penser à lui. Jamais. La seule chose qui doit t'obséder, c'est de trouver ce que Lazar veut.

— Je sais, je sais… Mais je serais prêt à crever pour le sauver.

— C'est lui qui va crever si tu continues comme ça.

Il la regarda, choqué. Mais elle avait tellement raison.

— OK, dit-il. Je me concentre. Mais ça n'empêche que ça peut être n'importe quelle île au monde ! Et le pire, c'est que si mon père a eu un de ses contacts au téléphone, ils vont envoyer quelqu'un pour détruire les preuves qui restent sur place ! Et eux savent où se trouve cette putain d'île. Ils vont arriver avant nous et Simon sera…

— Maintenant que tu t'es rappelé que la pression était énorme et qu'on partait avec un train de retard, tu ne le répéteras plus parce qu'on n'a pas le temps pour ça. Et puis ce n'est pas toi, ça. T'es un battant et un homme fort, Christopher. Tu n'en serais pas là dans la vie si tu n'étais pas quelqu'un de redoutablement solide. D'accord ?

Elle le fixait de ses yeux bleu clair d'où se dégageait un mélange de fermeté et de confiance. Christopher s'en voulut de se plaindre, lui qui d'ordinaire était effectivement animé d'une énergie volontaire. D'ailleurs, il ignorait comment Sarah l'avait deviné en si peu de temps.

— Réfléchissons, posa Sarah d'une voix calme en prenant le cliché en noir et blanc de son père entouré de ses deux collègues. Ton père et Lazar t'ont dit que cette photo était celle des trois chercheurs à la tête du projet 488. N'est-ce pas ? Donc, il y a de très fortes chances pour qu'elle ait été prise sur l'île où ils ont réalisé leurs expériences. Regarde à l'arrière-plan.

— Oui, on dirait une montagne… C'est un début…

Christopher se concentra pour rassembler tout ce qu'ils avaient appris jusqu'à présent. Sarah faisait de même en notant des mots-clés sur son calepin.

— Le projet MK-Ultra était financé par la CIA, dit soudainement Christopher à voix haute. Mais ses résultats avaient une application militaire, comme l'a déduit Adam et comme me l'a avoué mon père à demi-mot. Il y a donc de fortes chances pour que les expériences aient été menées à l'époque dans une base de l'armée américaine. Ça me semblerait logique, à la fois pour en contrôler le processus et pour en assurer la confidentialité, non ?

Sarah acquiesça. Ça se tenait.

Elle composa un numéro sur son téléphone.

— Tu appelles qui ? demanda Christopher qui n'avait pas terminé de parler.

— Quelqu'un qui va pouvoir nous obtenir la liste de toutes les bases de l'armée américaine en activité dans les années soixante et soixante-dix.

Christopher considéra Sarah un instant, pris de court par tant de réactivité.

26

— 44, 45... 46.

Son visage s'approchait et s'éloignait du sol dans un va-et-vient rapide.

— 47... 48... 49 et 50.

Les mâchoires scellées par l'effort, il se releva en poussant un profond soupir et fit rouler les muscles de ses épaules. Le visage d'un diable tatoué sur son omoplate droite grimaça.

Il ramassa une serviette qui traînait sur le lavabo et s'épongea l'avant-bras en nettoyant les restes du sang séché qui avait maculé sa peau au cours du dîner.

En plus de lui avoir mal parlé, le petit nouveau avait trouvé le moyen de pisser le sang dans son chili quand il lui avait tranché la joue à coups de lame de rasoir. Et, comme d'habitude, les gardiens n'avaient rien vu.

Ricanant encore de la leçon d'humilité qu'il avait donnée au jeunot, il s'allongea sur sa couchette et contempla la bosse qui se dessinait sur le matelas du dessus quand son compagnon de cellule était couché.

Ce type passait ses journées étendu sur son lit, des écouteurs vissés sur les oreilles. Une espèce d'autiste à qui il aurait bien brisé la mâchoire à coups de poing.

Mais s'il avait survécu en prison jusqu'à aujourd'hui, c'est aussi parce qu'il savait à qui il valait mieux ne pas s'attaquer.

— Hotkins ! lança une voix depuis le couloir longeant les cellules.

Le prisonnier tatoué fronça les sourcils, sans bouger, observant le surveillant pour vérifier s'il allait oser ouvrir la grille seul. Il sourit en voyant deux autres gardiens au visage sévère et à la carrure dissuasive se placer à ses côtés.

On entendit un bruit de verrou et les barreaux de la cellule coulissèrent dans un caverneux glissement métallique. Le surveillant en chef entra, sa matraque à la main.

— Debout !

Le prisonnier tout en muscles quitta sa couchette et se plaça au fond de la geôle, les mains sur le mur.

— T'as très bien entendu, Hotkins ! On y va ! Ta libération anticipée pour bonne conduite vient d'être acceptée. Elle prend effet immédiatement. Faut croire que les anges gardiens officient aussi en enfer...

Le surveillant ignora le détenu tatoué qui s'était placé près du mur et frappa le pied du lit superposé de sa matraque.

— Te fais pas désirer, William Hotkins, s'agaça le surveillant. Après dix ans de taule, tu devrais avoir envie de sortir, non ? Même à minuit.

Alors seulement, la couverture de la couchette supérieure remua et en émergea le visage d'un homme chauve d'une quarantaine d'années et dont les yeux ronds comme deux billes noires semblaient dépourvus d'émotion.

Il retira les écouteurs qu'il avait sur les oreilles et sauta lestement du haut de son lit. Il était grand et, sans être musclé, il dégageait une certaine vigueur physique.

Il ramassa son lecteur de musique ainsi qu'une petite bible rangée sous son matelas. Puis il s'avança sous le regard méfiant des gardiens. Son compagnon de cellule attendit que la grille se soit refermée derrière lui pour pousser un soupir de soulagement.

Hotkins savoura chaque pas qui le conduisait vers la sortie, marchant lentement, un sourire méprisant pour les autres détenus qui osaient le regarder franchement pour la première fois de leur vie.

On lui délivra son billet de sortie, on lui restitua un portefeuille contenant 56,75 dollars, un trousseau de clés, ses papiers d'identité, un crucifix en métal de la taille d'une main et les vêtements qu'il portait le jour de son incarcération, notamment sa veste où était encore cousu son insigne des Marines. Il s'habilla, signa le registre des sorties et se retrouva à l'air libre.

Le dos tourné aux murs de la prison de Stillwater, il sut qu'en dix ans, rien n'avait changé en lui. Il ne regrettait pas le meurtre qu'il avait tenté de commettre, ses convictions religieuses n'avaient jamais été aussi solides et son corps, qu'il n'avait pas cessé d'entraîner au cours de ces dernières années, était prêt à mener un nouveau combat.

Il marcha sur Pickett Street, éclairée par des lampadaires, jusqu'à rejoindre la 95 et attendit le bus. Un jeune couple avec un bébé dans son landau s'approcha. Le nourrisson fixa l'ancien détenu de ses grands yeux bleus.

— Elle vous aime bien, dit la mère d'un air fier.

— Elle peut, répondit Hotkins avant de s'éloigner.

Surprise, la mère ne chercha pas à en savoir plus sur l'étrange réponse de cet homme tout aussi étrange.

Le bus, presque vide à cette heure, le conduisit jusqu'à la petite église de son quartier de la banlieue nord de Minneapolis. La seule à être ouverte jour et nuit, le prêtre de la paroisse ayant souhaité que la maison de Dieu soit toujours ouverte, comme l'était le cœur du Seigneur.

Hotkins y entra comme un cosmonaute retrouve l'oxygène de la Terre après avoir passé plusieurs mois dans l'espace. Gonflant sa poitrine de l'air frais mêlé aux effluves d'encens, il s'agenouilla, se signa et remercia l'Éternel de ne pas l'avoir abandonné au cours de ces années.

Il resta près d'une heure à prier et à jurer à Dieu de poursuivre sa lutte en son nom. Puis il prit le chemin de son domicile situé deux blocs plus loin.

Quand il entra enfin dans son petit appartement, au sixième étage d'un vieil immeuble, tout était encore là : son fauteuil devant la télé, ses appareils de musculation, la photo de son ex-femme et de lui enlacés et ses dessins d'armes à feu encadrés. Une odeur de renfermé et une épaisse couche de poussière en plus.

Il referma la porte derrière lui et, pour la première fois depuis qu'il avait quitté la prison, il se détendit.

Le choc fut d'autant plus rude quand la barre de métal lui frappa le haut de la cuisse. Un genou à terre, il reçut un nouveau coup dans le dos. Il allait frapper son assaillant d'un coup de coude, mais la sensation glaciale du canon qui venait de s'écraser sur sa tempe l'en dissuada.

— Pour ce que tu as fait à Glasky, cracha l'agresseur.

Hotkins fit une rapide génuflexion, saisit le canon du pistolet qu'il avait sur la tête avec une rapidité déconcertante, s'empara de la crosse et appuya sur la gâchette pour abattre son adversaire. Clic. Aucun projectile ne sortit.

— Tu crois franchement que j'allais charger une arme dont tu risquais de t'emparer ? lança le tueur en dégainant un autre pistolet.

Cette fois, Hotkins était trop loin pour le désarmer. Il leva les bras pour gagner du temps. Mais si la volonté de Dieu était qu'il meure maintenant, alors qu'il en soit ainsi.

— À genoux.

Hotkins s'agenouilla.

— Mon patron voulait que l'on fasse ça doucement et qu'on filme pour se repasser la vidéo tous les soirs, annonça le tueur. Finalement, on va devoir abréger.

Il pressa la détente au moment même où la porte d'entrée de l'appartement s'ouvrait avec fracas. Le temps de faire volte-face, il reçut un coup de pied dans le creux du ventre qui le projeta en arrière. La femme qui venait de faire irruption lui assena trois coups de crosse dans l'oreille qui l'abrutirent, lui écrasa le nez du plat de la main avant de le saisir par les cheveux et de frapper sa tête à plusieurs reprises contre le mur. Quand il ne fut plus qu'une poupée de chiffon sans vie, elle le laissa retomber par terre, se redressa et referma la porte de l'appartement.

Agenouillé, Hotkins regarda sans comprendre cette femme à l'allure athlétique, vêtue d'un sweat-shirt à capuche et d'un pantalon cargo.

Quand elle se retourna vers lui, il vit son visage avec plus de netteté. En d'autres circonstances, il l'aurait trouvée plutôt mignonne avec ses cheveux noirs coupés au carré et ce minois de magazine de mode.

— On a une heure pour faire disparaître le corps d'ici, dit-elle en tirant une balle de pistolet à silencieux dans la tête de l'homme qu'elle venait d'assommer.

— Vous êtes qui ?

— Johanna. Mark Davisburry m'a envoyée te chercher. Il a quelque chose à te proposer.

L'ancien Marine ne pouvait pas avoir oublié le nom de celui qui lui avait permis d'être transféré de l'épouvantable prison de Rikers Island à la maison d'arrêt plus tranquille de Stillwater. Il lui devait probablement sa survie et le paiement de toutes ses factures pendant ses dix années d'incarcération.

— Tu connais Davisburry ?

— On a travaillé ensemble il y a longtemps quand il était encore à la CIA.

— Tu bosses pour l'agence ?

— Pour Davisburry, je t'ai dit. T'as une cave ? ajouta-t-elle en désignant le cadavre.

— Deux secondes, princesse. Davisburry veut me confier quoi comme type de mission ?

— Nous confier.

— On est censés bosser ensemble ?

— Tu croyais que j'étais juste venu faire le ménage chez toi ?

— Et c'est quoi cette mission ?

— J'ai cru comprendre qu'il voulait qu'on se débarrasse de deux éléments.

— Je ne tue pas n'importe qui.

Johanna leva un sourcil d'agacement. Mais Davisburry l'avait prévenue que l'ancien Marine lui opposerait cet argument. Il lui avait donc fourni la réponse.

— Davisburry mène depuis plusieurs années un projet destiné à créer un tsunami religieux au niveau mondial. Ces deux personnes veulent détruire son œuvre. Aide-moi à porter le corps dans la baignoire.

Hotkins n'aimait pas la manière dont cette femme lui parlait, mais ce qu'elle venait de lui révéler avait éveillé en lui une excitation qu'il n'avait pas éprouvée depuis bien des années.

— Et après, on fait quoi ?

Johanna rouvrit la porte d'entrée et s'assura que le couloir était vide avant de sortir. Hotkins lui emboîta le pas et referma à clé derrière lui.

— Et le corps du type ?

— Si t'es si bon que Davisburry le dit, tu seras de retour bien avant qu'il commence à puer et à alerter les voisins.

À mi-chemin dans l'escalier, Johanna lui lança un Glock. Il vérifia le chargeur et glissa l'arme dans l'arrière de son pantalon.

Dieu venait de lui montrer sa nouvelle voie et il n'avait jamais été aussi prêt à honorer le commandement de son Seigneur. Quelles que soient les cibles qu'ils allaient devoir abattre, il venait d'en faire le symbole de sa renaissance.

27

Alors qu'elle terminait d'enfiler son jean après avoir pris une douche rapide, Sarah reçut un document sur son téléphone. Norbert Gans, son assistant au commissariat, avait été rapide, comme prévu.

Il lui avait fallu moins d'une heure pour lui répondre : « *Voici le document que tu m'as demandé. Accès facile sur la base nationale. Le fichier est public. Je te l'ai présenté sur tableur pour que tu puisses faire des croisements d'informations. Mais il y a du boulot. Si tu as besoin d'autre chose, n'hésite pas.* »

Sarah termina de s'habiller et sortit de la salle de bains les cheveux lâchés.

— J'ai la liste des bases de l'armée américaine, dit-elle en ouvrant le dossier d'un toucher du doigt sur l'écran de son téléphone.

Christopher avait la tête plongée dans les documents de son frère. Sarah s'assit à côté de lui et s'arrangea pour qu'il puisse voir l'écran de son portable. Le journaliste plissa les yeux pour essayer de s'affranchir des reflets et laissa échapper un ricanement.

— C'est pas vrai, souffla-t-il en détournant le regard.

Sarah ne dit rien, mais elle n'en pensait pas moins.

Le document s'intitulait « *Department of Defense – Base Structure Report – Real Property Inventory – 2011* ». Et il affichait une liste de cent quatre-vingt-sept mille possessions militaires américaines aux États-Unis et hors territoire.

— Cent quatre-vingt-sept mille possibilités… confirma Christopher. On commence par faire un tri par années de création. Toutes les bases construites après 1970 ne nous intéressent pas.

Sarah ne répondit pas, mais Christopher constata qu'elle était déjà en train de procéder à cette sélection. Mais, après la manipulation, il en restait encore cinq mille six cent quatre-vingt-trois.

— Maintenant, notre atout majeur, dit Christopher. Lesquelles sont situées sur une île ?

— Il va falloir les regarder une par une, répondit Sarah. Il n'y a aucune entrée pour procéder à un tri automatique sur le tableau.

— Transfère-moi le doc sur mon téléphone. Il vaut mieux qu'on soit deux à faire le même exercice pour être certains de ne rien louper dans toutes ces colonnes de noms.

Sarah s'exécuta et se reconcentra sur son écran.

L'exercice était complexe et demandait une solide culture générale pour déterminer si tel ou tel lieu était une île ou pas. Parfois, il leur fallait vérifier sur Internet où se situait une ville ou un territoire qui leur était totalement inconnu.

À la mi-journée, assis au milieu d'un reste de repas rapidement avalé, Christopher sentit ses yeux le piquer, sa vue se troubler. Il avait épluché les trois quarts de la liste et avait répertorié quatre îles.

— J'ai quatre îles pour le moment. Mais va savoir laquelle est celle qu'on cherche.

— Dors, lui répondit Sarah.

— Quoi ?

— Ça fait trois fois que tu repasses sur la même ligne. On n'a pas dormi de la nuit. Dors.

Christopher dut l'avouer. Il avait l'impression que son cœur allait s'arrêter de battre d'épuisement.

— Simon ne sera pas sauvé par un père qui ne peut plus réfléchir ou courir, ajouta Sarah.

— Son vrai père ne l'aurait pas laissé se faire kidnapper, objecta Christopher en secouant la tête.

— Même s'il a suivi sa conscience, c'est Adam qui vous a tous mis en danger… Tu ne fais qu'hériter de ce qu'il a mis en œuvre. Et du devoir de sauver Simon.

Christopher se leva pour aller se passer de l'eau froide sur la figure.

Puis il revint s'asseoir, le visage encore ruisselant de gouttes d'eau.

— Dans une heure, on sera fixés sur le nombre d'îles.

Elle vit son visage cerné et blessé, mais ses yeux étaient encore vifs. La peur et l'angoisse le tenaient éveillé.

Une trentaine de minutes plus tard, il releva la tête.

— J'en ai dégoté trois de plus, ce qui fait sept îles.

— J'en ai sept aussi, répondit Sarah.

Christopher prit la vieille feuille du règlement intérieur de l'hôtel posée sur le bureau et griffonna la liste des sept îles sur lesquelles se trouvait une base militaire américaine.

1 – L'île de Wake
2 – Les îles Marshall
3 – La République dominicaine
4 – L'île de l'Ascension
5 – Les îles Vierges américaines
6 – Hawaï
7 – Okinawa

— Ça peut être n'importe laquelle, dit-il en lâchant son stylo.

Sarah jeta un œil sur la liste.

— Tu peux déjà retirer Okinawa, elle a été rétrocédée au Japon en 1972.

Christopher barra l'île japonaise, puis il se leva et marcha dans la chambre.

— De quelle info dispose-t-on en plus pour recouper les données ? De Gentix et...

— ... de la Ford Foundation, termina Sarah. Si l'une de ces deux entités a ou a eu des possessions sur l'une de ces îles, on aura gagné.

— Ça me semblerait bizarre que Gentix soit lié de cette façon à MK-Ultra, analysa Christopher. D'après ce qu'on sait, la CIA a contacté les laboratoires *après* avoir lancé leur projet. Ils n'avaient aucune raison d'installer leurs centres de recherche à proximité des labos avec lesquels ils avaient décidé de collaborer. Ils avaient surtout besoin d'être tranquilles, discrets, et qu'on leur livre la marchandise. En revanche, pour la Ford Foundation, c'est différent, vu que ce sont eux qui finançaient et couvraient une partie des opérations de la CIA. Il faut voir s'ils ont des liens avec une de ces îles.

— L'un de leurs sièges est situé sur Banana Island, une petite île artificielle du Nigeria, enchaîna Sarah les yeux rivés sur l'écran de son téléphone. Et ils disposent d'un bureau dans le Rhode Island.

— Aucune des deux n'étant sur la liste et ne ressemblant à de vraies îles, ça fout en l'air notre seule piste ! Merde !

Christopher écrasa son poing sur le mur de la chambre.

Il reprit la liste des six îles et l'étudia une nouvelle fois, espérant peut-être qu'une évidence lui sauterait aux yeux. Puis il consulta de nouveau la photo de son père.

— Attends, est-ce que ces six îles ont un relief montagneux ?

Sarah fit une rapide recherche sur Internet depuis son téléphone. Il lui fallut à peine trois minutes pour obtenir l'information.

— Non, l'île de Wake est un petit atoll tout plat. Pareil pour les îles Marshall. Bien vu, ça en élimine deux.

— Ouais, à condition que la photo ait bien été prise là-bas. Mais je ne vois pas pourquoi il aurait gardé une photo prise ailleurs, vu que ses années de recherche sur l'île semblent avoir été les plus importantes de sa vie. Donc, on conserve cette hypothèse. Il nous reste quatre îles. Pour le reste, on doit louper un truc. Un truc qui doit être là, sous notre nez ! Le nombre 488 par exemple ! Ça peut pas être lié à une position géographique, un nom ou un code de l'île ? Oui, c'est peut-être ça ! s'écria Christopher. Pourquoi on n'y a pas pensé plus tôt ?!

— Le document que nous a envoyé Norbert donne plusieurs éléments chiffrés sur chacune des bases militaires, répondit Sarah.

— Comme quoi ?

— La superficie, le nombre de militaires en place, ce genre de trucs.

— Montre !

Les deux paires d'yeux se mirent à parcourir à toute vitesse les lignes et les colonnes de chiffres, égrainant les données statistiques pour chacune des quatre îles de leur liste. Dehors, le soleil déclinait déjà, rappelant l'inéluctable décompte que leur avait imposé Lazar.

Christopher redressa la tête.

— Non, il n'y a rien. J'ai additionné les chiffres des coordonnées géographiques, j'ai converti les noms des îles en chiffres et ça ne correspond jamais de près ou de loin à 488.

Sarah aboutissait à la même conclusion. Cette piste ne les conduisait nulle part.

— Et le temps passe, murmura Christopher quand il réalisa que la chambre était presque plongée dans le noir.

Une journée entière s'était déjà écoulée et ils n'avaient rien trouvé qui puisse sauver Simon.

— On n'y arrivera jamais, dit-il. Peut-être que je devrais appeler la police, tout raconter et… et…

— Attends.

Sarah fouilla dans l'une de ses poches et en ressortit une photo des graffitis dessinés dans la cellule du patient 488.

— Tu penses à quoi ? demanda Christopher.

— Le patient de Gaustad a passé au moins deux ans sur cette île. Et si ces dessins étaient une espèce de mémo, une façon pour lui de retrouver ou, en tout cas, de décrire l'île où il a été retenu prisonnier ? suggéra-t-elle en désignant les trois symboles qui revenaient en permanence sur les murs de la chambre.

— Tu parles d'un arbre, d'un poisson et d'un… feu. Ces trois trucs feraient allusion à l'île sur laquelle il a subi ces expériences ?

— C'est peut-être ça, leur signification. C'est une description schématique de l'endroit où il a été emprisonné, des symboles de l'île…

Christopher fronça les sourcils. L'idée était bonne, mais elle se heurtait à un problème.

— Si les cobayes avaient su où se trouvait l'île et quel était son nom, Lazar l'aurait retrouvée depuis longtemps ! Non, les cobayes ne savaient certainement rien de l'endroit où ils étaient enfermés. Ils ignoraient même qu'ils étaient sur une île. Ces dessins parlent d'autre chose. On fait fausse route.

Sarah dut admettre l'échec de son hypothèse. Christopher se rassit sur le bord du lit et toucha du bout du doigt sa plaie au front.

— Tu vas l'infecter. Tes ongles sont encore pleins de terre, l'avertit Sarah.

Christopher suspendit son geste et Sarah sembla voir sa main se mouvoir au ralenti.

— On a oublié un élément, murmura-t-elle soudainement.

— Quoi ?

— Le tout premier indice. C'est ça, le truc qu'on a loupé.

— Mais de quoi tu parles ? Quel indice ?

Sans répondre, Sarah saisit son téléphone pour appeler cette fois un autre de ses collaborateurs qui serait forcément ravi de lui rendre service.

28

Assis derrière son bureau en angle au douzième étage de la plus haute tour du Fifth Street Towers de Minneapolis, Mark Davisburry terminait de dicter ses directives à son assistant.

— Une dernière chose. Assurez-vous que les deux cent mille dollars soient virés sur le compte offshore de Johanna avant que je la rencontre. Elle ne se contentera pas de promesses. Et c'est à elle que vous confierez les visas.

— Ce sera fait monsieur, mais…

— Vous voulez savoir qui sont Johanna et Hotkins, n'est-ce pas ?

— Pas par curiosité. Seulement, plus j'en saurai, mieux je pourrai réagir et m'adapter à leurs volontés. D'autant qu'ils ont l'air particuliers.

L'homme d'affaires fit pivoter son fauteuil en cuir vers la grande baie vitrée dans son dos et contempla la ville qui s'éveillait à ses pieds.

— Effectivement, ils sont particuliers. Cela faisait cinq ans que j'étais à la CIA quand Johanna a terminé première aux examens d'entrée. J'ai tout de suite su qu'au-delà de ses compétences, elle avait quelque chose de plus que les autres. Une envie de réussir qui venait de loin et qui tenait de la revanche sur la vie. Je l'ai intégrée dans mes équipes et je me suis rapproché d'elle. J'ai appris comment elle avait perdu ses parents à l'âge de dix-sept ans dans un cambriolage qui avait mal tourné et comment elle s'en était voulu de ne pas avoir été capable de les protéger. Je l'ai écoutée, je l'ai encouragée et je l'ai recadrée aussi, si bien que je suis devenu une espèce de père de substitution pour elle. On a obtenu ensemble de beaux résultats, elle sur le terrain, moi dans les bureaux. Elle était promise à un avenir brillant jusqu'au jour où elle a, disons, montré un autre visage. Elle a abattu de sang-froid un suspect qui venait de se rendre. Quand je lui ai demandé pourquoi elle avait fait ça, elle m'a répondu que cela avait été plus fort qu'elle. Je l'ai couverte et lui ai épargné un procès et une condamnation, mais j'ai été obligé de lui faire quitter la CIA. Le problème, c'est qu'elle ne savait rien faire d'autre que traquer et tuer si besoin.

Mark Davisburry se retourna vers Jonas.

— C'est là que j'ai eu l'idée d'en faire un agent officieux... pour nos opérations « mains sales ». Johanna s'est montrée parfaite dans ce rôle et a toujours donné entière satisfaction.

— Et Hotkins ?

— C'est un profil différent. Un croyant, contrairement à Johanna qui ne croit en rien. En 1992, il a tenté de tuer le gynécologue de sa femme, qui devait la faire avorter. Il a fait irruption dans le cabinet avec une arme à feu. Il a ensuite ligoté le médecin sous la menace et a entrepris de le confesser avant de l'exécuter. La police est arrivée avant qu'il ait eu le temps d'aller au bout de son geste. Lors du procès, il a plaidé l'assistance à personne en danger en disant qu'il avait agi ainsi pour sauver la vie du fœtus. Plus jeune, il avait fréquenté des groupes évangéliques extrémistes qui menaient des raids contre des hôpitaux pratiquant l'avortement. À l'âge de vingt-deux ans, il a intégré le corps des Marines. Il en est ressorti plus fort, plus croyant encore et plus dangereux. Il ira jusqu'au bout.

— Mais vous le connaissez ?

— Quand j'ai entendu parler de son procès, je me suis intéressé à lui. J'ai aimé son jusqu'au-boutisme et sa façon de défendre ses actes en suscitant le doute chez les jurés. Je me suis dit que notre religion avait besoin de types comme lui. J'ai fait jouer mes relations pour le faire transférer de Rikers Island à Stillwater en espérant qu'il survivrait plus longtemps. Il m'a toujours dit qu'il me serait éternellement reconnaissant.

Mark Davisburry se leva. Il enfila son manteau en laine d'alpaga et se retourna vers son assistant juste avant de sortir.

— Nous touchons au but, Jonas. Contactez-moi sur le réseau interne dans les prochaines quarante-huit heures. Je serai à Soudan.

29

— Thobias, c'est Sarah Geringën. Rappelez-moi, j'ai besoin de vous.

L'inspectrice raccrocha sous le regard interrogateur de Christopher.

— Explique-moi ? C'est quoi l'indice qu'on a loupé ?

— Son corps.

— Quoi ?

— Le corps du patient 488. Cet homme a passé plusieurs années de sa vie sur cette île que l'on cherche. Son corps a forcément gardé des… disons, des traces de son environnement.

— Comment ça, des traces ?

— Si on analysait la boue qu'il y a encore sous tes ongles, expliqua Sarah en désignant les mains de Christopher d'un mouvement du menton, on pourrait probablement remonter jusqu'au manoir de Parquérin.

— Oui, sauf que dans dix ans, cette boue aura disparu de mes ongles et, d'après ce que l'on sait, le patient 488 a été admis à Gaustad dans les années soixante-dix. Ça fait près de quarante ans… Comment veux-tu que son corps ait gardé des, je sais pas comment dire, des… éléments de l'île que l'on cherche ?

— La boue disparaît effectivement parce qu'elle ne pénètre pas à l'intérieur du corps. Mais une pollution à l'amiante, au mercure ou je ne sais quelle autre saloperie reste dans le corps à vie... Tout va dépendre de ce que cet homme aura respiré sur place. Thobias pourra nous en dire plus.

— Thobias ?

— Pardon, c'est le légiste avec qui j'ai travaillé sur l'autopsie de la victime. Il est très bon.

Deux minutes plus tard, son téléphone sonnait.

— Merci de rappeler si vite, Thobias.

— Sarah ? Vous allez bien ?

— Oui. Écoutez, ce serait trop long de tout vous expliquer, mais pour faire bref, comme on le pensait, cette affaire nous emmène bien plus loin que prévu.

— D'accord et, si j'ai bien compris, vous avez besoin de moi. On part quand ?

— Désolée, j'ai seulement besoin de vos connaissances.

— Oui, oui, je m'en doutais, mais que voulez-vous, quand on a mon âge et une si belle femme qui vous parle, on tente le tout pour le tout.

— Thobias, c'est urgent.

— Dites-moi.

— Quand vous avez fait l'autopsie de 488, est-ce que vous avez trouvé des traces d'un polluant ou d'un élément chimique particulier ?

— À part l'excès de calcium qui l'a tué ?

— Oui.

— Un moment, je reprends son dossier. Mais vous cherchez quoi au juste ? demanda Thobias alors qu'on entendait des bruits de feuilles.

Sarah passa son téléphone en mode haut-parleur.

— Thobias, pouvez-vous parler en anglais afin que mon collaborateur puisse suivre la conversation ?

— Je vais essayer. Mais en attendant, bonjour à l'heureux élu.

— Bonjour, répondit Christopher.

— Donc, vous cherchez quoi, me dites-vous ?

— N'importe quoi qui pourrait nous permettre de localiser l'endroit où la victime a subi ses expériences avant d'arriver à Gaustad, reprit Sarah.

— Ah... Pas évident, votre affaire. Attendez, j'ai retrouvé son dossier. Je relis vite fait.

Sarah patientait à l'autre bout du fil. Comment faisait-elle pour rester calme ? se demandait Christopher alors qu'il trépignait de nervosité.

— Ah, oui, vous vous souvenez, je vous avais dit que ce type avait un bon début de silicose.

— Oui, c'est ça, je me rappelle maintenant, une accumulation de particules dans les poumons. Au départ, vous aviez cru qu'il avait pu mourir de cette infection. Et en quoi ça pourrait nous aider ?

— Eh bien, ça veut dire que pour choper cette pathologie, ce type a vécu dans un endroit très exposé aux poussières de silice, et pendant un certain temps.

— Quel type d'endroit ? Où trouve-t-on de la poussière de silice en grande quantité ?

— Eh bien, dans les mines, les carrières ou, c'est plus rare, dans les endroits chargés en poussière de lave.

— En poussière de lave. Ça veut dire qu'il a certainement séjourné sur une île volcanique, murmura Christopher.

— Qu'est-ce que vous dites, Sarah ?

— Non, rien, je… Que pouvez-vous nous dire d'autre ?

— Eh bien, sans vouloir jouer les rabat-joie, il a aussi pu choper ça quand il était enfant ou même adolescent. Je n'ai jamais dit que sa silicose avait été contractée à l'âge adulte.

— OK, mais nous, on n'a que ça, s'agaça Christopher.

— On pense que la victime a attrapé cette maladie sur une île. Il faut que vous nous aidiez à trouver laquelle.

— Je suis pas géologue, moi ! Mais dites toujours, c'est quoi le nom de vos îles ?

— Les îles Vierges, l'île de l'Ascension, Hawaï et la République dominicaine.

— Vous pouvez rayer la République dominicaine, il n'y a pas de volcan là-bas. J'y vais tous les ans. L'île que vous cherchez est dans les trois qui restent. C'est tout ce que je peux vous dire.

— Merci, Thobias.

— Sarah, quoi que vous soyez en train de préparer, soyez prudente. Je vous ai vue à l'œuvre et je connais votre réputation. Vous allez jusqu'au bout. Mais n'oubliez pas que vous avez un mari et une famille. À bientôt.

— À bientôt, Thobias.

Sarah fit mine d'ignorer l'allusion à Erik et fut soulagée de constater que Christopher semblait bien trop absorbé par sa réflexion pour avoir prêté attention aux recommandations personnelles de Thobias.

— Il nous reste l'île de l'Ascension, Hawaï et les îles Vierges, annonça Christopher. Il nous faut des détails sur la géographie de chacune de ces îles.

Sarah entra le nom des îles une fois de plus sur Google et parcourut les informations géographiques qui apparurent sur son écran.

— À Hawaï et dans les îles Vierges, la terre est grasse et il pleut souvent, les particules ne sont donc pas volatiles et restent au sol. Aucune raison d'en retrouver en grande quantité dans les poumons. Ne reste plus que…

Sarah lui tendit son téléphone. Il résuma sa lecture à voix haute.

— L'île de l'Ascension est sèche comme un désert. Ça veut donc dire que les poussières volcaniques sont extrêmement volatiles et… pénètrent aisément dans les poumons…

Un silence se fit dans la chambre.

À son tour, Christopher tapota fiévreusement le nom de l'île de l'Ascension sur son téléphone. Internet affichait très peu de résultats. Et pour cause, l'île était quasi inconnue. Un bout de caillou d'à peine quatre-vingt-dix kilomètres carrés et de neuf cents habitants situé en plein milieu de l'Atlantique, à des milliers de kilomètres des premières côtes africaines et sud-américaines, juste au-dessous de l'Équateur et à proximité de la célèbre Sainte-Hélène.

— Un des endroits les plus paumés au monde, commenta Christopher.

— D'après ce que je lis, ajouta Sarah, ses yeux déchiffrant les informations à toute allure, c'est là-bas que la Nasa a réalisé ses simulations d'alunissage dans le plus grand secret durant les années soixante, parce que l'environnement est très proche de la géographie lunaire. Mais c'est surtout une base militaire gérée conjointement par les armées américaine et anglaise, qui a été construite durant la Seconde Guerre mondiale.

Christopher sentit son angoisse se muer en fébrilité. Il n'en revenait pas d'avoir trouvé.

— On peut y accéder en dehors d'une affiliation militaire ?

— Oui.

— Comment ?

Sarah pianota sur l'écran de son portable et leva un sourcil de surprise.

— Il faut obligatoirement passer par Londres. Et ensuite…

Christopher ne remarqua même pas que Sarah ne terminait pas sa phrase et se connecta au site de réservation de l'Eurostar, espérant y trouver un train pour un départ dans la soirée. Il consulta sa montre. Il était 21 h 35.

— Et merde ! lança-t-il. Le dernier train est parti il y a vingt minutes ! Va falloir attendre demain matin.

Christopher se mit à remplir le formulaire de réservation pour un aller simple vers 8 heures le lendemain. Mais il était trop nerveux et ses doigts frappaient les mauvaises touches. Le voyant perdre patience, Sarah lui tendit la main.

— Laisse, je vais le faire. Repose-toi pour de vrai ou tu ne tiendras jamais.

— Mais on va se prendre vingt-quatre heures dans la vue alors que chaque minute compte !

— Demain matin, quand on sera dans le train, il nous restera vingt-huit heures. On sera reposés et on réfléchira bien mieux. Va t'allonger.

— Attends, ça, c'est juste pour aller à Londres, après, on fait comment pour rejoindre cette île ?

— Je vais m'occuper de tout ça, OK ?

— T'es sûre ?

— Certaine.

— Et toi, comment fais-tu pour tenir ? demanda-t-il en s'allongeant.

Elle allait lui répondre qu'elle aussi tenait sur les nerfs, mais c'était bien la dernière chose qui le rassurerait.

— C'est mon métier.

Christopher était si fourbu qu'il se contenta de ce mauvais argument pour apaiser sa conscience. Il régla sa montre sur un réveil à 6 heures du matin, s'allongea sur le lit en étirant son corps noué, cala sa tête sur un oreiller et ferma les yeux.

Sarah se renseigna sur les vols en direction de l'île de l'Ascension. Tous partaient d'une petite ville appelée Brize Norton à environ deux heures de route de Londres. Mais le vrai problème, c'est qu'un passeport ne serait pas suffisant. La détention d'un visa était obligatoire pour quiconque voulait se rendre sur l'île.

Elle n'avait pas le choix. Elle allait devoir mentir à un ami.

Elle quitta la chambre et appela Stefen Karlstrom depuis le couloir de l'hôtel. Il décrocha au bout de deux sonneries seulement.

— Sarah ! T'en es où ?

— Écoute, c'est compliqué. Vraiment compliqué…

Stefen poussa un long soupir et Sarah l'imagina se laisser tomber contre le dossier de son fauteuil.

— Je sais à ta voix que tu vas me demander de faire un truc que je ne vais pas avoir envie de faire. Alors pour commencer, tu vas me dire exactement tout ce que tu sais.

Sarah acquiesça. Elle s'attendait à cette réaction et avait préparé sa réponse. Elle raconta à Stefen une version un peu différente de son enquête afin qu'il

330

ne s'alarme pas et qu'il ne lui ordonne pas de rentrer sur-le-champ pour confier l'affaire à une équipe plus étoffée. Elle mit de côté les nombreux morts et l'enlèvement de Simon. Elle présenta Christopher comme le fils de Nathaniel Evans, le seul capable de lui dire où se trouvait la base d'expérimentation de son père sur l'île de l'Ascension. D'où la nécessité qu'il l'accompagne.

Et pour attiser son désir de l'aider, Sarah laissa entendre l'immense bénéfice que la police norvégienne pourrait tirer de la résolution de cette affaire de dimension internationale.

— Et tu comptes aller sur cette île avec ce type ?

— Oui.

— Sarah, je ne peux pas cautionner une opération en solo. On n'est plus aux forces spéciales. Tu rentres à Oslo et on gère ça en équipe.

— Stefen, j'ai besoin d'aller au bout de cette enquête.

— Sarah, c'est n'importe quoi ! Je t'ai fichu la paix jusqu'ici, mais non seulement je sais que tu ne m'as pas dit la moitié de la vérité sur ce qu'il t'est arrivé depuis ton départ, mais en plus tu t'apprêtes à te lancer dans un truc encore plus dingue. Donc c'est un ordre, tu rentres, avec ton gars si tu veux, mais tu rentres et on va s'associer sérieusement avec les autorités françaises pour mener cette affaire dans les règles !

Sarah se pinça les lèvres. Elle devait dire la vérité.

— Erik m'a trompée et quittée la nuit où l'on m'a appelée pour me rendre à Gaustad. Si je m'arrête maintenant, je ne m'en remettrai pas, Stefen. Pas cette fois…

Stefen gardait la bouche à demi ouverte derrière le combiné, traversé par des sentiments contradictoires. Quelque part, il avait toujours espéré que le mariage de Sarah et Erik ne fonctionne pas, comme pour se convaincre que c'est avec lui qu'elle aurait dû faire sa vie. Mais en entendant la voix brisée de Sarah, il ne ressentit que la souffrance de celle pour qui il avait toujours été prêt à mettre sa propre vie en danger. Celle qui l'espace de quelques mois lui avait fait la grâce de l'aimer et qui plus encore lui avait sauvé la vie lors d'une mission en Afghanistan. Celle dont il savait la fragilité derrière la force et la volonté.

Sarah essuya rapidement une larme qui lui avait échappé.

— Stefen, fais-moi confiance.

— Je te fais confiance, Sarah, mais c'est aussi mon devoir de te protéger.

— Tu comprends pas ! Tu comprends pas que si tu me retires cette affaire, je m'effondre ! C'est la seule raison qui m'empêche de sombrer dans le gouffre, Stefen ! C'est ma seule prise !

— Tu es fatiguée, Sarah. Tu sais qu'une fois reposée, tu verras les choses autrement.

— Ne dis plus jamais ça ! Ne me répète plus leurs phrases !

— Quelles phrases ?

— Tu sais très bien. Je préfère crever que de retourner en hôpital psychiatrique ! Et si je reviens à Oslo même pour seulement quelques jours et que tu me colles une équipe, je sais que je m'écroule et... que je retourne là-bas. Sauf que cette fois, je ne le supporterai pas.

Sarah s'était accroupie dans le couloir de l'hôtel, la main écrasée sur le front, recroquevillée sur elle-même.

— Stefen, la dernière fois, c'est toi qui m'as tirée de là quand l'armée m'a forcée à être internée et tu sais mieux que n'importe qui dans quel état tu m'as retrouvée. Si j'y étais restée quelques jours de plus, je ne serais plus là pour te parler. Alors, je t'en supplie, si tu tiens à moi, ne fais pas en sorte que j'y retourne… Aide-moi à obtenir les deux visas dont j'ai besoin. Et si je dois mourir en mission, alors au moins je n'aurais pas attendu la mort dans une cellule capitonnée.

À Oslo, dans son bureau, Stefen se maudissait d'être aussi attaché à cette femme. Mais que pouvait-il y faire ?

— Soit… Je vais t'arranger ça. Pour quand ?

— Demain matin.

— Évidemment…

— Stefen, merci.

— Prends soin de toi.

Quand Sarah raccrocha, elle était vidée de toute énergie. Elle s'accorda quelques minutes pour reprendre son calme, puis rentra dans la chambre. Heureusement, Christopher dormait déjà et ne l'avait pas entendue.

Elle fut soulagée de parvenir à réserver deux sièges sur le prochain vol en direction de l'île de l'Ascension. À cette époque pluvieuse de l'année, les touristes étaient heureusement encore rares et les quelques places autorisées aux civils dans les appareils de la Royal Air Force n'étaient pas prises d'assaut. Afin d'être certaine de ne pas perdre de temps le lendemain matin, Sarah descendit à la modeste réception de l'hôtel pour faire imprimer les billets. L'opération lui coûta dix euros qu'elle consentit à donner au réceptionniste malgré l'évidente escroquerie.

Cette première étape franchie, elle regagna la chambre et acheta deux places sur l'Eurostar Paris-Londres de 8 h 37. L'ensemble se chiffrait à pas moins de deux mille neuf cent cinquante-quatre euros. Mais elle paya grâce à la carte de crédit professionnelle que Stefen avait pris soin d'allouer aux inspecteurs d'Oslo pour leur éviter les avances de frais au cours de leurs enquêtes.

Puis, fatiguée, elle s'allongea en laissant échapper un profond soupir. Tournant le dos à Christopher, étendu de l'autre côté du lit, elle s'étonna de partager une telle intimité avec un homme qu'elle ne côtoyait que depuis trois jours. Et pourtant, le moment ne lui sembla pas si incongru, comme si elle se sentait en sécurité.

Elle posa son arme sur la table de nuit, cala un coussin sous sa nuque et ferma les yeux, s'empressant de se laisser aller au sommeil avant que ses pensées agitées ne l'empêchent de dormir.

30

En entendant de l'agitation derrière lui, Christopher se retourna brusquement dans son fauteuil pour regarder dans le couloir de l'Eurostar à bord duquel Sarah et lui venaient d'embarquer pour Londres. Un homme et une femme marchaient d'un pas pressé dans leur direction.

— Sarah, dit-il d'une voix tendue. Ils viennent pour nous !

Elle pivota à son tour sur son siège et vit passer une femme en tailleur, les yeux rivés sur son smartphone, et un homme en costume, l'air préoccupé, qui aurait pu donner l'impression de parler seul s'il l'on n'avait pas remarqué la minuscule oreillette fixée à sa tempe. Ils s'empressèrent de s'asseoir à leur place.

Christopher rejeta la tête en arrière en laissant échapper un profond soupir. Sarah ferma les yeux pour se préparer à dormir.

— Personne ne sait qu'on est là, murmura-t-elle. Profite de ces deux heures trente de voyage pour te détendre. Pour le moment, tes années de baroudeur-reporter t'aident peut-être à tenir le choc. Mais je crains que l'on n'ait bientôt plus l'occasion de reprendre notre souffle. Alors, profite…

Puis elle inclina la tête sur le côté et sembla plonger dans un sommeil réparateur immédiat. Christopher vérifia malgré lui que les deux retardataires ne les épiaient pas et essaya à son tour de se reposer. Sarah avait raison, la suite du voyage risquait d'être autrement plus éprouvante.

À peine arrivés à Londres, ils devraient se rendre au plus vite à Brize Norton, à une centaine de kilomètres de la capitale anglaise. C'est de là qu'ils embarqueraient dans un des avions de la Royal Air Force, la seule compagnie autorisée à accéder à l'île. Et compte tenu de la *deadline* de soixante-douze heures imposée par Lazar, rater leur vol serait synonyme d'échec. S'ils ne montaient pas à bord de cet avion, ils devraient attendre vingt-quatre heures de plus pour prendre le prochain. Impossible dans ces conditions de sauver Simon.

— Les voisins de mes parents ont peut-être entendu quelque chose, dit soudain Christopher sans être certain que Sarah était réveillée. Ils vont forcément se rendre compte que ma mère et mon père ne sont plus là. Et que Simon a disparu aussi. Quelqu'un va évidemment voir la cabane en cendres. Ils vont chercher à me contacter et se rendre compte que je suis introuvable. Ils vont logiquement me soupçonner et la police va me rechercher de toutes les façons possibles.

— Oui, mais en France, pour commencer. Et on en sera loin. Sauf si tu continues à t'agiter au lieu de te reposer.

Christopher comprit le message et ferma les yeux sans espérer une seule seconde s'endormir.

La secousse provoquée par le croisement d'un autre train le tira de sa demi-somnolence en sursaut, le cœur battant à tout rompre. Simon était tombé dans un trou entouré de boue au fond du jardin de ses parents et Christopher n'arrivait pas à s'approcher de lui pour l'aider, ses pieds s'enfonçant dans une glaise qui l'immobilisait.

Christopher se frotta les yeux pour éclaircir son regard. Il s'était écoulé une heure et demie depuis leur départ de la gare du Nord et le wagon était silencieux, essentiellement occupé par des hommes d'affaires, l'esprit accaparé par leur tablette ou la lecture de leur journal.

La tête légèrement penchée sur le côté, Sarah respirait lentement. Christopher s'attarda sur ses taches de rousseur et le retroussement délicat de ses lèvres. Il la trouvait belle et calme. Et pourtant, à y regarder de plus près, son visage n'était pas apaisé. Il lui arrivait de plisser le coin des yeux, comme sous l'effet d'une douloureuse émotion.

Christopher détourna son attention de Sarah et se laissa bercer par les mornes étendues vert et beige du Nord-Pas-de-Calais qu'ils traversaient à grande vitesse. De loin en loin, les champs n'étaient entrecoupés que d'îlots d'habitations d'où s'élevait systématiquement un clocher d'église. Et c'est alors qu'il fut traversé par une réflexion qui le fit se redresser, saisir un crayon dans sa poche et arracher une page de la revue promotionnelle fichée dans la pochette du siège avant.

— Monsieur ?

Un barman ambulant venait de s'approcher et regardait Christopher d'un air interrogateur, comme s'il attendait une réponse.

— Un café, répondit Sarah qui venait de s'éveiller. Et un thé pour moi.

Le steward tendit à Christopher deux tasses avec un grand sourire et se déplaça vers la rangée suivante.

— Tu fais quoi ? demanda Sarah en sirotant son thé.

Christopher termina de griffonner un mot de biais sur une des rares zones vierges de sa feuille de magazine.

Sarah pencha la tête sur le côté et discerna plusieurs annotations reliées à des formes schématiques d'un arbre, d'un poisson et d'une flamme.

— Tu as une idée de ce que peuvent vouloir dire ces symboles, c'est ça ?

— Peut-être. C'est en voyant les clochers d'église que ça m'a fait penser à quelque chose. Mais ce n'est qu'une hypothèse.

Depuis qu'il avait commencé à réfléchir à voix haute, Sarah avait remarqué que Christopher retrouvait les mêmes gestes et la même énergie qu'elle avait observés chez lui lors de sa conférence à la Sorbonne. Comme si seule une activité intellectuelle intense lui permettait de s'extraire de son angoisse.

Il avala une gorgée de son café, semblant avoir trouvé la façon la plus claire d'exposer son idée.

— Tu vois, dit Christopher à voix basse après s'être assuré que personne n'écoutait leur conversation, le poisson, l'arbre et le feu sont probablement les trois plus grands symboles chrétiens. Le poisson n'était autre que Jésus lui-même dans les premières communautés chrétiennes. Parce qu'en grec, poisson se dit *ichtus* et toujours en grec, cela forme les premières lettres de la phrase « Jésus-Christ fils de Dieu, sauveur ». On a retrouvé de nombreuses représentations de poissons dans les lieux de réunion des chrétiens des Ier et IIe siècles. Ces derniers l'employaient même comme un code secret pour se reconnaître sans être démasqués par les Romains. Ça, c'est un premier point.

— Ça me dit effectivement quelque chose, approuva Sarah, impatiente d'entendre la conclusion du raisonnement.

— L'arbre, reprit Christopher, est on ne peut plus au cœur de la symbolique chrétienne avec l'arbre de Vie du jardin d'Éden. Selon la Bible, planté par Dieu lui-même.

Sarah acquiesça.

— Et enfin, le feu a toujours été la symbolique de l'Esprit saint qui flotte au-dessus du corps. J'imagine que tu as déjà entendu parler de cette scène des Évangiles, lorsque l'Esprit saint dépose des langues de feu au-dessus de la tête des apôtres. Bref, on a donc Jésus, Dieu lui-même à travers l'arbre et enfin l'Esprit saint. Le père, le fils et le Saint-Esprit. Voilà ce que le patient de Gaustad dessinait peut-être à l'infini sur les murs de sa cellule.

— 488 aurait eu des hallucinations représentant la Trinité ? Sous forme symbolique ?

Christopher ouvrit les bras comme pour suggérer que tout était possible.

— La seule chose que je puisse dire, c'est que mon père, ou plutôt Nathaniel Evans, était très croyant, j'en sais quelque chose.

L'Eurostar s'engouffra dans le tunnel sous la Manche et la voiture n'eut plus pour seul éclairage que les plafonniers.

Sarah aperçut le reflet perturbé de son visage dans la vitre. Elle n'avait jamais été croyante, mais, si étrange que cela puisse paraître, l'hypothèse de Christopher semblait cohérente.

— Tu crois que ton père et ses associés cherchaient à provoquer des états de transe mystique ?

Christopher se massa les tempes. Il lui semblait qu'il n'était pas loin de comprendre l'ambition des recherches de son père. Il fallait seulement qu'il pousse la réflexion plus loin que les limites de son esprit cartésien. Mais entre sa peur permanente pour Simon et les violences dont il avait été la victime ces dernières heures, il ne parvenait plus à réfléchir.

— Je ne sais pas. Mais quel projet peut justifier trente années de sacrifices et de secret ?

Il soupira et laissa son regard dériver sur leurs doubles reflétés dans la vitre du train, réalisant que Sarah elle aussi semblait confrontée aux limites de sa réflexion.

31

Mark Davisburry aimait la sérénité de la petite église Saint-Paul du village de Soudan. C'est d'ailleurs dans cette ancienne chapelle tout en bois qu'il se sentait le plus proche de son Seigneur. Les avant-bras posés sur le prie-Dieu, il priait quand il entendit la voix d'un enfant dans son dos.

Une petite fille brune d'à peine cinq ans donnant la main à son père venait d'entrer dans l'église. Elle regardait tout autour d'elle, les yeux écarquillés.

Le père s'agenouilla et demanda à sa fille de faire de même. L'enfant obéit et regarda la statue du Christ crucifié suspendue au-dessus de l'autel.

— Papa, pourquoi Jésus il a l'air triste et il est accroché sur une croix ?

Son père fronça les sourcils, visiblement pris au dépourvu par la question. Mark Davisburry tendit l'oreille, curieux d'entendre la réponse du père.

— Eh bien, parce qu'il souffre pour racheter tous les péchés des hommes.

— Est-ce qu'il va mourir ?

— Euh… Oui.

— Il doit avoir mal et avoir peur alors ?

— Non, parce qu'il sait qu'il va ressusciter.

— Ça veut dire quoi ressusciter ?

— Ça veut dire revenir vivant après être mort.

La petite fille réfléchit, comme si les paroles de son père faisaient leur chemin dans son cerveau d'enfant.

— Et moi aussi je vais ressusciter quand je serai morte ?

— Bien sûr que tu vas ressusciter, parce que toi aussi tu crois en Dieu.

— Et si on croit pas en Dieu, on meurt pour de vrai, on ne ressuscite pas ?

— Bin non.

— On va où ?

— Nulle part, on n'existe plus. Seule la foi assure la vie éternelle. Maintenant, prie et demande pardon pour toutes les bêtises que tu as faites.

— Et si je prie pas ? Il va faire quoi, Dieu ?

— Il te punira et t'empêchera d'avoir la vie éternelle. Tu ne seras plus rien après ta mort. Hop, disparue à tout jamais !

— C'est pas gentil. Il me fait peur, ce Dieu.

— Tu crois quoi, ma fille ? Qu'on peut tout avoir sans rien donner ?

La petite fille soupira et regarda par terre, en mimant l'attitude contrite de son père absorbé par sa prière.

Davisburry quitta l'église rassuré de voir que certains parents s'évertuaient encore à maintenir leur enfant dans le droit chemin. Il reprit sa voiture pour parcourir le petit kilomètre qui le séparait de l'entrée de la mine.

*

L'antique machinerie déroulait le câble dans un concert de grincements métalliques. Mark Davisburry n'avait jamais aimé cet ascenseur exigu vieux de quatre-vingts ans qui le descendait à plus de sept cents mètres sous terre. Heureusement, à cette heure tardive, les groupes de visiteurs avaient depuis longtemps quitté les lieux et il pouvait occuper l'ascenseur seul.

Dans la journée, les touristes se pressaient pour venir visiter les tunnels du Soudan Underground Mine State Park, la plus vieille et la plus profonde mine de fer du Minnesota, située dans les entrailles des roches ocre du comté de Saint-Louis.

Arborant tous l'obligatoire casque jaune, transportés dans un petit train souterrain, ils découvraient, intimidés et émerveillés, l'immense dédale de galeries creusées il y a plus de cent ans par des hommes qui, pour beaucoup, y avaient laissé la vie.

Ils ressortaient de la visite avec le sentiment d'avoir vécu un moment privilégié. Émus d'avoir éprouvé de si près un pan enfoui de l'histoire américaine et ravis de retrouver enfin l'air libre. Ignorant à côté de quoi ils étaient passés lors de leur visite.

La cabine de l'ascenseur ralentit et Davisburry positionna son casque sur la tête en bâillant. Il commençait à fatiguer. Sa journée avait débuté à 5 heures du matin et il était désormais près de 23 heures.

La raison aurait voulu qu'il se repose, mais pour rien au monde il n'aurait raté la mise en route du tout nouveau module pour lequel il avait dépensé cinquante-six millions de dollars.

Un investissement ridicule au regard de ce qui deviendrait la découverte la plus vertigineuse jamais faite par l'homme.

L'ascenseur s'arrêta dans un bruit sourd. La porte en métal coulissa, et un puissant spot de chantier fiché à même la roche l'éblouit. La silhouette d'un employé de la mine se découpa à contre-jour.

— Bonsoir, monsieur, dit l'homme dont la voix résonna sous la voûte rocheuse.

Mark Davisburry lui répondit d'un discret signe de tête et releva le col de sa veste. Il passa devant le panneau qui félicitait les visiteurs d'avoir survécu à une descente sous terre équivalente à plus d'une fois et demie la hauteur de l'Empire State Building.

Puis il prit place dans l'un des wagonnets du petit train. L'employé démarra et le convoi s'ébranla sur la voie ferrée dans un lancinant bruit de rails mal ajustés.

Pendant une petite dizaine de minutes, ils suivirent le chemin touristique éclairé par de puissants spots, parsemé de panneaux explicatifs et de scènes reconstituées où des mannequins au visage noirci frappaient la roche à coups de pioche tandis que d'autres poussaient un wagonnet chargé d'hématite.

Puis l'atmosphère se refroidit et la vive lumière réservée à la zone touristique fit place à l'obscurité. On n'entendait plus que le vrombissement du moteur électrique alors que les phares du wagon de tête éclairaient le bas des parois du tunnel, laissant la plus grande partie de la voûte rocheuse plongée dans les ténèbres.

L'air humide obligea Mark à serrer les bras autour de sa poitrine. À un moment, le train ralentit. Le chauffeur actionna un levier d'aiguillage et fit redémarrer lentement le convoi, qui s'engagea sur une voie annexe.

La galerie se fit plus étroite, mais c'était peut-être l'endroit où Mark Davisburry se sentait le mieux. Seul, à l'abri des regards, à plusieurs centaines de mètres sous terre.

Après tout, les affaires et leur agitation n'étaient qu'une obligation à laquelle il se pliait pour mener à bien ce projet qui allait secouer le monde.

Un projet entamé aux côtés de Nathaniel Evans, qu'il avait rencontré lors de son arrivée à la CIA. Les deux hommes s'étaient découvert une profonde similarité de convictions et avaient décidé de travailler ensemble. Nathaniel étant seulement scientifique, Davisburry lui avait apporté son savoir-faire en matière de logistique et de soutien financier dès qu'il le put. L'occasion se présenta lors du lancement du programme MK-Ultra. Davisburry s'arrangea pour octroyer les meilleurs financements au projet que Nathaniel et lui avaient mis en place, et leur association fonctionna à merveille pendant plusieurs années. Certains auraient pu croire qu'elle ne résisterait pas à l'arrêt brutal du programme ordonné par le gouvernement, mais grâce à leur réseau, leur influence et aux conditions particulières d'une époque marquée par le secret, les deux hommes trouvèrent une façon de poursuivre leurs recherches clandestinement. Après quelques années, la phase 1 de leur projet se conclut comme prévu et ils purent mettre en place la phase 2.

C'est à partir de ce moment que Davisburry se fit le très généreux donateur de la School of Physics and Astronomy, qui détenait le laboratoire de recherche enfoui sous la mine de Soudan. Pour ne pas trop attirer l'attention sur son lien avec cette école en particulier, il finança aussi de nombreuses autres universités dont il tenait à défendre l'action. Comme la Liberty University. La stratégie fonctionnait parfaitement et lui permettait d'être un personnage très influent au sein de ces différentes institutions.

Le train cahota et stoppa dans un grincement de freins. Mark en descendit et avança de quelques pas dans l'obscurité, ses semelles écrasant le sol de terre et de gravier.

— Avez-vous encore besoin de moi ? demanda le chauffeur.

— Je vous appelle pour mon retour.

— Bien, monsieur.

L'employé remonta dans le train et fit repartir le convoi dans le sens inverse jusqu'à ce qu'on n'aperçoive plus le halo de ses phares glissant contre les parois rocheuses.

Davisburry progressa encore de quelques enjambées et un spot automatique se déclencha. Il se trouvait dans une petite cavité creusée perpendiculairement au tunnel et se terminant par une porte métallique munie d'une manivelle.

L'homme d'affaires fit tourner la manivelle pour ouvrir la porte et entra dans un petit sas au sol, aux parois et au plafond recouverts de plaques métalliques. L'endroit était à peine éclairé par une loupiote rouge à la lueur diffuse. Derrière lui, la lourde porte se referma dans un bruit de verrouillage étanche.

Davisburry composa un code à six chiffres sur le clavier numérique en face de lui, puis leva les yeux vers une caméra à travers laquelle les agents de sécurité scannaient son corps.

— Bonsoir, monsieur Davisburry, dit alors une voix sortie d'un haut-parleur. Je vous ouvre.

Mark Davisburry entra, passant sous l'inscription cryptique qui désignait l'endroit de ses lettres majuscules : MINOS.

32

Vingt minutes avant l'arrivée en gare de Saint-Pancras à Londres en ce mardi 23 février, Christopher et Sarah patientaient face aux portes du wagon, devançant même les hommes d'affaires les plus pressés.

Il était 10 h 30 et leur avion ne décollait qu'à 19 h 15 de l'aéroport militaire de Brize Norton, mais il n'était pas question de jouer avec la chance. D'autant qu'ils devaient dans un premier temps rejoindre la gare de Paddington en taxi pour attraper le premier train à destination d'Oxford. Et, de là, louer une voiture pour aller jusqu'à Brize Norton.

À peine le train stationné, Christopher et Sarah bondirent dehors, marchant côte à côte d'un pas à la limite de la petite foulée. Ils atteignirent vite l'extrémité du quai, repérèrent le panneau indiquant les taxis et furent parmi les premiers à embarquer dans un *black cab* en direction de Paddington.

Dans leur précipitation, ils ne remarquèrent pas les deux silhouettes qui les épiaient. Johanna et Hotkins avaient mémorisé le visage de Christopher et le reconnurent d'autant plus facilement qu'il précédait la foule des voyageurs.

Ils montèrent à leur tour dans un taxi à qui ils demandèrent de suivre celui de leurs cibles. Le trajet jusqu'à Paddington dura plus longtemps que prévu en raison des interminables embouteillages londoniens. Et au lieu de la petite dizaine de minutes espérées, il leur fallut une demi-heure pour atteindre la gare.

Une fois sur place, Sarah et Christopher se hâtèrent d'acheter leur billet au guichet en constatant avec soulagement que les départs pour Oxford s'effectuaient pratiquement toutes les dix minutes et les feraient arriver dans la ville universitaire vers midi.

Furtivement, à l'autre bout du wagon, Johanna et Hotkins prirent place à leur tour. Leur objectif consistait à neutraliser Christopher et Sarah avant leur embarquement pour l'île de l'Ascension à Brize Norton. Et le seul endroit où ils pourraient agir avec discrétion se situait sur un pan de route de campagne d'à peine cinq kilomètres entre la sortie de l'autoroute A40 et les premières habitations de Brize Norton.

À Oxford, la location de leur véhicule fit perdre une heure à Christopher et Sarah. Les clients étaient nombreux et le personnel en effectif réduit.

Vers 13 h 15, ils roulaient depuis une dizaine de minutes une A40 aux allures de départementale française lorsque le trafic se densifia jusqu'à l'arrêt complet. Au départ, ils crurent à un simple ralentissement, mais l'embouteillage se figea dans un immobilisme inquiétant tandis qu'au loin une fumée noire s'élevait au-dessus de la route. Des conducteurs commencèrent à sortir de leur véhicule pour voir ce qu'il se passait et on finit par apprendre qu'un camion-citerne avait dérapé en voulant éviter un animal et qu'il était couché en travers de la route, bloquant le passage. En d'autres termes, ils étaient certainement coincés là pour un très long moment. D'autant que la chaussée était bordée de buissons et d'arbres qui empêchaient de faire demi-tour pour prendre un itinéraire de secours.

À pied, Christopher et Sarah calculèrent qu'il leur faudrait environ six heures pour rejoindre la base militaire de Brize Norton. Et à condition de ne pas s'arrêter et de marcher à un rythme soutenu que seule Sarah pourrait suivre. Autrement dit, leurs chances d'atteindre l'aéroport à l'heure étaient excessivement minces, pour ne pas dire nulles.

Ils décidèrent d'attendre en voyant que les secours arrivaient par hélicoptère. Peut-être que d'ici une heure, la voie serait dégagée.

Dehors, le ciel gris assombrissait la lumière qui déclinait déjà alors qu'il n'était que 2 heures de l'après-midi.

— On n'y sera jamais ! s'exclama Christopher à bout de patience. Ça va faire une heure et demie qu'on ne bouge plus !

— On a encore de la marge…

Christopher fixait l'hélicoptère qui manœuvrait à un kilomètre devant eux pour tenter de redresser le camion-citerne accidenté.

— Quand bien même on parviendrait à voler cet hélicoptère, déclara Sarah en suspectant les folles pensées de Christopher, tu imagines franchement que l'on se posera discrètement dans un champ à côté de la base militaire et qu'on ira prendre notre avion comme si de rien n'était ? Sans que ni la police ni l'armée ne nous interceptent ?

— Je sais bien, avoua Christopher, c'est ridicule, mais qu'est-ce qu'on fait si on est encore coincés ici dans une heure ?

— La question ne se pose plus, déclara Sarah. On avance.

Effectivement, la police venait de mettre en place une circulation alternée entre les deux voies opposées et la file de voitures commençait à se déliter. Christopher était tellement pressé de démarrer qu'il percuta le pare-chocs de la Volvo qui les précédait.

Le chauffeur au crâne chauve descendit de son véhicule en pestant à l'encontre de Christopher. Derrière eux, les autres voyageurs, à bout de patience, klaxonnaient en lançant des insultes. Christopher jura à son tour.

— Je vais conduire, décida Sarah, et, sans attendre la réponse de Christopher, elle descendit de la voiture et prit sa place.

Derrière, séparés d'eux par un véhicule, Johanna et Hotkins observèrent la manœuvre. Un peu trop prompt à réagir, l'ancien Marine ouvrit sa portière, prêt à descendre de crainte que leurs cibles ne leur échappent.

Sarah remarqua le mouvement du coin de l'œil en se disant qu'il s'agissait certainement d'un conducteur agacé.

Elle prit place au volant, démarra et rattrapa la file de véhicules qui les précédait.

Une heure plus tard, ils quittèrent l'A40 à la sortie indiquant Brize Norton. Ils passèrent sur un pont enjambant l'autoroute et s'engagèrent sur une modeste route de campagne cabossée qui serpentait entre les arbres et les champs.

Sarah alluma les phares. Il ne faisait pas encore nuit, mais la luminosité entre chien et loup rendait la visibilité difficile sur cette portion de voie sans éclairage et bordée d'un bois touffu.

— Je crois qu'il y a un problème, chuchota-t-elle.

— Quoi ?

— La voiture derrière nous était dans l'embouteillage à une voiture de distance de la nôtre. Et c'est la seule à avoir pris la sortie Brize Norton…

— Et alors, ils vont peut-être à l'aéroport.

— Le type qui est dedans a eu un réflexe bizarre tout à l'heure quand je suis descendue pour te remplacer au volant.

Méfiante, Sarah jetait des coups d'œil attentifs dans le rétroviseur et fut à peine surprise quand le véhicule les colla brutalement. Elle écrasa la pédale d'accélération, projetant Christopher vers l'arrière.

— Accroche-toi au siège fermement ! ordonna-t-elle.

Les deux voitures se frôlaient désormais à plus de 110 km/h sur une portion de route limitée à 70. Le moindre écart provoquerait une chute fatale dans le fossé.

Johanna tenta de couper la trajectoire de Sarah, mais cette dernière parvint à maintenir sa légère avance. Le moteur semblait rugir pour fournir toute sa puissance.

— C'est qui ? hurla Christopher.

Sarah surveilla le GPS. Il leur restait deux kilomètres avant l'arrivée à la base. Et leur voiture moins puissante que celle de leurs poursuivants commençait à perdre du terrain.

— S'ils nous arrêtent, on est morts ! Accroche-toi !

Christopher saisit la poignée de maintien au-dessus de sa tête et plaqua les pieds au plancher. Sarah pila.

Christopher chavira vers l'avant, sa ceinture lui cisaillant la poitrine. Les pneus crissèrent alors que le bitume brûlait la gomme.

Le véhicule de leurs poursuivants freina quelques mètres plus loin. Sarah enclencha la marche arrière et fonça de biais en direction des arbres et des hauts taillis.

— Dès que je m'arrête, tu passes derrière les fourrés et tu cours tout droit jusqu'à l'aéroport !

Christopher n'eut pas le temps de demander d'explications. Sarah percuta les branchages et décrocha la ceinture de Christopher.

— Vas-y ! Je te rejoins.

Christopher bondit hors du véhicule et se rua dans les buissons, ses bras protégeant son visage.

Alors qu'ils reculaient eux aussi à toute vitesse, Johanna et Hotkins virent Sarah quitter la voiture et s'enfoncer dans les bosquets.

La végétation du bord de route formait une barrière de trois ou quatre mètres d'épaisseur longeant de vastes prés dont le vert, vigoureux au soleil, prenait à cet instant des allures de mare saumâtre.

En quittant l'abri des branchages, Sarah aperçut au loin Christopher courir droit devant lui. Elle s'élança à sa poursuite sur seulement quelques mètres et plongea de nouveau à couvert.

Johanna et Hotkins émergèrent des buissons au même instant et, repérant la silhouette de Christopher au loin, le prirent immédiatement en chasse.

Tapie au sol, à couvert, Sarah les laissa passer. Hotkins courait en tête, suivi de près par Johanna.

Puis Sarah se faufila discrètement hors de sa cachette et fondit à leur poursuite.

Elle talonna bientôt Johanna qui se retourna en entendant des pas derrière elle. Sans lui laisser le temps de réagir, Sarah la plaqua au niveau de la taille et la fit basculer à terre. Hotkins se retourna, mais laissa sa coéquipière se débrouiller pour s'occuper de leur seconde cible.

À califourchon sur Johanna, Sarah tenta de la frapper à plusieurs reprises au visage, mais la tueuse détourna chaque coup d'habiles parades des avant-bras. Et brutalement, elle renversa Sarah sur le dos d'une imparable rotation du bassin.

Déjà loin, Christopher aperçut des lumières à une centaine de mètres devant lui. L'aéroport ! Il y était presque.

Mais à l'enthousiasme succéda une peur panique lorsqu'il entendit un souffle enfler quelques mètres derrière lui. Il jeta un regard dans son dos et vit surgir de la pénombre le visage menaçant d'Hotkins.

— Tu n'y arriveras pas ! s'exclama l'ancien Marine dans un américain nasillard du Midwest.

Et cette fois, Christopher ne pourrait pas compter sur Sarah pour le sauver. Dans un dernier espoir de surprendre son adversaire, il bifurqua soudainement vers les fourrés pour rejoindre la route.

Quelques centaines de mètres derrière, clouée au sol, les mains de Johanna écrasant sa gorge, Sarah se débattait sans réussir à briser la détermination de son adversaire.

Du bout des doigts, elle parvint à faire rouler une pierre dans sa main et frappa Johanna. Mais cette dernière vit le danger arriver et amortit le coup avec son épaule.

Ce mouvement la força cependant à baisser la tête, exposant son visage, et Sarah saisit l'occasion pour lui enfoncer son pouce dans l'œil. En poussant un cri de douleur, Johanna relâcha sa prise et bascula en arrière.

Leste et vive, Sarah se redressa et lui décocha un coup de pied dans la tête qui lui fit perdre connaissance. Sans prendre le temps de respirer, elle chercha à percer l'obscurité du regard en espérant apercevoir Christopher en sécurité.

— Attendez, attendez ! Ne laissez pas partir l'avion ! hurla Christopher en voyant les lumières de l'aéroport désormais très proches.

Derrière lui, Hotkins tendit le bras et le frôla. Le cœur affolé palpitant à en éclater, Christopher ne pouvait pas aller plus vite. Hotkins lui empoigna l'épaule. C'était terminé.

Il sentit qu'on le retournait comme une vulgaire proie que l'on va dévorer lorsque de puissants projecteurs éblouirent la route. Hotkins, qui se souvenait des consignes d'agir dans la discrétion, relâcha sa prise.

Un instant déboussolé, Christopher se ressaisit et poursuivit sa course.

— J'ai un billet pour l'île de l'Ascension sur le vol de ce soir ! Attendez !

Christopher parcourut encore quelques mètres et se retrouva devant l'entrée grillagée de la base militaire. Deux gardes surveillaient les nouveaux arrivants, la main sur la crosse de leur arme, aux aguets.

— Stop ! ordonna l'un des soldats.

— Je… suis désolé, s'excusa Christopher en anglais, les mains sur les genoux en tentant de reprendre son souffle. On a été retardés par des embouteillages monstres... sur l'A40... et on a dû terminer à pied pour... espérer... arriver à l'heure.

Le soldat qui avait parlé fit signe à Christopher d'approcher et lui demanda son billet.

— C'est ma... femme qui l'a... sur son smartphone, parvint tout juste à dire Christopher entre deux bruyantes respirations. Elle est juste derrière, ajouta-t-il en scrutant avec appréhension la pénombre de la campagne.

— Vous êtes ensemble ? voulut savoir le militaire en voyant Hotkins arriver à son tour à petites foulées.

Christopher prit les devants pour éviter d'éveiller les soupçons du garde.

— Oui et non, on a voyagé dans le même bus pour venir jusqu'ici, alors on a fait le trajet à pied ensemble. Hein ?

Hotkins approuva d'un mouvement de tête.

— Votre billet ? s'enquit le soldat à l'intention d'Hotkins.

Le Marine fouilla dans sa poche et tendit un papier au garde qui lui fit signe d'attendre. Il venait d'apercevoir une silhouette féminine.

Hotkins et Christopher se retournèrent en même temps.

Sarah venait à leur rencontre, essoufflée elle aussi. D'un bref coup d'œil, elle comprit le délicat équilibre de la situation.

— Désolée pour le retard, mais je suis moins endurante que mon compagnon... dit-elle à l'adresse du garde.

Christopher apprécia l'ironie de l'excuse.

— Et en plus je suis tombée, ajouta-t-elle pour justifier les traces de boue sur son jean et sa veste.

Le militaire se contenta d'une discrète approbation du menton.

— Vos billets. Votre passeport. Et votre visa.

Sarah et Christopher présentèrent leur passeport et leur billet sous l'œil scrutateur d'Hotkins qui se retournait régulièrement en espérant l'arrivée de Johanna.

— Et les visas ? insista le soldat.

— Vous avez dû recevoir une autorisation spéciale pour nos deux identités par voie informatique.

Suspicieux, le militaire contacta par talkie-walkie un homologue qui lui confirma qu'il avait bien une autorisation pour les passagers Christopher Clarence et Sarah Geringën.

— C'est bon, vous pouvez passer. Et vous alors ? demanda le soldat en désignant Hotkins d'un coup de menton.

L'ex-Marine scruta une dernière fois la route sans voir sa coéquipière. Et, malheureusement, c'était à elle que les visas avaient été confiés.

— Je vais voir où en est ma compagne. Je reviens.

Hotkins rebroussa chemin en courant.

Désormais dans l'enceinte de l'aéroport, Christopher et Sarah marchaient côte à côte.

— Qu'est-ce que tu as fait d'elle ?

— On en parlera plus tard.

— Elle est morte ?

— Non… N'oublie pas que l'on doit revenir par Brize Norton. S'ils découvrent un cadavre dans les environs, ils feront forcément le lien avec nous et on sera arrêtés à notre retour.

— Et ça signifie donc qu'ils vont finir par embarquer avec nous ?

— Ça m'étonnerait.

Christopher considéra Sarah, l'air de dire qu'il ne comprenait pas.

Sarah sortit de sa poche deux cartes plastifiées siglées de l'inscription « Visa ». On y reconnaissait la photo de Johanna et celle d'Hotkins.

— Le temps qu'ils en obtiennent un autre, on sera loin…

Christopher était bien trop épuisé et inquiet pour manifester une quelconque joie, mais, en son for intérieur, il remercia une force invisible d'avoir Sarah à ses côtés.

Ils pénétrèrent dans le hall du petit aéroport et firent contrôler leurs passeports et leurs visas électroniques une dernière fois.

— Bon voyage, conclut le préposé. Votre vol est programmé à l'heure. Porte A, s'il vous plaît.

Par acquit de conscience, Sarah vérifia que personne ne les suivait.

*

Le vent glacé qui soufflait sur le tarmac s'infiltra par les interstices des vêtements déchirés de Sarah. Encore humide de sueur, elle resserra le col de son blouson et gravit les marches menant à l'A330, qui n'attendait plus qu'eux pour prendre son envol pour un voyage de nuit de près de neuf heures.

Ils entrèrent dans la cabine, tous deux habités par un profond sentiment d'étrangeté. Aucune hôtesse de l'air ne s'était présentée pour les accueillir et seulement trois personnes étaient assises. Deux hommes vêtus de vêtements militaires dormaient en travers d'une rangée de trois banquettes et un civil d'une quarantaine d'années aux traits fatigués regardait par le hublot d'un air absent. Un silence nocturne planait dans l'habitacle.

Sarah vérifia son billet et désigna deux sièges au milieu de l'appareil. Elle s'assit côté couloir.

— Tu préfères pas le hublot ? demanda Christopher.

— Ça te changera les idées de regarder dehors, répondit-elle en étirant ses jambes.

Une hôtesse de l'air sortit du poste de pilotage, referma la porte de l'avion et la verrouilla avant de passer dans l'allée centrale pour s'assurer que les ceintures des cinq passagers étaient bien attachées.

Christopher reposa la tête contre le rebord du hublot, cherchant partout s'il repérait la tueuse et son acolyte. Mais il ne vit que la campagne noire et déserte.

L'avion s'ébranla et serpenta quelques instants pour aller se positionner en bout de piste avant de pousser les gaz et de s'arracher du sol quelques centaines de mètres plus loin.

Christopher rejeta la tête en arrière et laissa échapper un profond soupir.

— C'était qui, cette femme et ce type ?

— À part te dire qu'ils ont certainement été engagés par la personne que ton père a appelée avant de se suicider… je ne sais pas, chuchota Sarah.

— Ils vont prendre le prochain vol. Autrement dit, une fois sur l'île, on aura seulement quinze heures d'avance sur eux pour trouver la base où ont eu lieu les expériences. Et on n'a aucune idée de sa localisation !

Christopher se frotta le front à s'en rougir la peau et posa une main sur sa cuisse pour l'empêcher de tressauter.

— Calme-toi, lui conseilla Sarah. Regarde là-bas, il y a des guides touristiques sur Sainte-Hélène et l'île de l'Ascension. Prends-en deux.

Christopher se détacha, enjamba Sarah et revint avec deux livrets.

— Je me disais que vous étiez quand même sacrément entraînés dans la police norvégienne. Je vois pas un inspecteur de police français faire ce que tu as fait depuis que l'on se connaît. Enfin je veux dire, pour parler de façon analytique, tout le monde ne gère pas l'adversité et la violence avec autant d'efficacité…

Sarah ouvrit l'un des guides touristiques que Christopher lui avait donnés et le feuilleta.

— J'ai passé trois ans dans les forces spéciales norvégiennes et quatre dans les forces armées. J'ai rejoint la police et le poste d'inspectrice il y a quatre ans seulement.

— T'as commencé dans l'armée ? releva Christopher, étonné.

— Hum…

— Je sais que ça semble futile de discuter de cela en un moment pareil, mais pour tout dire, ça m'aide à ne pas céder à l'angoisse. Et d'ailleurs, j'ai une question.

— Je t'écoute, répondit Sarah sans quitter son guide des yeux.

— Qu'est-ce qui peut bien pousser une femme à vouloir être militaire ?

Sarah releva la tête.

— La même chose qui pousse un homme à vouloir être reporter de guerre, si ça peut t'aider à comprendre…

— OK… C'est sexiste, mais franchement, ça reste étrange comme choix, non ?

Sarah déplia la tablette du siège de devant et y déposa le guide touristique. Puis elle repoussa ses cheveux vers l'arrière d'un mouvement de la main et reposa la tête.

— Ça t'aide vraiment de… parler ?

Christopher haussa les épaules.

— Mon père faisait le même métier que toi avant que tu deviennes journaliste pour midinettes, expliqua Sarah en montrant d'un sourire qu'elle plaisantait. Il était reporter de guerre et, comme toi, il était français. Il n'était pas souvent à la maison, mais, quand il revenait, il oubliait de laisser les horreurs qu'il avait vues au seuil de la porte. Plus d'une fois, il a cru nous informer, ma sœur, ma mère et moi, en nous parlant de ce dont il avait été témoin sur place. Son bureau n'était jamais fermé à clé et, forcément, la curiosité m'a conduite à vouloir voir les photos. Surtout ses photos de femmes. Contrairement aux autres enfants, j'ai grandi en sachant que l'horreur n'épargne ni l'enfance ni l'innocence et qu'elle se répète jusqu'à ce qu'une force supérieure y mette fin.

Christopher hocha la tête, ne comprenant que trop bien ce à quoi Sarah faisait allusion. Même si aujourd'hui, rien ne lui paraissait plus douloureux que la tragédie qu'il était en train de vivre.

— Arrivée à l'âge de choisir un métier, reprit Sarah, mes parents ont été désolés de voir ma sœur s'engager dans l'humanitaire et ils ont insisté pour que j'assure mon avenir en faisant une grande école. Je leur ai répondu que je souhaitais intégrer l'armée pour aider physiquement celles et ceux qui vivaient dans l'oppression. Ils sont revenus à la charge pour m'inscrire en école de commerce. Je leur ai répliqué que ma vie aurait plus de sens si j'aidais les femmes en situation d'urgence, plutôt que de contribuer à la vente de produits de beauté qui les complexent tous les jours à coups de mannequins photoshopés.

En d'autres circonstances, Christopher aurait pu être amusé par la formule, mais le cœur n'y était pas.

— Voilà pourquoi une femme peut choisir l'armée, conclut Sarah. Pour ne pas avoir à se maquiller. C'est sexiste à souhait comme réponse, non ?

Sarah tourna la tête vers l'allée centrale. Christopher avait compris qu'elle n'était pas une femme habituée à s'épancher sur sa vie ou à s'épancher tout court, d'ailleurs. Et elle avait certainement déjà fait beaucoup d'efforts pour le « divertir ». Mais une dernière question lui tournait dans la tête. Et la réponse lui semblait indispensable pour accorder sa pleine confiance. Quitte à paraître agaçant.

— Pourquoi tu as arrêté l'armée ?

Sarah plongea son regard bleu dans les yeux de Christopher. Presque avec un air de défi.

— Tu n'es pas journaliste pour rien. Même si tu sens qu'il faut laisser ton interlocuteur tranquille, tu continues à poser des questions.

Troublé par cette franchise rare, Christopher ne sut comment réagir. Sarah le considéra plus longtemps sans ciller avant de reprendre sa position initiale, tournée vers l'allée centrale.

Il respecta son silence. Après tout, il n'avait pas besoin de preuves supplémentaires, sa présence était naturellement rassurante. Même si elle ne le lui montra pas, Sarah lui sut gré de ne pas insister.

Non, elle ne lui parlerait pas de ce qu'il s'était passé au nord-est de Kandahar le jour de cette maudite patrouille, aux abords d'un champ de blé. Elle ne lui raconterait pas la peur quotidienne de passer à côté de ces fermiers afghans, en apparence inoffensifs. Des hommes qui ne cherchaient qu'à nourrir et à sauver leur famille d'une torture certaine à la nuit tombée, lorsque les talibans viendraient leur faire payer le choix de ne pas avoir attaqué les « Occidentaux ». Non, tout cela, elle n'en parlerait pas. Et encore moins de son erreur. Avec son expérience de reporter de guerre, Christopher comprendrait, elle en était certaine, mais elle ne supporterait pas l'éclair de dégoût qu'elle lirait forcément dans son regard.

Elle ouvrit le guide touristique de l'île de l'Ascension et, à l'image de Christopher, elle se concentra, à la recherche du moindre détail qui pourrait les aider à trouver le centre d'expérience. Au bout d'une heure, les lumières du plafond s'éteignirent et les voyageurs s'apprêtèrent à passer une nuit en vol. À l'exception de Sarah et de Christopher, le nez plongé dans leur lecture.

L'île de l'Ascension avait une histoire bien riche pour un récif volcanique isolé au cœur de l'Atlantique, battu par les vents et frappé d'un implacable soleil.

Après avoir été investi par un détachement de l'armée anglaise pour empêcher que les Français s'en servent de base arrière pour aller libérer Napoléon à Sainte-Hélène, elle avait connu son époque la plus agitée pendant la Seconde Guerre mondiale en faisant office de base secrète pour relier l'Amérique à l'Europe. C'est à cette époque qu'avait été construite une longue piste d'atterrissage qui devait servir plus tard de poste d'urgence aux célèbres navettes spatiales.

Car la Nasa avait trouvé sur cette île un emplacement idéal pour y mener ses explorations de l'univers à l'abri des regards. Au point d'y avoir testé sur son sol rocailleux et aride son premier véhicule lunaire. Certains allant même jusqu'à dire que le premier pas sur la Lune avait été mis en scène de toutes pièces sur l'île de l'Ascension elle-même.

Christopher referma son guide, soucieux. Il craignait que le laboratoire ayant servi de lieu pour les recherches du projet 488 n'ait été installé au sein de la base militaire anglo-américaine encore en activité aujourd'hui. Ce qui rendrait leurs recherches tout simplement impossibles.

Les yeux brûlants de fatigue, il appuya sa tête sur le dossier et se tourna vers Sarah. Pendant près d'une heure, il ne l'avait pas regardée et il lui sembla que ses yeux étaient un peu rouges. Elle aussi devait être épuisée.

— Ça va ? demanda-t-il.

— La photo de ton père.

— Quoi ?

— La photo de ton père, reprit-elle comme si de rien n'était. C'est la seule chose qui pourra nous aider à localiser l'endroit qu'on cherche sur l'île.

Cette femme était décidément difficile à suivre, pensa Christopher.

— Oui, il faudra qu'on compare le relief montagneux que l'on a sous les yeux avec celui de la photo… En espérant qu'il ne se trouve pas juste derrière la base militaire actuelle.

— J'ai pensé à la même chose, avoua-t-elle. Mais ça m'étonnerait que l'armée ait réinvesti des locaux qui ont abrité des expériences que le gouvernement a voulu faire oublier à tout jamais.

Rassuré par cette réflexion de bon sens, Christopher se détendit un peu.

— On a sept heures pour rassembler nos dernières forces, précisa Sarah avant de tirer une couverture sur elle et de se tourner sur le côté.

Christopher acquiesça en silence. Dans l'obscurité et l'attente silencieuse, toute cette situation lui semblait encore plus irréelle. Et pourtant, l'angoisse qu'il ressentait était bien là.

Lorsque les paupières de Christopher se fermèrent enfin, l'avion militaire venait de s'incliner au-dessus de l'Atlantique pour s'éloigner des côtes du continent africain et mettre le cap au sud-est vers la lointaine île de l'Ascension.

33

Christopher était déjà réveillé depuis deux bonnes heures lorsque leur appareil amorça sa descente vers l'île de l'Ascension. Il se pencha vers le hublot, impatient de découvrir à quoi pouvait bien ressembler cette île dont il n'avait jamais entendu parler avant la veille.

L'avion plongea à travers les cumulonimbus et déboucha dans un ciel bleu se confondant à l'infini avec l'azur moutonné de l'océan. Et elle lui apparut, rocher de quelques dizaines de kilomètres carrés émergeant au milieu de l'immensité atlantique à plus de mille six cents kilomètres de tout continent. De forme grossièrement triangulaire, son origine volcanique se trahissait par la présence de l'ancien cratère au sommet duquel s'accrochaient les rares nuages de basse altitude visibles à des centaines de kilomètres à la ronde. Ses flancs offraient l'unique touche de couleur végétale de ce caillou érodé par des vents incessants.

Tout le reste de l'île ne semblait être que poussière et roche, variant de l'ocre au noir charbon. D'ailleurs, le panorama donnait le sentiment d'approcher une immense mine à ciel ouvert, abandonnée. Presque aucune habitation n'était visible et l'on ne distinguait qu'une poignée de baraquements à proximité de la courte et étroite piste d'atterrissage face à laquelle l'avion venait de se positionner.

Sarah s'éveilla lorsque les roues de l'appareil heurtèrent l'asphalte sablonneux. Elle plissa les yeux, éblouie par les premiers rayons du soleil. L'avion ralentit et elle découvrit un paysage aride, sans arbres, avec la sensation oppressante d'avoir été déposée au milieu de nulle part, sur une planète plus proche de Mars que de la Terre.

— Il n'y a qu'un endroit qui peut ressembler à la montagne que l'on aperçoit derrière mon père et ses deux associés sur la photo, expliqua Christopher. C'est un lieu à proximité du volcan. C'est le seul relief de cette île que j'ai pu voir du ciel. C'est forcément par là qu'on doit chercher.

Sarah acquiesça et se leva à la suite de Christopher avant les trois autres passagers.

Devant la porte qu'elle venait de déverrouiller, l'hôtesse de l'air les salua et leur conseilla de se protéger le visage. Au premier pas posé sur l'escalier mobile, Christopher comprit. Il fut fouetté par le vent frais chargé d'embruns marins qui faisait virevolter la poussière sur le tarmac. Une main devant les yeux, il descendit les marches jusqu'au sol.

Au loin, on entendait le ressac des vagues dont la puissance était à peine recouverte par les rafales venteuses. Les cheveux volant en tous sens, Sarah et Christopher s'avancèrent vite vers le modeste bâtiment des douanes, lui aussi presque à l'abandon.

Les formalités passées devant un unique agent de police qui semblait frappé d'asthénie, ils sortirent du baraquement qui faisait office d'aéroport et découvrirent la ville fantôme de Georgetown.

Une unique grand-route sans trottoirs grignotée par la poussière leur barrait le passage.

En face, une triste construction blanche au toit plat et aux volets fermés dormait au côté d'une autre au sommet de laquelle flottait mollement le drapeau anglais.

Pas une voiture ne roulait et seul un âne brun, immobile, l'une des pattes arrière courbée, attendait que le temps passe le long de la route.

— C'est quoi, cet endroit…, souffla Christopher.

Sarah et Christopher, les deux seuls êtres humains aux alentours, sur ce bord de route désert balayé par des volutes de poussière, n'eurent pas besoin de se parler pour se dire qu'ils comprenaient tous deux pourquoi son père et ses associés avaient choisi cette île pour mener leurs expériences. Sur ce récif hors du monde et du temps, l'un et l'autre avaient ce troublant sentiment que leur vie à Paris ou à Oslo appartenait à de vieux souvenirs.

— Il est 4 h 15 du matin en France et 5 h 15 ici. Il nous reste moins de huit heures avant la fin de l'ultimatum de Lazar, dit Christopher en regardant sa montre.

— Là-bas à droite, il y a un petit magasin censé louer des voitures. J'ai vu ça dans le guide.

Christopher se surprit à vouloir prendre la main de Sarah, mais il se ravisa en se demandant si elle avait remarqué l'esquisse de son geste.

Sous son semblant d'indifférence, elle avait bien évidemment relevé l'hésitation de Christopher et, malgré l'urgence de la situation, oui, elle avait eu envie qu'il ose lui saisir la main. Quelle idée saugrenue.

Elle se laissait griser par la promiscuité, l'adrénaline et peut-être aussi le besoin de calmer sa peine.

Sans dévoiler une once de ses hésitations, Sarah pesta devant la porte close du modique magasin. Elle frappa alors que Christopher entamait le tour de la petite bâtisse. Il repéra des volets fermés et cogna du plat de la main en déclamant en anglais qu'il avait besoin d'une voiture et que c'était urgent.

La persienne finit par s'ouvrir sur le visage d'un homme aux cheveux si blonds qu'ils paraissaient blancs. Il demanda à Christopher de bien vouloir se calmer. Puis il referma le volet et, quelques instants après, il laissait ses clients matinaux entrer dans le magasin en marmonnant une impolitesse à l'égard des touristes.

Dix minutes plus tard, Sarah et Christopher étaient au volant d'un pick-up loué pour trente livres la journée. Ils en avaient profité pour acheter des fruits, des sandwichs et de l'eau, ainsi que deux lampes torches et un nouveau guide touristique plus complet.

— Écoute ça, indiqua Sarah à Christopher, qui cherchait le chemin à suivre pour rejoindre le flanc du volcan.

Et elle se mit à lire à toute vitesse.

— Garden Cottage, situé au sommet de Green Mountain, est la plus ancienne construction de l'île de l'Ascension. Édifiée aux alentours de 1820, elle incarne… bla-bla… Vous apprécierez l'accueil de cette maison d'hôtes tenue par des descendants directs des premiers colons portugais qui ont découvert l'île en 1501. Ils sauront vous renseigner sur tous les secrets de Green Mountain et ses alentours.

— C'est la phrase typique pour les touristes, mais on n'a rien à perdre, commenta Christopher. Peut-être qu'ils savent quelque chose et qu'ils nous feront gagner du temps.

Ils grimpèrent dans leur véhicule, qui sentait le renfermé, programmèrent le GPS sur la direction de Green Mountain et filèrent à toute allure récupérer la route principale en s'éloignant un peu plus vers l'ouest.

*

Après dix minutes, le paysage de poussière rouge commença à changer de façon surprenante. Les plaines désertiques sur lesquelles mouraient des morceaux de rochers qui semblaient tomber du ciel laissèrent place à des palmiers, des fougères géantes et toute une flore d'une densité et d'une hauteur de forêt tropicale.

Ils empruntèrent un chemin cahoteux serpentant à flanc de montagne et l'air se satura d'humidité jusqu'à ce qu'ils soient bientôt plongés dans les nuages que Christopher avait observés depuis son hublot.

Il alluma les phares, les yeux consultant sans cesse l'horloge de la voiture. Soucieux de ne pas perdre de temps, il ralentit à peine l'allure. Étouffée par le brouillard, la lueur jaune de leurs feux permettait pourtant tout juste de délimiter le ravin qui formait un à-pic au bord de la piste de terre. Après avoir manœuvré dans cinq virages en lacets, ils devinèrent un panneau indiquant qu'ils parvenaient au sommet de Green Mountain. Christopher accéléra et, consultant une fois de plus l'heure sur le cadran de bord, il ne vit pas le nid-de-poule qui détourna la trajectoire du pick-up vers le ravin. Sarah rattrapa le volant qui venait d'échapper aux mains de Christopher et braqua en sens inverse.

Christopher eut l'heureux réflexe d'enfoncer la pédale d'accélérateur au lieu de freiner.

Le châssis frotta sur la terre, la roue avant gauche dérapant sur la tranche du fossé abrupt. Sarah se pencha sur la droite de son siège pour faire contrepoids et le véhicule frôla le vide pendant deux secondes interminables avant de regagner le centre du chemin. Christopher s'arrêta au milieu de la route, blême.

Il échangea un bref regard avec Sarah, qui eut l'intelligence de ne pas l'accabler. Elle poussa un léger soupir de soulagement et pointa du doigt un panneau fléché émergeant de la brume. Christopher hocha la tête et roula au pas pour s'en approcher.

GARDEN COTTAGE
Chambre d'hôtes. Ouvert toute l'année.

Ils s'engagèrent sur l'étroit chemin en pente raide qui s'éloignait de la piste principale. De chaque côté du véhicule, les branches de l'abondante végétation frottaient contre la carrosserie, témoignant du peu de passage.

— Là, murmura Christopher alors que la trouée s'élargissait pour laisser place à un immense dégagement recouvert d'une pelouse grasse au centre de laquelle se dessinait la silhouette d'une bâtisse noyée dans la brume.

— Comment tu comptes leur demander des infos sur ce qu'on cherche ?

Christopher accéléra, se gara en plein milieu du jardin et consulta sa montre avant de sortir de la voiture pour foncer vers la maison d'hôtes, sans répondre.

— Doucement ! lui lança Sarah.

Christopher traversa la grande étendue de gazon qui entourait la demeure touristique, et ce n'est qu'en arrivant devant la porte qu'il prit cinq secondes pour se calmer avant de tirer une cordelette qui fit tinter la cloche de l'entrée.

Il patienta en se demandant si la maison était habitée. Puis on entendit la poignée s'abaisser et un vieil homme voûté au teint mat et à la moustache fine lui ouvrit. Il plissa ses yeux fatigués en voyant l'inconnu devant lui, comme s'il n'était pas sûr de faire la différence entre un être bien réel et un fantôme.

— Bonjour… commença Christopher en faisant son possible pour ne pas avoir l'air d'un fou empressé. Je suis en visite sur l'île et j'aurais aimé vous demander un conseil.

— Oh, vous avez bien du courage d'être monté par un temps pareil, répondit l'homme en regardant dehors. Et puis c'est pas parti pour s'améliorer. Vous venez pour le cottage ?

— En fait, on vient pour un renseignement, répondit Christopher.

— Hum… dites-moi.

— Eh bien, d'abord, je m'appelle Christopher, je suis journaliste pour un magazine français et voici Sarah, ma… photographe, ajouta-t-il alors que Sarah s'approchait.

— Madame, dit le propriétaire des lieux d'un ton poli. Je suis Edmundo Sargal.

— Enchantée, répondit Sarah en se forçant à lui serrer la main.

Christopher leur coupa presque la parole.

— En fait, voilà, nous faisons un reportage sur les coins oubliés de l'histoire. Nous avons déjà visité les forts de Bedford et de Hayes et on nous a dit qu'il y avait aussi des vestiges de la Seconde Guerre mondiale ou même d'une époque précédente qui subsistaient autour de Green Mountain. C'est ce genre d'endroit que nous cherchons et, comme vous êtes là depuis fort longtemps d'après ce que l'on dit, on pensait que vous pourriez peut-être nous renseigner.

Le vieil homme les observa un instant, notamment Sarah dont il scruta longuement la partie du visage dont les cils et sourcils avaient disparu. Puis il leur fit signe d'entrer.

— Je vais voir ce que ma mémoire peut éventuellement trouver d'intéressant. Mais je ne vous garantis rien.

Il se dirigea vers le salon, précédant ses invités. L'intérieur de la maison faisait penser à une petite demeure coloniale parée de maquettes de bateaux et d'oiseaux empaillés.

— C'est bizarre votre question, et je me demande même si ce n'est pas la première fois qu'on me la pose. D'habitude, les gens veulent savoir si c'est vrai que cette forêt tropicale a été intégralement plantée par les hommes au XVIe siècle pour faire pleuvoir sur l'île, déclara le vieil homme, ou pourquoi on trouve une chaîne d'ancre de bateau au sommet de la montagne, quel rôle Darwin lui-même a joué sur l'introduction de nouvelles espèces ici… Bref, ça, je peux répondre, mais vous, les journalistes, vous voulez toujours des trucs qui n'existent pas !

Il s'assit dans un rocking-chair patiné près d'une large baie vitrée donnant sur un jardin nimbé de brume. Le temps aurait réellement pu paraître suspendu si l'horloge à balancier n'avait pas été là pour scander les précieuses secondes qui s'écoulaient.

— J'espère que si je vous aide, vous aurez la gentillesse de me citer dans votre journal, ça ne me fera pas de mal, un peu de pub, en ce moment...

— On trouvera une façon de vous renvoyer l'ascenseur, promis, répondit Christopher.

— Bon, dites-moi plus précisément ce que vous voulez savoir.

— Tout ce qui a pu être construit autour de Green Mountain, disons... il y a plus de trente ans.

Le vieil homme fit une moue et lissa sa moustache de haut en bas.

— Eh bien, pour commencer, il y a les *old barracks*. Ça devrait vous intéresser.

— C'est quoi ?

— Une espèce de hangar en pierre grise que la marine royale anglaise a construit quand ils craignaient que l'île ne fasse office de base arrière aux Français pour venir délivrer votre envahisseur de Napoléon. Ça remonte à 1815 environ.

— Et depuis, ça a servi à autre chose ? s'impatienta Christopher.

— De bergerie à un moment, mais maintenant, c'est à l'abandon.

— Et c'est où exactement ? demanda-t-il en sentant monter une certaine excitation.

— Juste au sommet de la montagne. C'est pas compliqué, vous suivez le petit chemin de randonnée et...

— Non, non, non ! s'emporta Christopher. Ça marche pas ! Il faut qu'on voie la montagne derrière ! Si c'est au sommet, c'est...

Sarah lui posa une main sur le bras pour qu'il se reprenne.

— Excusez-moi, dit-il en remarquant le regard inquiet du propriétaire du cottage. C'est ma faute, je me suis mal exprimé. En fait, je cherche un vieux bâtiment depuis lequel on voit directement la montagne en arrière-plan.

Le vieil homme émit un petit son d'acquiescement et réfléchit un instant.

— Bizarre comme question. Mais alors, je ne vois qu'un endroit, que je ne vous conseillerais pas.

— Dites-nous ! s'exclama Christopher.

Le vieil Edmundo grimaça, l'air embarrassé.

— Pourquoi vous cherchez cet endroit en particulier ?

— Parce qu'on veut montrer que cette île a une grande histoire, qui traverse les siècles, et qu'elle est encore plus riche qu'on ne le pensait. Alors, n'hésitez pas, dites-nous tout ce que vous savez, ça me permettra d'écrire un bon papier.

Edmundo caressa cette fois sa moustache à rebrousse-poil.

— C'est un truc qui a été construit dans les années soixante ou soixante-dix, quand les Américains ont commencé à s'intéresser de nouveau à l'île après le départ des Anglais. Un jour, on a vu deux ou trois avions-cargos de l'US Air Force atterrir sur l'île. Le lendemain, des types chargés comme des mulets ont grimpé la montagne en se taillant un chemin à travers la jungle. Ils se sont arrêtés sur une zone un peu plus plate sur le flanc du volcan. Et ils ont déchargé tout leur barda. Il y avait des pelles, des pioches, des panneaux de métal, des tuyaux, des planches, bref, tout ce qu'il faut pour construire quelque chose.

— Pour construire quoi précisément ? le pressa Christopher.

— Précisément, j'en sais rien. J'ai vu ça de loin et, si je peux vous raconter quelque chose aujourd'hui, c'est grâce à la musique. Je devais avoir dix-huit ans à l'époque et j'aidais mon père à bâtir notre maison après qu'on avait émigré du Portugal. Les militaires écoutaient toute la journée des morceaux bien rythmés que je ne connaissais pas et que j'adorais. Alors, dès que j'avais du temps libre, j'allais me planquer dans la jungle autour de l'endroit où ils s'étaient mis à tout défricher et j'écoutais leurs radios cracher les Beatles, Led Zeppelin, Deep Purple, The Doors et tout ça... C'était le pied.

— Et vous les avez donc vus construire quoi exactement ?

— Eh bien, au bout de cinq mois, ils avaient terminé un beau baraquement et un autre avion a débarqué pour leur livrer du matériel électronique. De gros trucs pleins de boutons, de fils et d'écrans avec écrit Nasa dessus. J'avais jamais vu ça de ma vie. Ils ont tout rentré et, une semaine plus tard, d'autres types sont arrivés. Trois ou quatre gars, pas plus. Ils avaient plus des têtes d'intellos que de gros bras, contrairement aux premiers. Ils se sont installés là-dedans et je sais pas ce qu'ils y ont fait. Et comme ils n'écoutaient plus de musique dehors, j'y suis plus trop retourné. Juste comme ça, deux ou trois fois, par curiosité. De temps en temps, je voyais deux types sortir fumer une cigarette et discuter, mais ça n'allait pas plus loin.

Sarah intervint d'une voix douce.

— Vous vous souvenez de quoi ils parlaient ?

— Un peu, parce que chaque fois, la conversation était un peu la même. Ils disaient que les calculs étaient compliqués et qu'il fallait pas qu'ils se trompent. Et puis ils avaient l'air en colère parce que « les autres », j'sais pas qui c'était, faisaient trop de bruit et ça les empêchait de se concentrer. Un jour, il y en a même un qui a dit que ça le faisait flipper.

Sarah et Christopher se regardèrent brièvement.

— Et ensuite ? Que s'est-il passé ? demanda Christopher.

— Ça a dû durer huit ou dix ans et ils sont partis. Comme ça, du jour au lendemain. On n'a jamais su ce qu'ils étaient venus y faire et encore moins pourquoi ils avaient déguerpi comme des voleurs.

Christopher trépignait d'impatience. À ses côtés, Sarah dévisageait Edmundo, traquant le moindre signe de mensonge.

— Pourquoi vous avez dit que c'était un endroit que vous ne conseilleriez pas ?

— Eh bien, disons que s'ils sont venus s'installer ici, sur cette île paumée, c'est qu'ils voulaient pas que ça se sache, vous voyez. Et il y a eu des rumeurs comme quoi ils avaient piégé le terrain. Mais bon, c'est pas certain, hein ? Si vous voulez mon avis, vu comment ils ont filé, ils ont même pas eu le temps.

— Et vous n'êtes jamais allé voir à l'intérieur ?

— Ils ont condamné les portes avec des chaînes.

— Ça se casse, une chaîne ! suggéra Christopher.

— Déjà, c'est pas mon genre de chercher les ennuis. Mais en plus, avec la base militaire en bas, je me suis dit que c'était pas la peine de prendre de risques.

Vous avez dû remarquer qu'on n'était pas nombreux ici. Alors, tout se sait tout de suite...

Le propriétaire du cottage soupira et haussa les épaules.

— Comment on va là-bas ? demanda Christopher.

— C'est pas évident. Faut passer par un sentier qui a dû être recouvert par la végétation et puis après, si je me souviens bien, faut contourner une espèce d'étang, s'il est encore là. Et là, il y avait un tout petit défilé entre les arbres que j'empruntais pour aller au baraquement. Peut-être qu'il en reste des traces.

— Vous nous accompagnez ?

Christopher regarda Sarah l'air de dire : « T'as vu l'âge du type ? »

— Vous êtes vraiment prêts à prendre le risque ?

Sarah acquiesça.

— On sera prudents. On a été reporters de guerre tous les deux. Et si j'en crois les chaussures et le bâton de marche que j'ai vus à l'entrée, vous aimez encore crapahuter.

— Ah, vous n'êtes pas photographe pour rien, vous. Vous avez l'œil. Bon, je veux bien vous y conduire. Mais pas tout de suite.

— Pourquoi ?!

La question échappa à Christopher avec plus de virulence qu'il ne l'aurait voulu.

— Avec ce brouillard ? Autant y aller les yeux crevés !

— Ça va passer quand ?

Le vieil homme haussa les épaules.

— Les nuages accrochent sur le haut de la montagne, alors ça dépend des vents. Et à cette époque, ça peut durer la journée. Vous voulez du thé en attendant ?

Christopher serra les poings.

— Écoutez, je suis sûr que vous connaissez le chemin par cœur. Même dans le brouillard, vous devriez le retrouver.

— Il est toujours aussi pressé ? s'interrogea Edmundo en consultant Sarah.

Elle fit oui de la tête, l'air d'être également victime de l'impatience permanente de son collègue.

— Cela dit, c'est pas une si mauvaise idée d'y aller avec cette brume. Ça fera une anecdote de plus à raconter dans notre papier et une bonne façon de vous citer comme guide hors pair de la région : *Edmundo Sargal évolue sur son île les yeux fermés. La preuve, il nous a conduits jusque sur ce site secret à travers la jungle dans un brouillard plus épais que du coton.*

Le propriétaire du cottage sembla apprécier la citation de son nom dans un contexte aussi valorisant. Sarah acheva de le convaincre d'un dernier argument.

— Et entre nous, photographier un lieu comme celui que l'on cherche, nappé dans la brume, ça nous garantit que le rédac' chef craque sur les photos et publie l'article *illico*. Et vous bénéficierez au plus vite des retombées médiatiques…

— Et vous photographiez avec quel appareil ?

Sarah fut un instant prise au dépourvu. Effectivement, elle ne transportait aucun équipement de photographe.

— C'est amusant que vous disiez ça, intervint Christopher. Quand je l'ai vue arriver les mains dans les poches, je me suis fait la même réflexion. Mais maintenant que je connais l'engin, je peux vous dire que l'iPhone 6S, c'est du solide : deux cents composants pour une seule lentille photographique, ça file un coup de vieux aux appareils de pros.

Sarah rebondit sur l'idée de Christopher et sortit son téléphone de sa poche, l'air de dire « voilà le secret ».

— Désormais, on bosse presque tous avec ça dans le métier.

Edmundo opina du chef et poussa un soupir en s'extrayant de son rocking-chair.

Christopher félicita discrètement Sarah d'un pouce levé et elle lui répondit d'un sourire tout aussi furtif.

— Il faut une petite heure pour rejoindre le coin en temps normal. Avec le brouillard, faudra compter au moins une heure et demie.

Edmundo termina de lacer ses chaussures de randonnée, enfila une parka kaki et empoigna son bâton de marche.

— Je préfère vous prévenir, ça ne va pas être une promenade touristique. Surtout, restez bien près de moi.

34

À peine sortis du cottage, ils disparurent dans la blancheur aveugle des nuages, le froid humide s'infiltrant sous leurs vêtements. Edmundo en tête, suivi de Christopher puis de Sarah, ils descendirent la pente du jardin, passèrent une barrière en bois et s'engagèrent sur un sentier brumeux envahi par la végétation.

Leur itinéraire changea plusieurs fois de direction, tant et si bien que Sarah songea que les talents de guide d'Edmundo n'étaient finalement pas si éloignés de ce qu'elle avait imaginé pour lui plaire. Le vieil homme se repérait dans le brouillard et le labyrinthe de la jungle avec une aisance confondante.

Les bras levés devant le visage pour éviter les branches qu'ils voyaient au dernier moment, Sarah et Christopher se suivaient avec l'impression de s'enfoncer au cœur d'une forêt dont ils ne retrouveraient jamais la sortie.

Après une heure de marche à flanc de montagne dans une atmosphère moite et étouffante, la sueur coulait le long de leur cou et de leur dos à grosses gouttes. En nage, Sarah retira sa parka, noua son pull autour de sa taille et poursuivit le chemin avec seulement son débardeur blanc qui lui collait à la peau. Christopher l'imita en ne gardant qu'un tee-shirt sur lequel était écrit « beLIEve ».

— Ça va ? s'enquit Edmundo.

Sarah avait chaud, mais elle n'était ni essoufflée ni fourbue.

— Moi, ça va, ironisa-t-elle en désignant Christopher du menton.

Christopher épongeait la sueur de son visage avec le bas de son tee-shirt en reprenant son souffle.

Il faillit rétorquer à Sarah qu'elle avait tellement transpiré qu'on devinait aisément le haut de sa poitrine sous son débardeur devenu à moitié transparent. Mais son regard parla pour lui et, par pudeur, elle croisa les bras. Ce qui ne fit qu'accentuer la rondeur de son décolleté luisant de sueur.

— Laissez-moi respirer deux minutes, les pria Christopher. Ou je ne finirai pas le trajet.

Il s'accroupit et se laissa tomber sur le sol rendu inconfortable par le réseau de racines saillantes. La tête dans les mains, le regard tourné vers le sol, il reprenait lentement sa respiration.

Sarah appuya son épaule à un tronc d'arbre noueux et s'adressa à Edmundo.

— Comment vous arrivez à vous retrouver là-dedans après tant d'années ? D'autant que la végétation a dû bien se transformer depuis que vous êtes venu.

— Les feuilles ont changé, mais les troncs, eux, restent les mêmes. Je me souviens de pratiquement chaque arbre. Ils n'ont pas tous la même forme. L'un ressemble à un dragon, l'autre à une pieuvre. Tout est là, enfoui dans ma tête depuis des années. Je n'ai qu'à faire un petit effort pour m'en souvenir.

À ces mots, Sarah remarqua que Christopher avait redressé la tête, un doigt à moitié levé comme s'il venait d'avoir une idée en entendant Edmundo parler.

Elle se fraya un chemin jusqu'à lui en écartant quelques feuilles géantes et s'assit à ses côtés.

— Je vous laisse cinq minutes de repos. Je vais m'assurer qu'on est sur le bon sentier et je reviens.

— OK, Edmundo. Ne tardez pas, répondit Sarah. (Puis, se tournant vers Christopher, elle ajouta :) Qu'est-ce qu'il y a ?

Christopher avait comme effacé toute fatigue de son visage, au profit d'une expression pénétrée et concentrée.

— 488 et ses dessins des trois symboles, commença-t-il en essuyant ses yeux piqués par la sueur qui coulait de son front.

— Oui, quoi ?

— Et si ce n'était pas une hallucination, mais bien un souvenir ?

On entendit au loin le cri d'un oiseau auquel répondit un chant mélodieux qui résonna sous la canopée.

— Un souvenir ? s'étonna Sarah.

— Souviens-toi de ce que t'a dit Olink Vingeren : le patient 488 n'est pas mort d'une hallucination, mais d'un souvenir. Un souvenir refoulé que le LS 34 a ramené à la conscience et qui l'a tué.

— OK, tu veux dire que 488 aurait eu le privilège de voir la Trinité au cours de sa vie, qu'il l'aurait oubliée et que les expériences de ton père seraient parvenues à raviver ce souvenir ?

— Ce que je vais dire va te paraître un peu dingue, mais si on enlevait « au cours de sa vie » de ta phrase ?

Sarah reconnut que son esprit rationnel n'était pas aussi capable d'extrapolation que celui de Christopher.

Elle était d'autant plus curieuse de savoir où il voulait en venir.

Christopher s'humecta les lèvres. L'idée seule qu'il allait formuler le rendait nerveux.

— Comme tu le sais, mon père et Parquérin étaient des hommes très religieux, pour qui l'existence de Dieu ne faisait aucun doute. Un Dieu source de tout... Et s'ils étaient partis du postulat que tout homme étant créé par Dieu, il en a forcément eu la connaissance avant de l'oublier. Et s'ils avaient eu l'ambition de retrouver ce souvenir de Dieu dans l'esprit humain ?

Sarah fut parcourue d'un frisson qui remonta le long de son dos. Peut-être se refroidissait-elle de ne plus bouger, ou peut-être était-ce de la peur.

— C'est bien par ici ! s'écria Edmundo qui venait d'émerger entre de hautes fougères. Vous êtes prêts ?

Christopher et Sarah échangèrent un regard à la fois troublé et entendu. Ils en reparleraient plus tard. S'ils en avaient le temps. Et la suite du périple s'accomplit dans le plus grand silence, chacun songeant à cette hypothèse dérangeante.

Une demi-heure plus tard, comme l'avait prévu Edmundo, le sentier s'éclaircit, dévoilant une minus-cule clairière recouverte par la canopée et au centre de laquelle frémissait un petit étang encerclé de bambous.

— C'est là que je venais pour écouter la musique des soldats américains. Nous sommes arrivés.

À ces mots, Christopher se redressa, oubliant ses supputations religieuses au profit d'un pragmatisme animal.

Edmundo contourna le plan d'eau et chercha une percée dans les hauts branchages de la pointe de son bâton.

— La nature a repris ses droits, il va falloir vous frayer un chemin tout seuls. Mais c'est pas bien compliqué. L'ancienne base est à une dizaine de mètres derrière ce mur de végétation. Dans mon souvenir, ce ne sont que des plantes, pas des arbres. Avec un peu d'efforts, vous devriez pouvoir passer.

— Vous ne venez pas plus loin ?

— Même si votre compagnie est charmante, madame, je vous laisse y aller seuls, je n'ai pas envie d'avoir des ennuis. On ne sait jamais. Comme je vous l'ai dit, la caserne de la Royal Air Force est en contrebas. Bien… J'espère que vous allez trouver ce que vous cherchez et que vous ne m'oublierez pas. Repassez au cottage quand vous aurez terminé.

Sarah l'interpella juste avant qu'il ne parte :

— Attendez. Comment on retrouve notre chemin ?

— Je vais vous baliser les arbres. Vous n'aurez qu'à suivre les repères.

Sarah salua Edmundo et se retourna pour constater que Christopher était déjà en train de pénétrer dans l'épaisse végétation qui les séparait de leur destination. Elle le rejoignit pour profiter de son sillage.

Malgré la densité du massif, il progressait vite, ne se souciant ni des feuilles tranchantes qui lui cinglaient le visage ni des toiles d'araignées qui s'enveloppaient autour de ses bras et de ses cheveux jusqu'à lui rentrer dans la bouche. Enfin proche du but, il avançait avec une détermination aveugle, l'urgence chevillée au corps.

Sarah eut même du mal à le suivre et, quand elle émergea à son tour de l'enchevêtrement de plantes, Christopher lui tournait le dos, immobile, regardant droit devant lui.

Sur un plateau envahi par les herbes sauvages, cerné par de hautes ramures et accolé au flanc du volcan se trouvait un baraquement pas plus haut qu'une cabane d'ouvrier, aux murs de pierre blanche salis de traînées noires et en partie recouverts de lianes et de fougères.

Au-dessus de ce qui avait jadis dû être la porte d'entrée pendait un panneau rouillé sur lequel on pouvait encore déchiffrer : « *Nasa Center. Deep Space Station. Danger. Keep out* »[1].

Sarah fit signe à Christopher qu'elle passait la première. Elle avança avec une prudence infinie, son regard fouillant chaque centimètre du sol infesté par les herbes folles avant d'y poser le pied. Elle avait du mal à croire à la rumeur du terrain miné, mais mieux valait ne pas prendre de risques inutiles.

Derrière elle, elle pouvait percevoir le souffle impatient de Christopher qui se retenait de ne pas courir vers l'entrée du bâtiment.

— Attends, dit-il soudain.

Sarah s'immobilisa comme s'il allait lui annoncer qu'elle venait de marcher sur une mine. Mais il avait les yeux levés vers la montagne. Il recula de quelques pas, le regard brillant d'excitation.

— C'est ici que la photo de mon père a été prise. J'en suis sûr. Regarde.

Sarah approuva en reconnaissant à son tour l'angle de la prise de vue. Elle étouffa vite la satisfaction d'avoir trouvé ce qu'ils cherchaient pour rester concentrée.

— Ne perdons pas de temps. Il nous reste à peine cinq heures avant la fin de l'ultimatum de Lazar.

---

1. Centre de la Nasa. Station d'exploration spatiale. Danger. Ne pas s'approcher.

Tressaillant au rappel du morbide compte à rebours, Christopher suivit Sarah, troublé à l'idée de fouler un sol que son bourreau de père avait arpenté quarante ans auparavant.

Parvenue au pied des marches menant à l'entrée, Sarah se détendit.

Une brise fit plier les herbes et bruisser les feuilles des arbres autour d'eux. Ils frissonnèrent. Leurs corps s'étant refroidis après l'effort, la sueur leur glaça la peau. Ils revêtirent pulls et manteaux et gravirent le court escalier recouvert de lierre jusqu'au seuil du baraquement.

Une chaîne attachée par un cadenas entourait les deux poignées de porte.

— Le cadenas n'est pas très épais, remarqua Sarah. Avec une lourde pierre, on devrait en venir à bout.

Il leur fallut une demi-heure avant de trouver plusieurs pierres ni trop lourdes ni trop légères pour percuter le cadenas avec le plus d'efficacité.

À chaque coup que Christopher portait, le bruit du choc résonnait contre le flanc de la montagne, inquiétant Sarah. Pourvu que personne ne les entende depuis la base militaire.

Enfin, après avoir s'être relayés trois fois, l'anneau métallique du cadenas se tordit et finit par se briser, libérant la chaîne qui glissa au pied de la porte.

Sarah fit un signe de tête à Christopher et ils poussèrent chacun un pan de porte. C'est elle qui posa le premier pied à l'intérieur du baraquement. Derrière, Christopher referma le battant, les plongeant dans l'obscurité.

*

Sarah alluma sa lampe torche.

Devant eux s'élançait un étroit couloir qui se perdait dans la pénombre. Du peu qu'ils distinguaient dans le halo de lumière, il distribuait quatre portes. La première en entrant à gauche était entrouverte. Tout comme celle qui se trouvait sur leur droite, d'ailleurs estampillée du logo de la Nasa. Un peu plus loin, au milieu du corridor, la troisième était également entrebâillée. Le couloir se terminait par une ouverture à double battant.

Sur le sol en lino gris crevassé et gondolé s'étalaient des papiers mangés de poussière, et même ce qu'il restait d'un vieux tee-shirt. Les dalles de polystyrène qui composaient le plafond avaient été rongées, probablement par des larves de coléoptères, et les trous béants laissaient entrevoir un réseau de câbles électriques dont certains avaient fini par pendre dans le vide. Enfin, une odeur de moisi et de renfermé empoisonnait l'air.

Christopher ramassa quelques-uns des papiers froissés qui traînaient par terre en demandant à Sarah de bien vouloir l'éclairer. Tous étaient recouverts de colonnes de chiffres imprimés, à moitié effacés par le temps, mais où l'on pouvait encore discerner le logo « Nasa ».

— J'espère que tout ce qu'on va trouver ici ne concerne pas que la Nasa…

Il laissa retomber les documents sur le sol et avisa sur le mur un interrupteur qu'il enclencha. Comme il s'en doutait, il ne se passa rien. Il entra dans la première pièce à droite en repoussant un fil qui pendait du plafond.

C'était une salle de bains carrelée, munie de deux lavabos maculés de filets de rouille qui avaient coulé des robinets et d'une douche au rideau noir de moisissures. Dans un renfoncement, une porte ouvrait sur des toilettes dont la cuvette était asséchée. Par terre s'entassaient plusieurs magazines américains datant de l'année 1968. Sur le haut de la pile, un *Life* déplorant l'assassinat de Martin Luther King et un exemplaire de *Rolling Stone* avec John Lennon et sa compagne Yoko, nus, de dos.

Après avoir éclairé les recoins de la pièce sans rien y voir d'intéressant, ils ressortirent et entrèrent dans le local d'en face.

C'était apparemment une chambre. Il ne restait que le sommier métallique d'un lit et une commode en contreplaqué dont les tiroirs grands ouverts étaient remplis de vêtements d'homme dévorés par les mites, à l'exception d'une chemise plus épaisse brodée de l'écusson de la Nasa.

Interpellée par quelque chose qui venait de passer dans le halo de sa lampe, Sarah s'accroupit et ramassa un vieux magazine sali et terne. C'était le numéro du 12 octobre 1968 du *New York Times* dont la une se partageait entre la cérémonie d'ouverture des JO et les contestations étudiantes contre la guerre au Viêtnam. Elle l'ouvrit et un petit objet glissa d'entre les pages.

Elle l'éclaira et le souleva à hauteur de regard : une chaînette en or se terminant par un pendentif représentant Jésus-Christ sur la croix.

— Ils sont vraiment partis comme des voleurs pour même oublier leurs effets de valeur, commenta Christopher. Ça nous laisse l'espoir que mon père et ses collègues aient abandonné des éléments importants de leurs recherches.

Ils ressortirent de la chambre abandonnée et s'enfoncèrent un peu plus loin dans le couloir, leurs pas craquant parfois sur ce qui devait être de fins morceaux de verre.

Ils entrèrent dans la troisième pièce sur leur droite. Il s'agissait aussi d'une chambre munie du même sommier métallique sur lequel restaient le matelas, des draps et une couverture. Sur une armoire était encore affiché un poster de *Waiting for the Sun* des Doors. Dans le tiroir de la petite table de chevet, ils trouvèrent une quarantaine de dollars en billets et petite monnaie ainsi qu'une bible, une calculatrice, un paquet de cigarettes Benson & Hedges quasiment plein, une boîte d'allumettes et une pochette cartonnée d'où dépassaient plusieurs feuilles. Christopher s'en empara d'un mouvement brusque.

Une nuée de poussière s'envola devant le faisceau de la lampe torche et les fit tousser.

Le creux du coude devant le nez et la bouche, Sarah braqua la lumière sur le document. La page de garde affichait : « *Apollo 1 – Accident investigation report* ».

— Un rapport sur la catastrophe d'Apollo 1, dit Christopher. Dans d'autres circonstances, j'aurais sauté dessus, mais là, ça n'a rien à voir avec ce qu'on cherche. Merde !

Christopher souleva les matelas, déboîta le tiroir pour en vider tout le contenu sur le sol et arracha même l'affiche des Doors.

Il ne trouvait rien d'utile et un nœud commençait à lui nouer le ventre.

— Allons voir au bout du couloir, proposa Sarah qui savait qu'elle n'avait pas le droit de se laisser gagner elle aussi par la nervosité.

Christopher, qui avait pris les devants, poussa la porte à double battant et découvrit cette fois une vaste salle que le faisceau de lumière ne permettait pas d'éclairer dans son intégralité.

Alors qu'ils progressaient avec prudence, ils remarquèrent que les murs étaient ici percés d'une multitude de prises électriques. Sarah balaya la pièce de leur faible éclairage et en révéla le seul et unique mobilier : une massive console de contrôle munie d'un écran radar, de boutons et poussoirs gradués tous reliés à des cadrans de mesure poussiéreux. Ils s'approchèrent et Christopher écrasa un objet par terre : un casque dont le fil était encore branché à la table d'écoute, juste à côté d'une plaque de la Nasa vissée au pupitre.

— Regarde, dit Sarah en désignant l'arrière de la console. Ils ont commencé à la démonter, mais n'ont pas eu le temps de terminer.

Des plaques de métal avaient été retirées sur le flanc de l'appareil et des outils abandonnés jonchaient le sol.

Christopher alluma sa propre lampe torche et examina l'intérieur avant de faire le tour de la salle en inspectant chaque recoin. Sarah l'entendait respirer de plus en plus fort.

— Edmundo a bien dit que les types de la Nasa râlaient parce que les autres les empêchaient de bosser en faisant trop de bruit, non ?

Sarah opina en voyant Christopher revenir vers elle.

— Les autres, c'étaient donc mon père et ses associés qui devaient faire leurs expériences sur de pauvres gens qui hurlaient. C'est donc ici que ça se passait ! Mais où ? Il n'y a que des trucs de la Nasa !

Il consulta sa montre et se mordit les lèvres.

— Il faut qu'on retourne cet endroit de fond en comble, qu'on tape sur toutes les parois, qu'on cogne sur chaque centimètre de sol à la recherche d'une trappe ou je ne sais quoi !

Leur nouvelle investigation dura plus de deux heures. Ils déplacèrent chaque meuble pour sonder chaque mur, épluchèrent chaque document, même ceux qui disparaissaient sous les rouleaux de poussière. Ils ressortirent à l'air libre et firent plusieurs fois le tour du bâtiment à la recherche d'une autre entrée, ou même d'un passage dans la végétation qui aurait pu les mener à une autre construction cachée. À un moment, ils reprirent espoir en trouvant un placard dans l'un des murs extérieurs du baraquement. Mais ce n'était qu'une remise dans laquelle rouillaient une pelle, une pioche et une boîte à outils.

Cinq minutes avant la fin de l'ultimatum imposé par Lazar, le tee-shirt déchiré d'avoir traversé des bosquets d'épines et de ronces, le cœur battant d'épuisement et de peur, Christopher démontait la console de contrôle spatial en maîtrisant mal ses mains, qui s'étaient mises à trembler.

Impuissante, Sarah sentait l'angoisse l'étrangler. Et elle savait qu'elle ne parviendrait pas à afficher une attitude calme encore très longtemps dans un tel moment de désespoir.

— Christopher… il faut que tu demandes plus de temps à Lazar.

Mais Christopher ne l'entendait plus. Le sang bourdonnait à ses oreilles sous la pression de la panique.

Et soudain, son téléphone sonna.

35

La sonnerie résonnait dans l'obscurité, comme un décompte macabre. Un genou à terre, Christopher avisait le téléphone, incapable de décrocher.

C'est Sarah qui le fit à sa place, enclencha le haut-parleur, et lui tendit le combiné en lui ordonnant à l'oreille d'obtenir plus de temps auprès de Lazar.

— Le temps imparti… est… écoulé. Vous avez… trouvé ?

Il s'écoula une poignée de secondes avant que Christopher ne réussisse à parler.

— Nous avons identifié le lieu où vous avez été soumis aux expériences et nous sommes même parvenus à nous y rendre. Par conséquent, nous sommes actuellement sur l'île de l'Ascension, au milieu de l'Atlantique. On y a trouvé une station abandonnée de la Nasa et on a la preuve que c'est là que mon père et son équipe ont fait ces… recherches sur… vous.

— Vous avez découvert l'objet de ces expériences ? souffla Lazar, imperturbable.

Sarah observait Christopher, comme un pareur guette l'acrobate qu'il doit assurer dans un saut périlleux.

— Ce n'est qu'une question de minutes. Laissez-moi parler à Simon.

Lazar ne répondit pas tout de suite.

— Vous n'avez rien trouvé du tout, finit-il par dire après un temps de réflexion. Vous êtes en train de me baratiner.

— Pas tu tout !

— Serguïe, occupe-toi du gamin, ordonna Lazar.

Sarah manqua arracher le téléphone des mains de Christopher pour tenter une ultime négociation à sa place, mais il se releva d'un bond.

— Non, ne faites pas ça ! Vous n'avez jamais été aussi près de savoir la vérité ! Jamais ! Personne d'autre que moi ne pourra vous aider. Et si vous faites quoi que ce soit à Simon, je vous jure que j'arrête tout... et que vous crèverez dans l'ignorance !

Sarah n'en revenait pas qu'il ait osé dire ça. Elle n'aurait pas fait mieux. Mais Lazar ne se laissa pas démonter.

— Votre gamin suivra le même chemin !

Christopher ferma les yeux et, quand il les rouvrit, son regard d'ordinaire si doux s'était fait mauvais.

— Vous savez quoi, ce gamin, c'est pas le mien. C'est celui de mon frère et j'ai jamais choisi de l'élever. Et il m'a pourri la vie ! Alors que les choses soient bien claires, si vous le tuez, je serai triste un moment, mais je vous garantis que je m'en remettrai. Je reprendrai ma vie d'avant ! Vous, au contraire, vous n'avez plus que moi et il vous reste très peu de temps. Alors, réfléchissez bien. Si Simon meurt, je brûle tout ce que je trouve !

Christopher reprit sa respiration. Dans la lueur de la lampe torche, ses yeux luisaient de rage. Il avait si bien craché sa diatribe que même Sarah n'était pas certaine qu'il n'y avait pas du vrai dans ce qu'il venait de dire.

— Si j'ai bien compris, il vous faut plus de temps, répondit finalement Lazar.

— Oui, du temps !

— Bien, je vous laisse douze heures de plus.

Christopher leva les yeux au ciel en se pinçant les lèvres.

Mais, l'instant d'après, on entendit un cri atroce déchirer le haut-parleur du téléphone. Les cris de l'enfant se mêlèrent à des pleurs de souffrance.

— Simon ! Simon ! Qu'est-ce que vous avez fait, salopard ?! Simon !

— Chaque main du gamin vaut douze heures, annonça Lazar en reprenant le combiné. Et le cri que vous entendrez sera bien pire que celui-ci quand on lui coupera la première. Ça ne dépend plus que de vous. Et rappelez-vous, je veux tout savoir : le pourquoi, le comment de ces expériences, ce qu'ils ont trouvé et la tête pensante de tout ce programme. L'heure tourne pour moi, et pour vous.

On raccrocha et, au même moment, Christopher reçut une vidéo. Fébrile, il l'ouvrit et lança sa lecture. Le Russe Sergueï, qui avait kidnappé Simon, saisit la main du petit garçon qui le regardait, effrayé. Il le brutalisa pour lui bloquer la main sur la table, dégaina un couteau de boucher et le brandit au-dessus du poignet. Le visage doux et rêveur de Simon se déforma de peur et une insoutenable détresse coula de son regard.

— Si ton père fait ce qu'on lui dit, tu garderas ta main, menaça Sergueï.

Et la vidéo s'arrêta.

394

Sarah sentit son estomac se soulever et dut s'adosser au mur pour ne pas flancher. Christopher se figea d'horreur. Projetant dans sa tête la souffrance de Simon, il y mêlait l'impitoyable culpabilité, l'intenable impuissance et la dévorante colère.

Pour l'avoir étudiée et même éprouvée, Sarah connaissait cette spirale dévastatrice de l'esprit lors de certaines affaires. Surtout dans celles qui concernaient les enfants et où leur innocence décuplait toutes les réactions émotionnelles, au point souvent de réduire les chances de sauver les victimes.

— Écoute-moi. Écoute-moi, dit-elle en serrant les épaules de Christopher. Écoute la réalité ! Ils n'ont pas tué Simon. Il est vivant. Et tu as été incroyable. C'est grâce à toi qu'il est encore en vie ! Pour le moment, c'est la seule chose qui compte ! Tu m'entends ! On a douze heures de plus, on va trouver.

Qui pouvait être préparé à un tel choc ? Qui pouvait se relever face à la torture de son enfant ? En train de se noyer dans son cauchemar, Christopher dilapidait ses forces dans la stérilité de la peur.

Sarah le secoua en l'interpellant. Christopher se retourna brutalement et la frappa comme un aveugle.

Elle bloqua ses coups un par un, évitant de le blesser. Il luttait contre elle, criant de rage. Puis d'un coup, il se détourna et écrasa son poing contre l'un des murs.

Elle le laissa exploser de colère, frappant du pied dans les outils, jetant à terre les plaques de métal, jusqu'à ce qu'il s'épuise, la tête penchée, haletant d'un souffle rauque.

Il lui fallut cinq minutes au moins pour se calmer et reprendre sa respiration.

— Ça va ? risqua Sarah en cherchant son regard.

Il passa une main sur ses traits crispés et tourna la tête vers Sarah.

— Je suis désolé. Je sais pas ce qui m'a pris, c'est comme si... j'avais eu besoin de trouver un coupable.

— Je comprends, et puis je te mentirais en te disant que j'ai eu peur que tu me fasses mal, ajouta-t-elle avec un demi-sourire.

Christopher laissa échapper un souffle ironique.

Et, bizarrerie de la vie et de l'esprit, il fut saisi d'une envie irrésistible d'embrasser cette femme. Leurs regards s'accrochèrent dans une fièvre palpable. Christopher désirait tout chez Sarah. La pulpe généreuse de cette bouche avec laquelle elle savait trouver les mots justes, ce regard glacial dans lequel elle le laissait puiser du réconfort, cette nuque blanche, fine et ciselée par le sport, ces hanches qui appelaient à l'enlacement et, par-dessus tout, cette âme à la fois si distante et pourtant si généreuse.

— On a douze heures. C'est beaucoup et peu, déclara Sarah après quelques instants de flottement.

Christopher détourna les yeux, gêné d'avoir éprouvé un tel désir et plus encore de l'avoir laissé transparaître. Même s'il était certain qu'il avait perçu le même chez elle.

Mais Sarah tâchait de se convaincre qu'elle était victime d'une réaction chimique qui brouillait sa raison.

— On a cherché partout, dit Christopher en reprenant son sang-froid. Qu'est-ce qu'on peut faire de plus ?

— Je sais pas. Pour le moment, je pense qu'on a tous les deux besoin de prendre l'air.

Sarah éclaira leur chemin jusqu'à la sortie du bâtiment.

La nuit était tombée. Le vent agitait les branchages de la jungle et, témoins privilégiés de la Voie lactée, ils laissèrent à leurs esprits le temps de s'apaiser quelques instants.

Assise sur les marches de l'entrée, son bras touchant celui de Christopher, Sarah s'adossa contre la façade en levant la tête vers la voûte céleste. Elle glissa une main discrète sur son ventre.

Si elle survivait à cette affaire, au fond, que ferait-elle de retour à Oslo ? Son désir et son projet d'enfant avaient jusqu'ici alimenté l'essentiel de son plaisir d'exister. Le désir était encore là, cela ne faisait aucun doute, mais le projet s'était écroulé. Pas tant parce qu'Erik l'avait quittée. Après tout, elle pourrait certainement retrouver quelqu'un. Mais tout ce qui lui arrivait ces derniers jours lui avait montré qu'elle n'était pas guérie de ses anciennes blessures de guerre. Que ses fantômes rôdaient encore, prêts à l'entraîner de nouveau dans les coins les plus sombres et les plus désespérés de son être. Prêts à faire d'elle un être suppliant et recroquevillé pour le reste de ses jours. Comment pourrait-elle être mère alors que la folie la menaçait au moindre coup dur ? De quel droit infligerait-elle à un enfant une vie dans la peur ? Et pourtant, Dieu qu'elle avait envie d'entendre un jour une petite voix l'appeler « maman » !

Elle se pinça les lèvres pour contenir un tremblement.

À ses côtés, Christopher la sentit frémir. Sans savoir ce qui la tourmentait, il l'entoura de son bras et la serra contre lui. L'étrange fièvre qui s'était emparée de ses sangs s'était dissipée pour laisser place à la gravité.

Pour la première fois depuis qu'ils avaient quitté Paris, il repensait à sa mère. Elle qui croyait tant au paradis, elle qui avait tant fait le bien autour d'elle, où était-elle désormais ? Était-elle seulement quelque part ? Agnostique, il n'avait jamais nié la possible existence d'une forme de vie désincarnée, surtout lorsqu'il se trouvait comme maintenant, sous les étoiles, au milieu d'une jungle ondoyante sous la brise. Dans ces instants où la nature semble donner du sens à l'absurde. Mais son esprit cynique ne cessait de lui souffler qu'il n'avait pas le droit de se laisser aller à la croyance sans preuves. Même dans la souffrance, il ne pouvait renier ses principes et convictions. Alors, la peine le tenailla de nouveau.

À son tour, Sarah appuya un peu plus la tête sur son épaule sans quitter des yeux les étoiles qui lui communiquaient un peu de leur sérénité.

— Donne-moi la lampe, chuchota Christopher au bout d'un moment.

— Tu veux aller où ?

Il pointa la torche en direction d'une butte qui surplombait le bâtiment.

— Je te suis.

En s'aidant mutuellement à écraser les branchages sans dévaler au bas de la pente, ils escaladèrent le monticule jusqu'à se retrouver à son sommet.

Le mince croissant de lune leur permit tout juste de voir que la jungle qui recouvrait les flancs du volcan se clairsemait à sa base pour laisser place aux étendues arides et rocailleuses si caractéristiques de l'île. Au loin, on percevait les reflets argentés de la lune se reflétant sur la mer. Mais dans ce désert de pierres entouré d'eau à perte de vue, seules les lumières de la base militaire dérangeaient discrètement la noirceur de la nuit à environ huit cents mètres en contrebas.

Christopher reporta son attention sur le bâtiment situé à leurs pieds en essayant de visualiser à travers la toiture l'emplacement des pièces.

À ses côtés, Sarah s'accroupit et arracha plusieurs poignées d'herbe avant de tamiser un carré de terre fraîche sous la paume de sa main. Puis elle dessina les contours du baraquement de la pointe d'un bâton sur la surface de terre lisse qu'elle venait de préparer. Elle obtint vite un rectangle quasi parfait. À l'intérieur, elle creusa de minces sillons pour délimiter les pièces qu'ils avaient visitées.

D'abord le couloir de l'entrée, qui traversait le bâtiment dans toute sa longueur, la première chambre carrée en rentrant juste à gauche et la salle de bains en face. L'autre chambre au centre du couloir et enfin la vaste salle où se trouvait la console de contrôle.

Le plan tracé, une évidence sautait aux yeux.

— Oui, j'ai vu, dit Sarah avant que Christopher n'ait eu le temps d'ouvrir la bouche. Le côté droit du bâtiment est occupé par deux pièces qui, mises l'une à côté de l'autre, remplissent à peu près toute la surface construite, résuma-t-elle en faisant évoluer le rayon de la lampe sur le plan. Ça, c'est logique. En revanche, la partie gauche ne comporte qu'une chambre avec un grand espace vide à sa suite.

Christopher termina la déduction à voix haute.

— Vu la difficulté qu'ils ont dû avoir pour monter les matériaux jusqu'ici et ensuite construire leur bâtiment, il serait complètement absurde d'avoir fabriqué toute une partie qui ne servait à rien…

Ils dévalèrent la pente. Puis ils filèrent vers l'intérieur du bâtiment et entrèrent dans la première chambre à gauche.

— C'est quand même bizarre que ce soit la seule pièce vide du bâtiment et aussi la seule où n'apparaît pas le logo de la Nasa sur la porte.

Sarah approuva la justesse de la réflexion avant de désigner chaque mur un par un.

— S'il y a un passage caché ici, ça ne peut pas être sur le mur de gauche. Il donne directement sur l'extérieur. Ça ne peut pas être sur le mur d'en face, il débouche aussi sur l'enceinte. Ça ne peut être que sur le mur de droite.

Elle ressortit de la pièce et revint quelques instants plus tard avec la pioche qu'ils avaient trouvée dans le placard à l'extérieur. Elle tendit l'outil à Christopher, recula de quelques pas et orienta le faisceau lumineux vers la paroi.

Christopher empoigna la pioche et frappa de biais contre le mur. Le premier coup fit sauter un morceau de plâtre. Il frappa une deuxième fois, puis une troisième en ahanant. Au bout du cinquième impact, le mur se fissura, laissant apparaître le coin d'un parpaing.

Christopher reprit son souffle.

— Ça va pas être facile, mais tu as déjà fait une belle entaille, l'encouragea Sarah en désignant précisément une fissure au centre du mur. Vise là.

Christopher leva la pioche au-dessus de sa tête et l'abattit de toutes ses forces pile au bon endroit. La tête de pioche s'enfonça un peu plus. Il répéta son geste une dizaine de fois et, soudain, la pointe de la pioche traversa la cloison et s'enfonça jusqu'à la butée.

En poussant un râle d'effort, il fit levier. Le mur se craquela lentement. Une menue portion de plâtre tomba à terre. Christopher ne relâcha pas la pression sur la tête de la pioche et, soudain, c'est tout un pan de la cloison qui céda.

Sarah dirigea la lumière vers le trou qui s'était formé.

— La lumière passe. On dirait qu'il y a du vide de l'autre côté. Mais c'est encore trop petit pour qu'on puisse bien voir.

— Pousse-toi ! prévint Christopher.

Il donna plusieurs coups de pioche successifs jusqu'à éventrer le mur sur une surface assez large pour en casser les contours à coups de talon. Puis il jeta son outil.

Alors que des particules de poussière blanche retombaient dans le rayon lumineux, une cavité se dévoila. Un espace d'à peine un mètre carré qui semblait vide.

Mais lorsque Sarah orienta la lumière vers le sol, Christopher frémit.

Plongé dans l'obscurité, un escalier en pierre s'enfonçait sous terre.

36

Christopher échangea un regard de satisfaction avec Sarah et lui fit signe que, cette fois, il passait le premier. Il prit la torche et posa le pied sur l'escalier qui s'enfonçait sous terre.

À l'odeur de moisi qui souillait l'air se mêlèrent une senteur humide de cave et une fraîcheur qui fit se hérisser les poils de ses bras. Il descendit avec prudence. Sarah le suivait juste derrière.

Il posa le pied sur la dernière marche et balaya l'espace autour de lui avec le pinceau de lumière. Juste en face, fiché dans le mur, ils distinguèrent ce qui ressemblait à un interrupteur.

— On n'a rien à perdre à essayer, murmura Christopher en éclairant le plafond où courait un fil électrique apparent reliant des ampoules.

Il enclencha le commutateur.

Plusieurs explosions étouffées les firent sursauter. La plupart des ampoules ne s'allumèrent pas, quelques-unes sautèrent et une poignée d'entre elles irradièrent d'une luminosité rouge, révélant un couloir blanchi à la chaux qui s'élançait de chaque côté.

— C'est possible ça, des ampoules qui fonctionnent encore plus de quarante ans après ? s'étonna Sarah.

Christopher s'engageait déjà avec prudence dans la partie la mieux éclairée du couloir, à droite.

— Un classique des phénomènes paranormaux démasqués que j'ai souvent cités dans mes bouquins, répliqua-t-il en discernant devant lui une ombre au milieu du chemin.

— Autrement dit ?

— Écoute, dans une caserne de pompiers de Californie, à Livermore pour être précis, il y a une ampoule qui brille non-stop depuis 1901. Alors oui, c'est possible qu'ici, certaines tiennent encore. Pour faire simple, certains filaments en carbone ont la capacité de se renforcer avec le temps au lieu de griller. C'est juste de la physique. Quant au fait qu'il y ait de l'électricité, je ne vois qu'une explication. Cette partie du bâtiment devait être reliée à la base aérienne au pied du volcan. Putain, c'est quoi ça ?

Christopher contourna un brancard muni de sangles usées et au matelas maculé d'auréoles.

Sarah l'imita en évitant soigneusement de toucher le chariot et s'arrêta derrière Christopher, qui s'était figé au milieu du couloir.

— Regarde là.

Trois portes munies de judas venaient de se révéler dans la lumière de la torche.

Sarah ouvrit la première. Les pivots gémirent dans un larmoiement métallique et la faible lumière du couloir pénétra dans la pièce. C'était une cellule, avec seulement un lit et un cabinet de toilette, sans aucune fenêtre.

A priori un triste mais banal cachot. Sauf qu'ici, les murs étaient noirs. Noirs de graffitis. En un clin d'œil, Christopher et Sarah y repérèrent les trois formes entremêlées de l'arbre, du poisson et des flammes.

— Ça a commencé ici, murmura Christopher, à la fois fasciné et mal à l'aise.

Sarah photographia la cellule à plusieurs reprises afin de fournir à Lazar les preuves qu'il ne manquerait pas de leur demander. Les deux autres cellules étaient tout aussi sales et souillées par ces inscriptions dont la multiplicité et la nervosité du trait trahissaient une folie hystérique.

— Faites qu'il y ait une explication à tout ça, murmura Christopher en prenant de nouvelles photos.

Le couloir se terminait en cul-de-sac. Ils rebroussèrent chemin et dépassèrent l'escalier pour rejoindre l'autre extrémité du souterrain.

Une seule ampoule avait résisté dans cette partie et Christopher, qui voulut aller trop vite, se cogna contre un objet en métal qui émit un grincement.

La lueur de sa torche révéla le profil d'un étrange fauteuil roulant muni d'un corset probablement destiné à maintenir le buste et le cou.

— Là-bas, il y a de la lumière, chuchota Sarah qui préféra ne pas s'attarder sur la fonction d'un tel matériel.

Le couloir se terminait par deux portes battantes. Mais quelques mètres avant, sur le pan de mur de gauche, un éclat vacillant émanait d'une ouverture.

Ils entrèrent avec prudence dans une pièce d'une quinzaine de mètres carrés à vue d'œil.

À droite, sur une estrade, était installé un bureau en métal blanc sur lequel reposait une lampe à l'abat-jour vert diffusant une modeste lueur. Le halo lumineux parvenait à peine à éclairer une bibliothèque aux trois quarts vide, qui recouvrait le mur face à l'entrée.

De chaque côté de la bibliothèque, deux petites tables rondes supportaient pour l'une ce qui avait jadis dû être un aquarium et pour l'autre un crâne humain.

Christopher s'empressa d'aller fouiller le bureau, tandis que Sarah soulevait le crâne humain à hauteur de regard.

— Il est annoté, dit-elle.

Christopher referma le dernier tiroir dans un geste d'agacement. À l'exception d'un crayon à papier abandonné, il n'avait rien trouvé. Il rejoignit Sarah.

La surface de l'ossement était découpée en plusieurs zones légendées.

— C'est l'écriture de mon père...

On pouvait y lire « aire motrice du langage (Broca) », « gyrus angulaire », « cortex préfrontal », puis toute une série d'aires et de cortex dont Christopher ignorait tout.

Il remarqua cependant que sur la quinzaine de zones démarquées, trois étaient circonscrites de traits très épais. Elles correspondaient aux lobes pariétal, temporal et occipital.

— Si je me souviens bien de mes cours de psychologie criminelle, déclara Sarah, ton père semblait particulièrement intéressé par les trois lobes qui abritent la mémoire.

Christopher reposa le crâne et avisa les livres abandonnés dans la bibliothèque tandis que Sarah jetait un œil sur l'aquarium.

Il s'agissait en réalité d'un vivarium, comme elle s'en rendit compte en voyant le sable et les branches sur lesquels gisait le petit squelette tout en longueur de ce qui avait dû être un reptile, probablement un serpent, compte tenu de l'absence de membres.

Christopher recensa les titres des ouvrages qu'il trouva dans la bibliothèque. D'abord, deux biographies, celle de Marie-Antoinette et une autre de Thomas More. Il se demanda si elles étaient là en guise de divertissement ou si elles avaient un lien avec les recherches menées par son père. À côté se trouvait *Le Singe nu* de Desmond Morris, ouvrage que Christopher connaissait et où l'auteur analysait l'espèce humaine en la traitant avec les mêmes outils et le même vocabulaire que celui utilisé pour décrire les comportements animaliers.

Sur la dernière étagère traînaient un ouvrage sur les Vikings et un autre sur des témoignages de soldats de la guerre 14-18. Entre la couverture et la première page était glissée une fiche plastifiée. Elle représentait une coupe transversale d'un cerveau humain surmontée du titre *Le Cerveau triunique selon Paul MacLean*.

— Il nous reste onze heures pour comprendre ce que ton père cherchait. Commence à éplucher les bouquins, je continue l'exploration des pièces.

— Ça me va, répondit Christopher.

Sarah sortit et tourna à gauche pour pousser la porte qui terminait le couloir.

*

Une unique lampe fixée au-dessus de la porte éclairait par intermittence ce qui avait jadis dû être une salle d'opération. En son milieu, sous le plafonnier opératoire, se trouvait une table en métal, sans matelas et équipée de sangles. Elle était entourée de trois chariots sur l'un desquels reposait une seringue vide. À côté, une ampoule de liquide cassée avait roulé vers le bord du plateau.

Sarah la souleva à hauteur de regard et la reposa. Il ne faisait plus aucun doute qu'ils étaient au bon endroit. L'inscription « LS 34 » était imprimée sur le verre de l'ampoule.

En poursuivant son exploration, Sarah recensa deux armoires vitrées vides, un évier, et surtout un appareil qui lui rappela le dispositif qu'elle avait aperçu dans le sous-sol de Gaustad juste avant que le directeur ne déclenche l'explosion.

Cela ressemblait à un émetteur radio posé sur une table à mi-hauteur. La façade était munie de deux cadrans ronds, deux prises jack et un bouton « *On* ».

Du coin de sa manche, Sarah nettoya la poussière qui s'était déposée sur les cadrans. Le premier révéla la mesure d'une donnée appelée « HR » et dont l'aiguille pouvait aller de 0 à 220. Sarah se souvint tout de suite avoir déjà vu cette abréviation sur les machines auxquelles étaient reliés les victimes ou les témoins qu'elle avait visités à l'hôpital dans le cadre de ses enquêtes. HR correspondait au rythme cardiaque[1].

En revanche, la signification du deuxième cadran lui était étrangère. Il était bien plus large et partait à gauche de – X jusqu'à la lettre P à l'extrémité droite. Il mesurait un élément intitulé « T ».

Sarah éclaira le dessus de l'appareil et révéla une fente large de plus de vingt centimètres d'où sortait un rouleau de papier perforé sur les côtés, comme à l'époque des premières imprimantes.

1. *Heart rate* en anglais.

Sarah enclencha le bouton « *On* ». Les deux cadrans lumineux s'éclairèrent. L'aiguille du premier se plaça sur le 0 tandis que sur le second cadran, l'aiguille oscilla quelques secondes avant de se positionner au centre.

Comme il ne se passait rien, elle inspecta les parois latérales puis l'arrière du dispositif. Elle y trouva un câble d'alimentation relié à une prise murale et deux cordons terminés d'un côté par une fiche jack et de l'autre par une pastille ronde que l'on pouvait fixer sur la peau.

Et alors qu'elle cherchait à tirer les câbles jusqu'à elle, elle aperçut quelque chose par terre.

37

De son côté, Christopher avait commencé à parcourir les livres de la bibliothèque en espérant cerner la
teneur des expériences que son père avait menées sur
Lazar et ses autres cobayes. Il avait débuté par le document en apparence le plus simple, la fiche plastifiée
montrant la coupe transversale d'un cerveau humain.

L'organe était divisé en trois zones. La partie la
plus en surface du crâne était désignée par le terme
de « cerveau néo-mammalien », la seconde couche, un
peu plus profonde, était nommée « cerveau limbique »,
et la troisième, la plus petite, la plus enfouie dans le
crâne et la plus proche de la moelle épinière, avait été
baptisée « cerveau reptilien ». Christopher remarqua
que cette dernière zone était plus usée que les deux
autres, comme si on l'avait plus souvent touchée.

Christopher retourna l'affichette et y trouva un
résumé de la théorie de Paul MacLean publiée,
semblait-il, en 1969.

Le neurobiologiste expliquait qu'au cours de l'évolution, le cerveau humain ne s'était pas formé d'un
seul bloc et en une seule fois. Il était le résultat

d'une addition de trois cerveaux qui se seraient ajoutés l'un à l'autre au cours de millions d'années.

Le plus enfoui, celui qui se trouvait au centre de la spirale, était donc le plus ancien. En l'occurrence le reptilien. Celui qui assure les réflexes de respiration, de battement du cœur. Et qui guide nos réflexes et nos émotions primitives, comme la reproduction, la peur, tout ce qui touche à l'instinct de survie. Cette partie du texte était soulignée, faisant écho à l'usure de la zone concernée sur le schéma au recto.

MacLean décrivait ensuite le cerveau limbique, selon lui plus impliqué dans la fonction de mémoire, et enfin le dernier, le néo-mammalien, qui contrôlait le langage, le raisonnement logique, ce que l'on qualifie grossièrement d'intelligence.

Christopher s'apprêtait à s'emparer de l'ouvrage sur la neurobiologie quand Sarah fit irruption dans la pièce.

— Il y a une salle d'opération au fond. J'y ai trouvé deux trucs qui devraient nous intéresser. D'abord une machine à laquelle je ne comprends rien. Et puis ça…

Sarah tenait dans la main un petit dictaphone d'époque.

— Il était par terre.

— Dis-moi qu'il y a une cassette et que le lecteur fonctionne encore, la supplia Christopher.

— Il y a une cassette à l'intérieur, mais j'ai préféré attendre d'être avec toi pour vérifier si la lecture est encore possible.

Sarah appuya sur lecture et, sans surprise, rien ne se produisit. Elle retira les anciennes piles de leur compartiment puis dévissa le culot de sa lampe torche. Elle en récupéra les piles neuves et poussa un soupir de soulagement en constatant qu'elles étaient compatibles avec l'ancien dictaphone.

Christopher se rapprocha pour être sûr de ne rien rater. Sarah appuya sur la touche « *Play* ».

On entendit un son distordu et Sarah stoppa net la lecture.

— Mais qu'est-ce que tu fais ? s'exclama Christopher.

— Ce bruit, ça veut dire que la bande est tordue et qu'elle va se casser ou se déchirer.

— Montre-moi !

Sarah éloigna la cassette de la main de Christopher.

— Il faut remettre la bande droite et ensuite essayer de la rembobiner à la main. Ça demande de la patience et de la minutie. Pas sûre que tu sois en état…

— T'as raison.

Sarah remonta à l'étage, ressortit du bâtiment pour récupérer un tournevis dans la boîte à outils et rejoignit Christopher dans la salle d'étude de son père. Puis elle prit place derrière le bureau, éjecta la cassette et en dévissa la coque.

Christopher s'assit par terre, à côté de sa pile de livres, et consulta avec intérêt le manuel consacré à la neurobiologie. Le livre était si complet, si précis et si technique qu'il ne savait pas par où commencer. Il y reviendrait peut-être plus tard et s'intéressa à l'ouvrage consacré aux Vikings.

Il constata avec soulagement qu'ici, certains paragraphes étaient soulignés. Et ces derniers traitaient tous de la façon dont les Vikings terrorisaient leurs ennemis. L'auteur y développait la façon dont ce peuple parvenait à conditionner leurs enfants en leur inculquant dès le plus jeune âge la peur comme une faiblesse et une faute et non comme un réflexe naturel de protection.

À force de répétition et de coups, ils transformaient leur progéniture en véritables machines de combat.

Christopher leva les yeux de l'ouvrage, commençant peut-être à comprendre le thème qui sous-tendait les recherches de son père.

Assise derrière le bureau, tout à son ouvrage de réparation, Sarah manipulait la bande magnétique tordue avec une précision et une précaution qui confinaient à la chirurgie. Elle avait récupéré le crayon à papier qui traînait encore là et l'utilisait pour manipuler la bande sans la souiller de ses doigts. Quand elle l'aurait remise à plat, elle n'aurait plus qu'à la rembobiner en faisant tourner les moyeux grâce au crayon à papier.

Poussant un soupir en se massant la nuque, Christopher regarda sa montre. Dans six heures trente maintenant, Lazar allait les rappeler.

— T'en es où ? pressa-t-il Sarah.

Elle se redressa, prenant elle aussi quelques secondes de répit. La bande s'était avérée beaucoup plus emmêlée et tordue qu'elle ne le croyait. Elle n'avait aucune certitude de parvenir à la rembobiner sans la déchirer.

— Laisse-moi encore un peu de temps, se contenta-t-elle de répondre. Et toi, tu trouves quoi ?

— Il y a quelque chose qui se dessine, mais faut que j'en lise plus.

Christopher se remit au travail et s'empara du *Singe nu* du zoologiste Desmond Morris. Il fut surpris de voir qu'un seul passage avait été souligné. Le paragraphe sélectionné expliquait que certaines phobies humaines, comme celles des araignées ou des serpents, avaient très probablement une origine évolutive profonde puisqu'elles étaient universelles chez l'homme. En d'autres termes, elles étaient l'héritage de nos ancêtres, qui eux-mêmes n'étaient pas encore des hommes.

À cette lecture, Christopher commença à sentir que son intuition se confirmait.

Il rangea *Le Singe nu* à ses côtés et ouvrit l'un des derniers livres oubliés sur la bibliothèque : un recueil de témoignages sur les pires moments de vie des soldats de la guerre 14-18. Il lui fallut deux heures supplémentaires pour tous les lire, mais, lorsqu'il eut terminé l'étude du dernier paragraphe, son cœur battait un peu plus vite.

Avant de livrer sa conclusion à Sarah, il voulut être certain de n'avoir rien raté. Et ce qu'il apprit dans les biographies de Marie-Antoinette et de Thomas More faillit lui arracher un cri de victoire. Pour chacune de ces biographies, les seules pages soulignées racontaient la terreur des deux condamnés à mort et comment l'un et l'autre, au fond de leur prison, avaient vu leurs cheveux blanchir en l'espace d'une nuit.

Christopher referma les dernières pages et se tourna vers Sarah.

— Je crois que j'ai compris...

Sarah releva lentement la tête de sa bande magnétique, interrogeant Christopher du regard.

— Leurs recherches concernaient la peur. Avec un grand P. C'est le sujet récurrent souligné dans chacun des ouvrages...

— ... et le patient 488 de Gaustad est mort de peur.

Christopher se leva, comme saisi par une révélation, oubliant presque la gravité du moment.

— Mon père et ses associés étudiaient donc les mécanismes de la peur chez l'homme. Mais, en s'intéressant tout particulièrement au cerveau reptilien, ils cherchaient à décrypter non pas les peurs, mais la peur au sens universel. Celle qui se meut au fond du cerveau de toute l'espèce humaine. La peur originelle gravée, qu'on le veuille ou non, dans notre mémoire collective. Et par conséquent, celle contre laquelle on ne peut pas lutter.

Sarah approuva en développant l'idée de Christopher.

— Et on peut aisément supposer que si la CIA était mêlée à ça et que ton frère a soupçonné une application militaire, c'est que les recherches de ton père et de ses associés visaient la fabrication d'une arme. Une espèce d'arme psychologique capable de déclencher une peur incontrôlable chez n'importe quel ennemi.

— Exactement, approuva Christopher, ravi de voir que Sarah aboutissait à la même conclusion que lui. Restent trois questions : comment ont-ils procédé pour essayer d'identifier cette peur ? L'ont-ils trouvée ? Et à quoi ressemble-t-elle ?

— Si la peur qu'a ressentie le patient 488 a pu le tuer, on peut supposer que la réponse à la seconde question est oui, répondit Sarah. Les cobayes qui ont servi ici aux expériences de ton père ont éprouvé la peur absolue.

Elle semblait troublée, mais le moment n'était pas à la réflexion.

— Pour les deux autres questions, reprit-elle, il nous manque des pièces du puzzle. Les seuls éléments tangibles à notre disposition sont cet étrange appareil de mesure dans la salle d'opération et cette bande magnétique.

Christopher regarda sa montre. Il leur restait quatre heures et vingt-deux minutes exactement pour répondre à Lazar.

— Termine ton travail sur la cassette, je vais voir cette machine.

Christopher quitta précipitamment la pièce pour rejoindre la salle d'opération.

À la lueur de sa lampe de poche, il repéra vite l'appareil dont lui avait parlé Sarah.

Il fut lui aussi incapable de donner plus de sens à la deuxième jauge surmontée de la lettre T et graduée de la notion – X jusqu'à l'énigmatique lettre P. Il eut beau imaginer toutes sortes d'hypothèses sur la signification de ces lettres, aucune ne lui sembla cohérente.

Il inspecta de nouveau l'appareil avec une minutie infinie, à la recherche d'une inscription, d'un petit bouton qu'ils n'auraient pas vus. N'importe quoi qui puisse l'aider à percer le mystère de cette boîte.

C'est au cours de ce nouvel examen qu'il souleva la machine et y découvrit une mince plaque de métal vissée.

Il trouva un scalpel avec la pointe duquel il parvint à desserrer les quatre vis, retira la lamelle métallique et révéla deux minuscules boutons. Au-dessus du premier était écrit « *Reset* » et au-dessus du second « *Memory* ».

Christopher fonça vers une des armoires vitrées de la salle d'opération et en ouvrit les tiroirs. La plupart contenaient des restes de bandages, des sachets en plastique et même quelques ustensiles médicaux. Ce n'est que dans un carton abandonné au fond du placard le plus bas qu'il trouva des fournitures de bureau, dont un paquet de rubans d'impression encore sous film. Il déchira le plastique et retourna vers l'imprimante où il remplaça les vieux rubans secs par les nouveaux.

Une fois que tout lui sembla en ordre, il appuya sur le bouton « *Memory* » censé restituer la ou les dernières impressions effectuées. Puis il attendit, les yeux rivés sur l'appareil, retenant son souffle.

Soudain, les rails de l'imprimante se calèrent, comme s'ils s'apprêtaient à lancer une impression. Christopher serra le poing contre ses lèvres.

— Démarre ! Démarre, bordel ! fulmina-t-il.

Sa voix résonna dans la grande salle. Il se pencha au-dessus de l'appareil pour vérifier que rien ne coinçait le mécanisme et retint son souffle quand l'aiguille à imprimer se mit à frapper contre le ruban dans un grésillement aigu.

Quand la première feuille sortit centimètre par centimètre, il mit un peu de temps à saisir ce qu'il voyait. C'est lors de la seconde impression qu'il comprit.

Et lorsque l'imprimante cracha la troisième feuille, il laissa échapper un souffle de stupéfaction.

Il s'empara des trois documents et retourna voir Sarah en courant.

*

Épuisée par son travail d'horloger, Sarah terminait de tendre la bande qu'elle avait enfin redressée sur les têtes de lecture. Un dernier tour de crayon et elle releva la tête en laissant échapper un long soupir. Elle avait terminé.

Christopher déboula au même moment dans la pièce en brandissant des feuilles.

Sarah lui fit signe de ne pas faire de bruit.

— J'ai terminé de rembobiner la bande. Écoute.

Christopher se figea quand l'inspectrice appuya sur la touche « *Play* » du vieil appareil.

On entendit un souffle, des bruits de manipulation, puis une voix. Christopher frissonna en reconnaissant celle de son père.

« *12 septembre 1968. Deuxième année et quarante-six jours de recherche, Nathaniel Evans. Le LS 34 s'est avéré être un très bon accélérateur de régression sous hypnose sur nos trois patients. Nous avons ce matin atteint le troisième palier temporel que nous ne pensions franchir que dans une quinzaine de jours. Le graphortex fonctionne mieux que nous l'espérions et offre une lisibilité troublante des images le plus émotionnellement impactantes générées dans l'esprit de nos sujets sous hypnose... Les données visuelles imprimées sont... conformes aux étapes évolutives majeures du genre humain... Nous devons cependant pousser plus loin la régression afin d'obtenir le résultat cherché et fournir au département de la Défense des éléments exploitables...* »

Il y eut d'autres bruits mécaniques et l'enregistrement se termina.

Christopher et Sarah écoutèrent en silence la fin de la bande, espérant recueillir d'autres confessions, mais on ne percevait plus qu'un souffle. Sarah laissa malgré tout le magnétophone tourner pour être certaine de ne rien rater.

Sans dire un mot, Christopher tendit les trois feuilles qu'il avait imprimées et guetta la réaction de Sarah.

À son tour, elle n'en revint pas. Sur chacune d'elles s'étalait un dessin grossièrement tracé, mais dont la forme était reconnaissable : un poisson, un arbre et des flammes.

— Où as-tu trouvé ça ?

— C'était dans la mémoire de l'appareil, le graphortex, murmura Christopher. Et si j'ai bien compris, ces images viennent du cerveau des cobayes que cette machine a été capable d'enregistrer et de retranscrire.

Sarah mit un temps avant de se reprendre. La découverte était difficile à assimiler.

— Ces impressions sont les images que les cobayes voyaient dans leur tête au cours de leur séance d'hypnose. Celles qu'ils reproduisaient inlassablement ensuite sur les parois de leurs cellules.

Christopher avait peine à y croire lui-même.

Sarah reprit les feuilles et les contempla à nouveau.

— Résumons. Les recherches de ton père tendaient à identifier la peur universelle, celle qui serait commune à toute l'espèce humaine. Et pour cela, il aurait inventé un appareil capable d'enregistrer et d'imprimer les images produites par le cerveau de ses cobayes. Des cobayes soumis, semble-t-il, à une hypnose qualifiée de régressive. Autrement dit qui remonte dans le temps, si je ne me trompe pas. Et ce sont ces trois symboles du poisson, de l'arbre et du feu qui en résultent chaque fois, quel que soit le cobaye…

— Sur l'enregistrement, mon père parle à un moment d'atteindre le troisième palier, dit Christopher en allant chercher la fiche plastifiée présentant la découpe triunique du cerveau humain.

— Autrement dit… tu penses qu'ils ont fait régresser leurs cobayes jusqu'à explorer les souvenirs inconscients contenus dans le cerveau reptilien. À se remémorer des émotions qui ne font pas partie de leur propre vécu, mais de celui de l'espèce humaine… Là où se trouvent les réflexes incontrôlables, et la peur à l'état pur. Admettons, mais la signification des trois symboles, c'est quoi, c'est la représentation de cette peur universelle ?

Christopher ne répondit pas tout de suite. Et puis tout d'un coup, il saisit le manuel de neurobiologie qu'il avait parcouru quelques heures plus tôt sans rien y comprendre.

Il chercha avec succès un chapitre consacré au cerveau triunique. Il lut quelques lignes et s'arrêta.

— Non, ce ne sont pas les symboles de la peur.

— Alors, c'est quoi ? demanda Sarah, inquiète.

— Je...

— Quoi ? Qu'est-ce que t'as lu ?

Christopher se mordit l'intérieur de la joue, regarda Sarah d'un air dépassé, puis se mit à relire le passage qu'il venait de consulter. À voix haute et d'un débit haché.

38

— *Le cerveau reptilien aurait environ quatre cents millions d'années, ce qui remonterait à l'époque où les premiers êtres vivants complexes vivant dans l'océan, en l'occurrence les poissons, sortent de l'eau et développent des facultés adaptées à la vie terrestre.*

Christopher fit une pause, s'humecta les lèvres et reprit :

— *Le cerveau limbique s'est formé il y a soixante-cinq millions d'années, au moment où apparaissent les premiers bipèdes qui vivaient et ont vécu pendant plusieurs millions d'années dans les arbres. À la fois leur lieu de vie au sens propre, puisqu'ils s'y déplaçaient et y dormaient pour se protéger des prédateurs, mais aussi leur source principale de nourriture.*

Sarah avait peine à croire ce qu'elle entendait et, pourtant, tout semblait si logique. Christopher acheva la démonstration.

— *Et enfin, le troisième cerveau, le néo-mammalien n'aurait que trois millions six cent mille ans, ce qui correspond à l'apparition des australopithèques et à la découverte du feu, qui va radicalement changer l'évolution de ce qui va devenir l'espèce humaine.*

Il referma le livre et se tourna vers Sarah, qui regardait sans y croire les feuilles imprimées du poisson, de l'arbre et du feu. Ces trois symboles enfouis au fond de chacun d'entre nous.

— La deuxième jauge sur l'appareil est une mesure temporelle, ajouta Christopher qui avait désormais assez d'éléments pour comprendre. Le T veut dire *Time*, le P, *Present*, et le − X correspond à la date extrême jusqu'à laquelle ils comptaient faire remonter les souvenirs de leurs patients.

La voix de Christopher mourut dans le silence jusqu'à ce qu'une autre voix résonne dans la pièce. Elle provenait du dictaphone que Sarah avait laissé tourner. C'était toujours le père de Christopher qui parlait, mais le ton était plus fatigué et moins détendu que précédemment.

« *3 février 1969. Troisième année et trente-quatre jours de recherche. L'un de nos sujets est décédé hier dans la nuit. Dans la journée, il avait été soumis à notre nouveau palier de régression et avait plutôt bien résisté... il avait dépassé les deux milliards et demi d'années... À son réveil, il n'a pas semblé reconnaître l'endroit où il se trouvait. Il s'est rendormi d'un sommeil profond. Au petit matin, nous l'avons retrouvé mort, la bouche ouverte comme dans un cri... Aujourd'hui, nous procédons à la même expérience sur notre sujet n° 2 afin de comprendre ce qu'il s'est passé. Nous pensons que les sujets résistants à l'expérience sont extrêmement rares et que leur point commun est une capacité exceptionnelle à affronter la peur. Les psychopathes feraient un excellent matériau d'études. Mais nous avons à notre disposition une dizaine de sujets, dont deux espions russes qui se sont révélés particulièrement intéressants. Nous fondons de grands espoirs sur ces derniers. Nous les avons par conséquent isolés et marqués au front de façon visible afin d'éviter la perte de temps dont nous avons été victimes lorsque tous nos sujets d'expérience se sont échappés de leurs cellules et mélangés les uns aux autres dans l'espoir de mener une mutinerie. Nous avons appris de nos erreurs et nous sommes peut-être sur le point de trouver ce que nous cherchons depuis le début... »*

La voix du père de Christopher s'éteignit.

— Tu peux avancer ? Il a dû parler de la suite après !

— La bande est fragile, répondit Sarah. Si on la casse, c'est terminé...

Christopher regarda de nouveau sa montre.

— Ça peut durer combien de temps ?

— Je dirais deux ou trois heures.

— Il sera trop tard ! L'ultimatum de Lazar sera dépassé. Il doit nous rappeler dans... deux heures et quarante-six minutes.

— Et si on déchire la bande, je n'arriverai jamais à la réparer.

Christopher commença à marcher de long en large dans le bureau, guettant le moindre bruit sur l'enregistrement.

Soixante minutes intenables s'écoulèrent dans le silence. N'en pouvant plus, Christopher voulut accélérer la bande, mais Sarah le stoppa dans son élan. Au fond, c'est ce qu'il espérait qu'elle fasse, mais il n'avait pu s'empêcher d'essayer. Ses yeux cernés luisaient de fatigue et d'angoisse. Il faisait presque peur à voir.

— Encore une heure, dit-elle.

Christopher reprit ses allers et retours dans le bureau. Sarah sentait elle aussi la fébrilité la gagner et elle ne savait pas si elle tiendrait encore longtemps sans s'écrouler. Ils étaient tous deux à bout de nerfs.

Et soudain, on entendit des bruits sur la bande enregistrée. Sarah sursauta, aux aguets. Christopher, qui s'était assis par terre, se releva brutalement. Des voix lointaines s'approchaient du dictaphone. Des gens s'agitaient, un homme donnait des ordres.

« — *On va le tuer, docteur !*

— *Tenez-le, bordel, et injectez-lui la dose !* »

Christopher venait de reconnaître une nouvelle fois la voix de son père.

« — *Il est... à moins cinq milliards, monsieur...* dit une voix inconnue. *C'est trop dangereux.*

— *Donnez-moi ça !* »

Des râles de plus en plus forts commençaient à prendre le pas sur les voix.

« — *Le HR est à plus de 220 depuis trois minutes, monsieur ! Il va pas tenir !*

— *Maintenez-le, j'injecte la dose dans 5, 4, 3, 2, 1, injection.* »

On n'entendit plus que le son strident des appareils médicaux.

« — *Le cœur tient*, dit une voix. *Il vit.*

— *Bien... Que donne la graphortex ?* » demanda Evans.

Pas de réponse.

« — *Salander ! Le graphortex ?*

— *Monsieur...* balbutia l'infirmier d'une voix chevrotante.

— *Quoi ?*

— *Il vient de se passer quelque chose...* »

— *Parlez, bordel !*

— *Ça n'a pas de sens... l'aiguille aurait dû s'arrêter là. On est au-delà de l'époque du cerveau reptilien et... et... elle continue à remonter dans le temps.* »

L'homme s'arrêta de parler, comme s'il ne parvenait pas à formuler sa pensée.

« *Monsieur... je crois que l'on vient de découvrir un autre cerveau... encore plus ancien.* »

*

Christopher et Sarah étaient concentrés sur le haut-parleur.

« — *Il ne bouge plus, monsieur,* dit une voix. *Son cœur est proche de l'arrêt cardiaque !*

— *Nous sommes à combien d'années, Salander ?* demanda Evans.

— *Nous venons de dépasser les...* »

Mais l'infirmier fut coupé dans sa phrase par l'arrivée d'un son étrange et dérangeant.

« — *Qu'est-ce qu'il se passe ?* demanda Evans. *Pourquoi le cobaye est-il en train de pousser ce cri ?*

— *Je ne sais pas, monsieur... je... mon Dieu, c'est quoi ce bruit ? C'est insoutenable.* »

Le son se fit assourdissant. On aurait dit une note qui ressemblait à la lettre U, prononcée avec la croissance sonore d'un avion au décollage. À leur tour, Christopher et Sarah se sentirent mal à l'aise. Leur gorge se serra et l'angoisse à l'état pur les étrangla.

« *Faites-le taire !* » hurla Evans.

On entendit des cris de panique sur la bande enregistrée. Des objets métalliques tombaient par terre. Christopher et Sarah s'étaient recroquevillés dans un coin de la pièce, en position fœtale, les mains plaquées sur les oreilles, saisis d'une peur incontrôlable. Le temps s'était arrêté, ils n'étaient plus que des êtres écartelés par une indicible et infinie terreur.

Et subitement, le son se tut.

Quand ils reprirent conscience, ils pleuraient, sans même savoir pourquoi. Avec seulement la certitude d'avoir vécu une expérience humainement insoutenable.

La voix de Nathaniel Evans se fit de nouveau entendre, rapide, saccadée même.

« 25 février 1969. Troisième année et cinquante-six jours de recherche. L'étude de ce que nous avons désormais appelé le Cri nous a pris plus de temps que prévu. Une partie de l'équipe, dont moi-même, a mis quelques jours à se remettre de... l'incident... L'enregistrement a été soumis au ministère de la Défense, qui nous a indiqué que les effets testés grandeur nature étaient bien supérieurs à leurs attentes. Et que pour eux, notre travail était terminé. Mais nous avons bien évidemment poursuivi l'analyse de ce cri. Et nos recherches ont donné des résultats bien plus troublants que ce que nous pensions. Pour commencer, le son émis par notre sujet a été soumis à plusieurs experts en musicologie, à un panel de médecins et même d'anthropologues. Leur conclusion a été unanime : ce son est impossible à produire par un humain. En approfondissant nos recherches, nous avons alors fait une découverte... Le cri émis par notre sujet est similaire (le père de Christopher reprit sa respiration) *au son originel de l'univers capté par nos satellites. Plus précisément, sa fréquence est la même que le rayonnement fossile du bruit émis par le Big Bang*

appelé aussi fond diffus cosmologique. (On entendit Nathaniel Evans avaler sa salive avec difficulté.) *Or notre sujet a émis ce cri alors que sa régression indiquait moins quinze milliards d'années. Soit la date de la création de l'univers...* »

Christopher se tenait le visage entre les mains, la bouche entrouverte de stupéfaction. Sarah essayait de garder la tête froide.

— On a ce que Lazar voulait, dit-elle en repoussant les pensées vertigineuses qui tournoyaient dans sa tête. Nous savons enfin en quoi consistait le projet 488. Remontons à l'étage pour capter l'appel de Lazar.

Christopher acquiesça. Il était 2 h 58 du matin.

Ils allaient quitter le bureau du père de Christopher, impatients de pouvoir fournir à Lazar le sésame qui sauverait Simon, quand un grésillement se fit entendre dans le dictaphone. La voix de Nathaniel Evans crépita. Franche et satisfaite.

« *Tiens, mon vieil ami, voici ton repas...* »

On entendit un couinement animal, puis la voix reprit :

« *Compte tenu des résultats obtenus de l'expérience Pavor, nous pouvons désormais passer... au projet 488.* »

Suivirent un déclic et le bruit sourd d'un frottement. Puis l'enregistrement s'arrêta.

Christopher chercha dans le regard de Sarah une confirmation de ce qu'il venait d'entendre. Mais il était trop tard pour réfléchir. Lazar serait ponctuel et pas question de le faire attendre, même si les dernières paroles d'Evans anéantissaient la valeur de leur découverte.

— Mens ! ordonna Sarah en s'élançant vers les marches de l'escalier menant au rez-de-chaussée.

Ils venaient tout juste de débouler à l'étage quand son téléphone sonna.

Christopher reprit sa respiration et décrocha.

— Les douze heures sont écoulées. Je vous écoute, murmura Lazar.

39

Johanna gémit dans son sommeil. Assis à ses côtés, Hotkins l'observait depuis qu'elle s'était endormie une heure après le décollage. Il aurait aimé savoir de quoi étaient faits les rêves d'une tueuse à gages.

Par instinct, Johanna se réveilla et jeta à son coéquipier un regard méfiant.

— Ça avait l'air pénible comme rêve, dit Hotkins, l'air de l'encourager à se confier.

Johanna n'avait aucune envie de lui révéler l'intimité de ses peurs. De ce cauchemar récurrent où elle se retrouvait adolescente. Elle était seule chez elle, un camarade venait sonner à sa porte. Au début, il avait l'air gentil et puis il se mettait à lui demander où étaient ses parents. Elle lui répondait qu'ils étaient morts, tués par des cambrioleurs. Le jeune garçon ne la croyait pas et se mettait à chercher dans toute la maison, vidant les armoires, retournant les lits alors qu'elle lui criait d'arrêter. Puis il se faisait menaçant, accusant Johanna de mentir. En larmes, elle lui répondait une nouvelle fois qu'ils étaient morts. Alors, son camarade exigeait de savoir où on était quand on était morts. L'échange pouvait durer des heures jusqu'à ce que Johanna se jette du haut de l'escalier de la maison pour mettre un terme à son tourment. C'est là qu'elle se réveillait.

— Ils ont eu de la chance, hier, dit Johanna en ignorant la question d'Hotkins. Sur l'île, ils seront seuls.

Hotkins secoua la tête d'un air amusé.

— T'es énervée parce que tu t'es fait battre par cette inspectrice et que t'as dû redemander des visas à Davisburry en l'obligeant à faire jouer ses anciens contacts à la CIA... C'est ça ?

Effectivement agacée par son échec, Johanna ne répondit pas.

— Pourquoi tu fais ce boulot ? reprit Hotkins.

La tueuse fronça les sourcils.

— Je demande ça, poursuivit Hotkins, parce que j'imagine que tu fais ce job depuis un certain temps et que t'as dû mettre pas mal d'argent de côté. Pourquoi t'arrêtes pas pour vivre tranquillement au lieu de risquer de te faire buter tous les jours ?

Johanna le dévisagea.

— Parce que j'aime ce boulot, ça t'irait comme réponse ?

Elle avait riposté sans ciller alors que la vérité était tout autre. Elle exerçait ce métier parce qu'elle ne savait rien faire d'autre, parce qu'on n'avait jamais voulu comprendre qu'elle rêvait d'une existence apaisée. Personne n'avait eu la générosité de croire qu'elle était capable de s'accomplir autrement qu'en tuant.

— T'as jamais peur, dans ton métier ? insista Hotkins en avalant un verre de soda.

Johanna soupira.

— C'est un ancien Marine qui me demande ça ?

— Moi, je peux te répondre : oui, j'ai eu peur, plusieurs fois même. Mais j'ai la foi et je sais où j'irai après, quand tout s'arrêtera.

Johanna hocha la tête d'un air faussement convaincu.

— Tu ne crois en rien, c'est ça ? insista Hotkins.

— Je ne crois que ce que je vois.

— Je ne sais pas comment vous faites. Je n'arrive pas à comprendre comment vous, les athées, faites pour ne pas avoir peur de la mort. Si comme vous le dites, vous ne croyez vraiment en rien, je me demande comment vous faites pour vivre au jour le jour sans céder à la panique.

Les paroles d'Hotkins perturbèrent suffisamment Johanna pour qu'elle perde patience.

— Pour le moment, ce sont mes cibles qui devraient paniquer, pas moi. Et puis arrête de te prendre pour un confesseur, ça m'énerve. J'ai pas l'intention de mourir si vite.

Hotkins haussa les épaules et termina d'avaler le fond de son verre.

— T'as une idée de ce que Davisburry veut garder secret en nous envoyant là-bas ?

— C'est pas mon problème et, logiquement, pas le tien non plus.

Johanna se leva pour aller se chercher à boire au fond de l'avion afin de dissimuler son inconfort. Elle supportait de moins en moins que Mark Davisburry lui donne des ordres de mission sans l'informer de ses motivations. C'était soi-disant pour la protéger, mais elle commençait à le prendre pour un manque de confiance et d'estime.

Quand elle revint s'asseoir une dizaine de minutes plus tard, William Hotkins avait oublié sa question et déplié le plan de l'île de l'Ascension sur lequel le centre de recherche était clairement indiqué à flanc de volcan.

Johanna s'empara d'un autre plan encore plié à côté d'Hotkins. Celui du baraquement signalant notamment l'emplacement de l'escalier qui conduisait à l'étage inférieur, où ils avaient reçu l'ordre de tout brûler.

— On agira à mains nues. Je m'occuperai du fils d'Evans, tu te chargeras de l'inspectrice. Comme elle connaît désormais ma façon de me battre, elle sera plus surprise avec toi. Méfie-toi, elle est… efficace.

— OK.

Et ils se mirent tous deux à étudier les différentes manières de procéder sur place afin de ne laisser aucune chance à leurs cibles de s'en sortir vivantes.

40

Christopher avait la tête qui tournait.

— Alors, vous avez trouvé ce que je veux ? insista Lazar, impatient.

Christopher avisa le magnétophone posé sur la table. Au cas où il aurait perdu ses esprits, Sarah lui intima l'ordre silencieux de ne rien dire de ce qu'il venait d'entendre.

— Oui, nous avons trouvé ce que vous cherchez depuis toutes ces années, osa Christopher.

— J'imagine que vous savez ce qu'il se passera si vous êtes en train de me mentir.

— Je veux parler à Simon. Passez-le-moi.

Après quelques secondes, Christopher perçut une faible respiration dans le combiné.

— Simon, mon chéri, c'est moi…

Pas de réponse.

— Simon, tu m'entends ?

— Oui, répondit le petit garçon d'une voix étranglée.

— C'est bientôt fini, d'accord, je vais venir te chercher. Très vite. Comme promis. D'accord ?

— Humm…

— Dis-moi, mon chéri, est-ce que tu as mal quelque part ?

— J'ai froid...

Christopher se pinça les lèvres. En entendant le filet de voix chevrotant de Simon, une vague de larmes lui brûla les yeux. La gorge nouée, il n'arrivait plus à parler. Il imaginait Simon, les yeux rouges de larmes, terrorisé, grelottant et regardant par terre tandis qu'on lui tenait le téléphone près de l'oreille.

Bouleversé, il sentit le regard de Sarah l'envelopper de courage. Il tourna la tête vers elle et puisa un surplus de sang-froid dans ses yeux si attentifs et si confiants.

— Tu sais, mon chéri, je n'ai jamais vu un garçon aussi courageux et fort que toi ! Jamais ! Quand on racontera ça à Alice, elle n'en reviendra pas. Je...

— Ça suffit, le coupa Lazar. La réponse.

— Quand et comment vais-je retrouver Simon ? répliqua aussi sec Christopher.

Lazar souffla d'agacement.

— SerguEï...

Christopher pâlit.

— OK, OK, voici ce qu'on a trouvé. Laissez Simon tranquille, d'accord ?

— Il ne craint rien tant que vous dites la vérité, répondit Lazar.

— Bon, écoutez bien. Nathaniel Evans et son équipe cherchaient à déterminer la peur absolue chez l'humain pour en faire une arme à des fins militaires. Ils se sont servis de vous pour explorer les zones les plus enfouies du cerveau à travers toute une série d'expériences sous hypnose et sous une drogue dérivée du LSD, le LS 34.

Lazar ne réagissant pas, Christopher poursuivit et lui raconta ce qu'ils avaient appris de l'exploration du cerveau reptilien, de la signification des trois symboles de l'arbre, du poisson et du feu, et enfin du cri originel similaire à celui de l'écho des confins de l'univers. Quand il eut terminé, il attendit le cœur battant une réaction qui ne venait pas.

— Vous savez tout, conclut-il.

— Pourquoi le projet s'appelait 488 ?

La voix de Lazar avait tranché le silence comme une lame de guillotine. Le regard de Christopher se brouilla un instant. Sarah se mordit la lèvre.

— Je… je… ne sais pas, mais qu'importe, vous savez ce qu'ils vous ont fait et pourquoi, bafouilla Christopher. Maintenant, libérez Simon.

— Le projet Pavor, c'est ce dont vous venez de me parler, n'est-ce pas ?

— Non, je vous parle du projet 488 ! mentit Christopher, livide.

— Au début, ils parlaient toujours du projet Pavor… la peur en latin… Oui, c'est ça. Mais à la fin, ils évoquaient sans cesse le projet 488 entre eux. Chaque fois qu'ils nous traînaient dans leur salle d'expérience et qu'ils nous ramenaient dans notre cellule, ils n'évoquaient plus Pavor, mais 488. C'était donc autre chose.

— Non, c'est pareil, insista Christopher. Ce sont juste deux appellations différentes. On a tout fouillé ici, il ne reste plus rien d'autre. Je vous jure que vous savez tout, tout ce qu'il est possible de savoir !

— Je ne crois pas. Je crois que vous n'avez fait que la moitié du travail.

— Mais on ne peut pas faire plus ! Vous m'entendez ! Vous me demandez l'impossible ! C'est une ruine abandonnée ici ! C'est un miracle qu'on ait déjà réussi à retrouver tout ce qu'on vous a dit ! Un miracle !

Ce n'est pas parce que vous ferez du mal à Simon que les documents réapparaîtront ! J'ai rempli ma part du contrat, remplissez la vôtre ! Libérez Simon et dites-moi où il est !

On n'entendit plus que le souffle maladif de Lazar, jusqu'à ce qu'il formule sa sentence.

— Comme vous avez bien travaillé, je ne vais pas couper la main de votre gamin tout de suite. Mais je reste persuadé que si vous avez trouvé des traces du projet Pavor, vous en trouverez du projet 488.

— Mais il n'y a plus rien !

— Sauf que cette fois, ajouta Lazar imperturbable, je vous laisse une heure avant d'ordonner à Sergueï de poursuivre ce qu'il a commencé sur le bras du petit.

— Non !

— Soixante minutes.

Lazar raccrocha alors que Christopher se laissait glisser le long du mur.

— Il reste forcément des éléments de réponse ici ! On va les trouver !

— Même si c'est le cas, il nous a fallu près de huit heures pour reconstituer le premier projet. On a une heure ! Une simple petite...

Sarah ne laissa pas à Christopher le temps de terminer sa phrase et redescendit en toute hâte dans le bureau de Nathaniel Evans.

Elle parcourut une nouvelle fois du regard la pièce dans laquelle ils avaient passé plusieurs heures à attendre. Elle revit la bibliothèque, le vivarium, le bureau et eut une intuition.

— Dans l'enregistrement que l'on vient d'entendre, ton père semble nourrir un animal, en l'appelant mon vieil ami, n'est-ce pas ? Et juste après, on perçoit une espèce de couinement.

Christopher braqua ses yeux vers le vivarium.

— Oui, dit Sarah, il était dans cette pièce quand il a enregistré ce passage. Or tu n'as peut-être pas fait attention, mais juste après avoir dit qu'il pouvait s'atteler au projet 488, on a entendu un petit déclic suivi du bruit de quelque chose qui frotte par terre.

— Un passage secret ?

— C'est fort probable.

Christopher avisa immédiatement la bibliothèque. À deux, ils poussèrent le meuble de l'épaule, ne révélant derrière qu'un mur plein.

— Il doit y avoir un mécanisme. Logiquement sous le bureau.

— Dépêche-toi ! cria Sarah. Nos deux poursuivants ne vont pas tarder à arriver non plus.

Christopher se précipita vers le bureau, glissa la main sous le plan de travail et ne mit pas longtemps à découvrir le bouton. Il l'enclencha. Le mur qu'il venait de mettre à nu émit une plainte mécanique en entamant un pivotement.

— *Yes!* cria Christopher. T'es un génie, Sarah !

Christopher bondit vers elle pour la rejoindre. Mais à l'exclamation de triomphe succéda la plus cruelle des déceptions. Le mur ne s'escamota qu'à peine.

— Non, non ! s'écria Christopher en poussant dessus de toutes ses forces.

Sarah l'aida, mais le mécanisme était grippé et le mur ne se déplaça pas d'un millimètre de plus.

Brûlant d'épuisement et de rage, Christopher frappa du poing contre la paroi.

— Je vais chercher la pioche.

Il se rua vers la sortie et se figea. Il venait d'apercevoir un faisceau de lumière éclairer le coude du couloir.

Il rebroussa chemin en silence.

— Ce sont eux, chuchota-t-il, effrayé.

Sarah vérifia d'un rapide mouvement de tête.

— Il y a de fortes chances... Leur avion a atterri depuis un moment. Fais exactement ce que je te dis...

Christopher chercha à se calmer alors qu'une peur panique montait en lui.

— D'abord, ne pars pas du principe qu'ils sont plus forts que nous, murmura Sarah. On peut y arriver. OK ?

Christopher fit mine de la croire, mais il sentait bien qu'elle-même avait peur.

— Je vais les attirer vers moi.

— Mais tu n'arriveras jamais à les affronter toute seule.

— On n'a pas le choix. Ce sont des pros. Tu n'as pratiquement aucune chance contre eux. En attendant, prends le dictaphone, c'est une preuve pour Lazar... au cas où. Bref, prends-le et donne-moi un livre.

— Quoi ?

— Un livre !

Christopher ne comprenait pas comment ils allaient pouvoir sortir vivants de ce guêpier ni ce que Sarah envisageait de faire avec un livre, mais il s'exécuta.

Entre-temps, Sarah saisit la lampe posée sur le bureau et déchira d'un coup de dents un petit morceau du tissu de l'abat-jour. Puis elle retira l'une des quatre tiges de métal soutenant l'armature en tissu.

Sans se retourner, elle saisit le livre que lui tendait Christopher, coinça la tige entre les pages en la laissant dépasser et l'enfonça d'un coup sec dans la prise électrique. Le court-circuit provoqua une flamme qui s'échappa du mur et on entendit plusieurs ampoules exploser dans le couloir.

— L'obscurité sera à notre avantage. Je vais te donner du temps pour les contourner.

— Sarah, chuchota Christopher en lui posant la main sur le bras, si… je n'y arrive pas. Je t'en conjure, sauve Simon.

Elle détestait faire des promesses qu'elle ne pourrait peut-être pas tenir. Au plus profond d'elle-même, elle lui jura qu'elle ferait tout ce qu'elle pourrait, mais, en façade, elle préféra le rassurer.

— Ce ne sont que des humains que l'on doit affronter, d'accord ? Et ils ne peuvent pas être armés. N'oublie pas ça. Dès que je suis sortie, tu te glisses dehors à plat ventre et tu rampes pour rejoindre l'étage. De là, ne m'attends pas, cours vers la base militaire. On se retrouve là-bas.

Christopher acquiesça machinalement.

Sarah lui adressa un dernier regard dans lequel il discerna la lueur d'une parole refrénée, mais elle demeura silencieuse et s'approcha de la porte.

*

Hotkins avançait à pas feutrés dans le couloir souterrain, seulement éclairé par sa lampe torche braquée devant lui. Johanna le suivait en marchant à reculons, couvrant leurs arrières.

Ils avaient descendu l'escalier menant au sous-sol et obliqué tout de suite à gauche. Ils venaient de bifurquer au coude du couloir.

Hotkins toucha Johanna à la cuisse pour lui signifier de s'arrêter. Elle tourna la tête et il lui indiqua la porte du bureau. Elle venait tout juste de remarquer qu'elle était entrebâillée lorsque le battant s'ouvrit à la volée, libérant une silhouette féminine qui se précipita vers la salle d'opération.

— Sors de là ! Ils arrivent ! hurla Sarah comme si elle s'adressait à quelqu'un enfermé dans le bloc opératoire.

Hotkins et Johanna captèrent tous les deux la fugitive dans le faisceau de leur lampe. Hotkins s'élança à sa poursuite.

Johanna lui emboîta le pas et s'arrêta juste avant de franchir la porte à double battant. Elle avait étudié le plan du bâtiment et il n'était pas logique que l'inspectrice crie à son coéquipier de sortir, puisque la seule issue était justement le couloir où elle et Hotkins se trouvaient. Pourquoi lui aurait-elle ordonné de se jeter dans la gueule du loup ?

D'un rapide mouvement circulaire, elle braqua sa lampe vers la porte de la pièce d'où l'inspectrice était sortie en courant et s'approcha de l'entrée à pas de velours.

*

Christopher se figea. À plat ventre sur le sol, il avait suivi le conseil de Sarah à la lettre et profité de sa diversion pour ramper discrètement hors du bureau et tout de suite longer le mur à plat ventre en espérant rejoindre l'escalier menant à l'étage.

Il avançait lentement en priant à chaque mouvement de ne pas faire de bruit en frottant le sol maculé de minuscules résidus de béton.

Alors, lorsque le rayon de lumière passa juste au-dessus de sa tête, il crut que c'en était fini. Il s'arrêta de respirer, tapi dans l'ombre. On entendit un violent choc de métal dans le bloc opératoire. La tueuse se retourna brièvement vers l'origine du bruit avant de reconcentrer son attention sur son objectif.

D'une démarche lentement déroulée, elle passa juste derrière Christopher. Sa lampe et sa vigilance étant braquées sur la porte, elle ne pouvait pas le voir. Prudente, elle stoppa avant d'entrer à moins d'un mètre des pieds de Christopher, qui s'était arrêté de respirer.

Elle poussa le battant du bout des doigts et attendit que le grincement des gonds prenne fin pour pénétrer courbée dans le bureau.

Christopher se redressa sans faire de bruit et marcha accroupi, avec encore plus de précautions, espérant que les battements affolés de son cœur ne s'entendent pas. Puis, arrivé à l'escalier, il déroula ses pas sur les marches pour gagner l'étage supérieur.

Johanna avait rapidement constaté que la pièce d'où était sortie l'inspectrice était en réalité vide. Ils avaient été dupés. Elle en ressortit en courant et rejoignit l'escalier en un instant.

Elle aperçut tout juste le dos de Christopher et sauta de marche en marche pour le rattraper.

41

En courant à l'aveugle dans le bloc opératoire, Sarah s'était cognée contre un chariot de soins qui s'était renversé par terre dans un boucan assourdissant. Elle eut tout juste le temps de se cacher derrière un brancard que Hotkins pénétra dans la salle avec fracas.

Il inspecta l'endroit de sa lampe et progressa, aux aguets. Sarah se figea et sut qu'elle devrait frapper la première si elle voulait avoir une chance de battre son adversaire, plus fort qu'elle.

Hotkins fouillait la pièce, prêt à frapper à tout moment. Et alors qu'il longeait le brancard derrière lequel Sarah était cachée, la civière lui rentra dedans avec force au niveau du ventre.

Sa puissante musculature abdominale lui permit d'encaisser le coup et, plus rapide que Sarah ne l'avait prévu, il lui saisit le bras pour la tirer à lui d'un mouvement brusque.

Sarah fut projetée au sol, le bras tordu dans le dos. Tout était allé si vite qu'elle n'avait pas eu le temps de réagir. Après tous ces efforts, toute cette fuite, elle était à sa merci et il allait la tuer.

Alors, au lieu de suivre le mouvement de contorsion que Hotkins appliquait sur son bras, elle força brusquement dans le sens inverse. On entendit un craquement osseux suivi d'un déchirant cri de douleur quand son épaule se déboîta.

Pris de court, Hotkins ne put éviter le pied avec lequel Sarah le faucha en se retournant. Il perdit l'équilibre et se rattrapa au mur. Sarah le frappa à la tête de sa main valide, puis lui décocha un coup de genou dans l'entrejambe.

Elle s'apprêtait à le cogner de nouveau, mais il bloqua son geste et, la retournant comme une poupée, la plaqua au mur en l'étranglant. Sarah tenta de se libérer, mais aucune de ses tentatives ne fit céder la résistance de son adversaire.

Les doigts d'Hotkins serraient son cou pour lui briser l'os hyoïde. Elle ne respirait plus et se débattait comme un poisson à l'agonie. Son visage n'était plus qu'une boule de douleur. Sa dernière pensée fut pour Christopher, à qui elle aurait voulu demander pardon. Pardon d'avoir échoué.

*

Christopher courait, possédé par la peur de l'animal traqué. Il fit irruption dans la chambre qui abritait l'entrée de l'escalier secret, se précipita au-dehors et détala de toutes ses forces vers la sortie du baraquement. Derrière lui, il entendit le talonnement rapide de sa poursuivante.

Les poumons en feu, il atteignit la porte d'entrée et réalisa trop tard qu'elle était bloquée par une chaîne et un cadenas. Leurs adversaires avaient tout prévu.

Christopher se retourna. Johanna n'était qu'à dix mètres de lui. Il faillit se recroqueviller par terre en attendant la mort, mais son instinct le guida dans la première pièce, l'une des chambres abandonnées. Il s'accroupit derrière une commode, tremblant de tout son corps. Il était piégé, sans armes, sans savoir se battre, traqué par une femme dont le métier était de tuer.

Il chercha autour de lui de quoi frapper, mais il n'y avait rien. Il plongea même la main dans sa poche en espérant y trouver quelque chose. Et à cet instant, la porte s'ouvrit avec fracas.

*

Johanna poussa la porte d'un coup de pied, méfiante malgré la vulnérabilité de sa cible. Le vieux matelas jeté au sol, la table de chevet poussiéreuse et la commode branlante étaient tels qu'ils les avaient trouvés lors de leur premier passage. Mais le journaliste restait invisible.

Elle entra avec précaution lorsqu'il lui sembla entendre des chuchotements provenir de derrière la commode. Interloquée, Johanna braqua sa lampe dans la direction des murmures et éclaira la forme accroupie de Christopher, blotti derrière la paroi latérale du vieux meuble. Il était là, attendant la mort telle une bête apeurée, les mains plaquées sur les oreilles, comme s'il préférait ne pas savoir quand le coup fatal l'achèverait.

Ignorant les chuchotements dont elle ne comprenait pas la provenance, Johanna se planta devant lui et empoigna ses cheveux. Christopher lutta contre le réflexe de se débattre et garda les mains écrasées sur ses oreilles. Johanna lui tira la tête en arrière et l'abattit contre le coin de la commode lorsqu'un cri épouvantable la transperça avec tant d'acuité qu'elle perdit tout contrôle de son corps.

Lâchant la tête de sa victime, elle tituba en frappant dans le vide, balayant la lampe de chevet posée sur la commode puis tombant à genoux, terrassée par l'angoisse, les bras ballants, envahie par une peur dont rien ne pourrait la délivrer.

Quand le son s'arrêta enfin, son regard était voilé de larmes, son cœur n'était plus qu'affolement et son être entier était frappé d'asthénie.

C'est là que, du coin de l'œil, elle saisit l'ombre au-dessus d'elle. Mue par des réflexes ancrés en elle depuis des années, elle trouva la force de se relever.

Christopher ne s'y attendait pas et, bien que Johanna ait agi avec une piètre célérité, il paniqua. Elle plongea sur lui et ils chutèrent tous deux dans une explosion de poussière.

Johanna cherchait la gorge de Christopher.

Il se débattit violemment, y croyant à peine lui-même, et elle finit par lâcher prise. Il se remit debout tandis que Johanna se redressait à son tour, chancelante, l'esprit encore désorienté. Christopher prit son élan et la percuta d'un coup d'épaule.

La tueuse bascula à la renverse. Son crâne heurta le coin de la commode et son menton retomba sur sa poitrine, comme la tête trop lourde d'une poupée de chiffons.

Les cheveux en désordre, brûlant d'une fièvre qu'il ne connaissait pas, Christopher s'approcha de la tueuse inerte, s'agenouilla et tâta son pouls avant de reculer d'un pas.

— Merde…

Elle vivait encore.

Il regarda par terre et repéra la lampe de chevet brisée. Il en ramassa le pied en bois et arma son bras pour achever sa victime.

Sa main tremblait, ses mâchoires se crispèrent d'une haine qui n'était pas dans sa nature.

Il allait devoir la frapper à plusieurs reprises jusqu'à ce que son crâne éclate, comme un bourreau s'acharne sur un condamné dont il n'a pas réussi à trancher la tête du premier coup.

Plusieurs secondes d'un éprouvant combat interne s'écoulèrent et Christopher renonça. Il était incapable de tuer de sang-froid.

Furieux contre lui-même, il déchira des bandes de tissu dans les draps du vieux matelas puis ligota fermement les pieds et les mains de la tueuse avant de la bâillonner. Il la traîna ensuite jusqu'aux tuyaux de chauffage fixés au mur et la ligota avec fermeté.

Quand il fut certain que, même éveillée, elle ne pourrait pas bouger d'un centimètre, il fouilla ses poches et y trouva un billet d'avion aller-retour entre Ascension et Brize Norton, un passeport et surtout un plan du bâtiment dans lequel ils étaient.

Il le déplia et ses yeux s'arrêtèrent rapidement sur un détail qui lui procura une nouvelle poussée d'adrénaline : à côté du bureau de son père une autre salle était effectivement signalée et une note précisait que le passage secret s'ouvrait bien grâce à un bouton situé sous le bureau. La zone était reliée à une flèche rouge se terminant par l'annotation « détruire en priorité ».

Christopher s'assura une nouvelle fois des liens qui retenaient la tueuse. Il s'apprêtait à rejoindre Sarah quand il constata que le dictaphone gisait brisé sur le sol. La cassette était elle aussi écrasée et la bande déroulée et déchirée.

Il rejoignit l'escalier souterrain, récupérant la pioche au passage. Sachant qu'il ne pourrait désormais plus compter sur le cri enregistré pour sauver sa vie, il descendit les marches en étouffant la lumière de sa torche sous ses vêtements, attentif au moindre bruit, et inquiet de ne pas avoir de nouvelles de Sarah.

Quand il atteignit le coude du couloir qui menait à la salle d'opération, il aperçut une très faible lueur, provenant non pas du bureau de son père, mais bien du bloc médical.

Et soudain, son sang se glaça. De la salle d'opération, Sarah venait de hurler son nom dans une plainte de supplication.

Son premier réflexe fut de courir pour aller vers elle. Mais il se ravisa brutalement. Et si c'était un piège ? Et si le type qui l'avait suivie l'attendait derrière la porte pour le tuer ? Non, Sarah n'aurait jamais cédé, même sous la torture.

Elle appela de nouveau Christopher dans un cri qui se termina en sanglots. Elle qui ne laissait rien transparaître ni de ses joies ni de ses peurs, elle hurlait. Christopher frissonna en imaginant ce qu'elle endurait pour renier le courage et la retenue qui ne semblaient jamais la quitter. Elle avait besoin de lui comme lui avait eu besoin d'elle jusque-là. Il devait lui venir en aide.

Christopher était mortifié par son dilemme. Le dernier ultimatum de Lazar allait arriver à expiration d'une minute à l'autre. Et s'il profitait du fait que le second tueur était occupé avec Sarah, il aurait le temps d'ouvrir le passage secret, de trouver les dernières réponses et de sauver Simon. En revanche, s'il essayait de sauver Sarah, il risquait sa vie avec une quasi-certitude et par conséquent condamnait Simon.

Dévasté par la honte, chassant la culpabilité avec toute la rage de l'amour qu'il avait pour son fils adoptif, Christopher détourna le regard de la porte à double battant et entra dans le bureau. Il se précipita vers le passage secret entrouvert et y glissa la tête de la pioche pour faire levier. Il s'appuya sur le manche et poussa de toutes ses forces. Le mur avança de quelques millimètres seulement. Il recommença, manqua se tordre le poignet, mais le mur ne bougea plus. Exténué, Christopher en aurait pleuré de rage. Tout seul, il n'aurait pas la force de pratiquer une ouverture pour s'y faufiler. Il ne restait plus qu'une solution.

42

Elle crut d'abord que c'était dans son rêve, ou plutôt son cauchemar. Mais la voix se fit plus proche, plus réelle. Et elle ouvrit les yeux.

— C'est bien, mon enfant… Réveille-toi, car tu vas bientôt t'endormir pour longtemps.

Sarah sentit la douleur irradier dans son bras. Elle voulut saisir son poignet, mais elle était ligotée à une chaise. La voix venait de son dos.

— Quelle heure est-il ? souffla-t-elle.

— Quelle heure est-il ? répéta Hotkins. C'est la première fois que j'entends quelqu'un me demander ça avant de mourir. Mais je vais te répondre, il est 4 h 08 précisément.

L'ultimatum expirait à 4 h 30.

— Où est Christopher ?

— Mort entre les mains de ma charmante coéquipière.

Une lame de désespoir et de souffrance faucha le cœur de Sarah.

— Logiquement, tu devrais être morte toi aussi, poursuivit Hotkins. Mais tu as de la chance, tu es tombée sur moi. Sur quelqu'un qui aime que ses victimes partent en paix. Malheureusement, aujourd'hui, nous n'avons guère de temps. Alors, tu vas devoir faire vite.

Sarah n'écoutait plus. Plus rien n'avait de sens.

— Croyez-vous en Dieu, madame Geringën ?

Elle ne répondit pas. La peine écrasait ses dernières forces.

— Croyez-vous en Dieu ?! hurla Hotkins au visage de l'inspectrice.

Sarah ferma les yeux, le corps et l'esprit brisés, sentant revenir l'ombre qu'elle avait réussi à contenir ces dernières soixante-douze heures. Cette envie morbide de tout abandonner, de se laisser mourir pour ne plus souffrir.

— Dans une minute, je vous aurai ôté la vie, Sarah. C'est le temps qu'il vous reste pour vous confesser.

Hotkins déclencha un chronomètre sur sa montre.

— Apaisez votre conscience avant de faire face au Seigneur. Dites-moi ce qui vous pèse sur le cœur et Dieu vous pardonnera.

— Christopher ! hurla Sarah.

— Il te reste cinquante-cinq secondes pour partir libre.

Dans un dernier espoir, elle s'abandonna et appela Christopher, comme pour lui dire au revoir, avant que sa gorge se noue dans un sanglot.

Hotkins s'agenouilla devant elle.

— Il est trop tard. Tu vas voir la fin et tu as forcément un poids qui pèse sur ton cœur. Pars sereine. Tu le mérites.

Sarah laissa retomber la tête sur sa poitrine. Elle était allée au bout de son être.

On n'entendait plus que le tic-tac de la montre d'Hotkins.

— Confesse-toi, ma fille, et Dieu te pardonnera.

Sarah sentit les mains du tueur se positionner autour de son cou.

— Il te reste quinze secondes…

L'étreinte se fit plus étouffante. Alors, soudain, elle sentit comme une ultime envie de délivrance avant de quitter la vie.

— Pardonnez-moi, les enfants. Toi, petite âme de huit ans que j'ai fauchée d'une balle, dans ce champ de blé, alors que tu venais me demander pourquoi j'avais tué ton papa. Pardonne-moi.

Sarah tremblait et sa voix n'était plus qu'un hoquet.

— Et toi, petite âme que j'ai tant désirée et que je n'ai pas été capable de faire naître. Pardonne-moi de ne pas avoir su garder ton père auprès de moi. Pardon de ne pas avoir réussi à t'offrir… la vie que j'avais tant rêvée pour toi…

Sarah ne pouvait plus parler, les larmes noyaient ses yeux et la peine étranglait sa voix. Hotkins lui jeta un regard méprisant.

— Dieu ne pardonne pas tout, siffla-t-il.

Et il resserra sa poigne d'acier sur le cou de sa pécheresse.

*

Caché derrière la porte, Christopher avait entendu la confession de Sarah. Même si ce n'était pas le moment d'y penser, il fut bouleversé de mesurer le poids des culpabilités que Sarah portait.

Reprenant ses esprits, il empoigna avec plus de fermeté le manche de la pioche. Et quand il entendit

Hotkins lâcher « Dieu ne pardonne pas tout », il s'introduisit dans la pièce.

Le tueur lui tournait le dos, les mains autour du cou de Sarah, qui ne se débattait plus. Christopher prit une inspiration, puis se releva et se précipita vers Hotkins, qui se retourna vers lui au moment où la tête de pioche se plantait dans sa clavicule.

Hotkins hurla de douleur et chuta en arrière. L'artère sous-clavière sectionnée, le sang s'épanchant par saccades de son épaule.

Christopher abandonna la pioche plantée dans le corps d'Hotkins et se précipita vers Sarah. Immobile, le visage livide, le menton reposant sur sa poitrine, Christopher ne savait même pas si elle était encore vivante. Il posa un doigt sur sa jugulaire et perçut une faible pulsation. Il jeta un œil vers Hotkins qui tentait de retirer la pointe de pioche en poussant des râles de rage et de douleur. Puis il commença à délier les liens qui maintenaient Sarah prisonnière. Les cordelettes qui la ligotaient étaient tellement serrées que Christopher avait un mal fou à défaire les nœuds. Et il venait tout juste de libérer une jambe de Sarah lorsque Hotkins retira la pioche plantée entre son cou et son épaule.

Le second nœud se délia, puis celui qui emprisonnait les poignets ne tarda pas à céder. Christopher prit le visage de Sarah entre ses mains.

— Sarah ! Réveille-toi !

Hotkins essayait de se relever et venait de poser un genou à terre. Pris de panique, Christopher gifla Sarah. Elle gémit et il faillit soupirer de soulagement, mais le tueur se tenait désormais sur ses deux jambes, courbé, une main écrasée sur la plaie de son épaule. Même à l'agonie, il était encore terrifiant.

— Sarah, bordel ! Vite !

Il la secoua par les épaules et la gifla une nouvelle fois. Elle ouvrit les yeux et le regarda comme si elle n'était pas certaine d'être morte ou vivante. Christopher cherchait autour de lui quelque chose pour frapper Hotkins tant qu'il était encore affaibli. Il repéra un scalpel, s'en empara et s'approcha du tueur qui le fixait de son œil hargneux.

Christopher le contourna aussi vite qu'il le put, poussa contre lui des chariots pour le déstabiliser et se rua en pointant son scalpel vers l'avant.

Hotkins lui saisit le bras de sa main valide avec une habileté imprévisible et fit plier un genou à Christopher de sa poigne d'acier. Il le traîna jusqu'à lui, le redressa contre son torse et lui écrasa la gorge avec le pli de son bras. Asphyxié, Christopher réalisa qu'un voile noir tombait devant son regard. Mais soudain l'étreinte se desserra et Christopher aspira l'air par grandes goulées.

Sarah retira la seringue qu'elle venait d'enfoncer dans l'oreille d'Hotkins. Le colosse s'éloigna d'une démarche désordonnée, bousculant les chariots avant de s'écrouler dans un capharnaüm d'objets métalliques chutant en tous sens.

— Vérifie qu'il est mort ! souffla Sarah.

— On n'a plus le temps. L'ultimatum expire dans dix-huit minutes ! Et puis, même s'il n'est pas mort, il va se vider de son sang !

Sarah massa son cou martyrisé en savourant l'air qui glissait dans sa gorge et ses poumons pendant que Christopher ramassait la pioche à la tête ruisselante de sang.

Puis il passa le bras de Sarah autour de son cou pour l'aider à marcher jusqu'à la porte de l'ancien bureau de son père.

*

Alors qu'ils progressaient dans le couloir, Sarah regarda Christopher, incrédule. Comment était-il parvenu à survivre à la tueuse à gages sans son aide ? Elle n'en revenait pas.

— Il m'a dit que tu étais mort, qu'elle t'avait tué.

— Il n'avait aucune raison de te donner de l'espoir.

— Où est la tueuse ?

— Ligotée, à l'étage.

Sarah demeura muette de surprise.

— Non, je ne suis pas un agent secret de la CIA, j'ai juste eu une idée et de la chance, affirma Christopher. Je te raconterai plus tard.

Ils franchirent le seuil du bureau et Sarah rassura Christopher en lui disant qu'elle pouvait marcher seule.

Puis elle s'éloigna de quelques pas, leva le bras dont l'épaule était déboîtée, et forma un angle à 90° avec son coude.

Christopher lisait la douleur dans la crispation de sa bouche. Mais elle ne s'arrêta pas et tendit les deux bras en même temps au-dessus de sa tête. Malgré le cri que Sarah laissa échapper, on entendit nettement l'os de l'épaule luxée glisser pour reprendre sa place.

Elle s'accorda une petite minute, puis fit signe à Christopher qu'elle était prête.

Ils se dirigèrent tout de suite vers le mur en partie escamoté. Sarah ne fut pas longue à remarquer que l'interstice était un peu plus entrouvert que précédemment.

Elle en déduisit que Christopher avait essayé de poursuivre l'ouverture du passage seul. Et compte tenu du timing qu'elle pouvait imaginer, il l'avait forcément fait alors qu'elle criait son nom depuis la salle d'opération. Christopher était-il alors venu la sauver par choix ou par obligation, parce qu'il ne parvenait pas à terminer l'ouverture du passage tout seul ? Sarah réalisa que la réponse lui importait peu. Car, même s'il avait agi par intérêt, elle avait l'honnêteté de s'avouer qu'à sa place, elle aurait fait le même choix pour sauver son enfant. Et de toute façon, elle lui devait la vie.

— À deux, on devrait arriver à l'ouvrir suffisamment pour se faufiler, lança Christopher. Je vais faire levier et peut-être que tu peux essayer de pousser sur la paroi en même temps.

Sarah hocha la tête et se mit en position pour appuyer sur le mur de toutes ses forces. Christopher fit levier et le passage s'agrandit d'un petit centimètre.

— Ça va marcher ! Encore deux ou trois fois et ce sera bon.

Sarah était livide. Christopher se demandait jusqu'à quand elle tiendrait. Mais ils n'avaient pas le choix.

Ils s'y reprirent à quatre fois avant que l'interstice ne s'agrandisse pour leur permettre de passer de profil.

Au bord de l'évanouissement, Sarah se laissa glisser à terre, indiquant à Christopher d'entrer d'un mouvement de main.

Il se positionna de biais et se faufila de l'autre côté.

43

De ce qu'il vit à la lueur de sa lampe, la pièce devait faire à peine dix mètres carrés. Un épais tapis grenat recouvrait l'intégralité du sol. À droite du passage se trouvait un bureau en bois sculpté et, sur le mur du fond, une bibliothèque sur laquelle reposaient une rangée d'ouvrages et un classeur.

Christopher se précipita vers le bureau alors que Sarah venait de parvenir à se glisser à son tour par le petit espace mural.

— Jette un œil dans la bibliothèque, lui ordonna Christopher en ouvrant les tiroirs à toute vitesse.

Le plan de travail était vide et les deux tiroirs de droite aussi. En revanche, dans le premier tiroir de gauche, il trouva une chemise en carton marquée d'un onglet « Résultats expériences ».

Brûlant d'impatience, il l'ouvrit et déchanta rapidement. Il reconnut une liasse des mêmes feuilles d'imprimante sur lesquelles avaient été éditées les formes du poisson, de l'arbre et des flammes. Sauf qu'ici, elles étaient vierges ou partiellement tachées.

Agacé, Christopher referma le tiroir et ouvrit celui d'en dessous. Il entendit quelque chose glisser sur le fond. Il tâtonna à l'aveugle et retira une autre chemise.

De son côté, Sarah faisait glisser la lueur de sa torche sur le dos des livres et constata avec étonnement que tous étaient du même auteur : Carl Gustav Jung.

Un des pères fondateurs de la psychanalyse aux côtés de Freud, crut-elle se rappeler, si sa mémoire des cours de psychologie était bonne.

Elle poursuivit son inspection jusqu'à éclairer le classeur sur lequel était inscrit « Notes et références ». Elle était sur le point de l'ouvrir quand Christopher l'appela.

— Sarah, je crois que j'ai trouvé quelque chose.

Elle approcha et lut le titre de la chemise cartonnée que Christopher venait de poser sur le bureau. « *Intervention audition budgétaire CIA 13/04/69 – Justifications théoriques du Projet 488* ».

— On dirait la rédaction d'un discours, lança-t-il après avoir parcouru les premières lignes. Écoute…

Christopher se mit alors à lire vite et à voix haute :

« *Mesdames, messieurs les administrateurs. Monsieur le directeur Mark Davisburry. Comme vous le savez, le programme Pavor a abouti à des résultats plus que probants en situation réelle de combat. De ce fait, nombre d'entre vous ont demandé à juste titre que vous soit clairement expliqué le procédé qui a permis d'obtenir cette arme que l'on peut décrire comme le cri de la peur originelle.*

Voici donc la genèse de notre recherche.

Comme vous le savez depuis les lumineuses découvertes de Freud, nous sommes tous dotés d'un inconscient : ce faux puits de l'oubli qui conserve tous les souvenirs de notre histoire personnelle, même ceux que l'on croyait avoir oubliés ou que l'on aurait voulu oublier.

Mais ce que nous avions ignoré jusqu'ici, c'est qu'au-delà de cet inconscient personnel, il en existe un autre. Nous devons sa découverte au docteur Carl Gustav Jung, qui a brillamment élargi le travail de son prédécesseur Sigmund Freud. Ce génie a prouvé l'existence d'un inconscient non pas individuel mais, cette fois, collectif et commun à toute l'espèce humaine, présent de façon similaire, chez chaque individu, quels que soient son vécu, sa culture ou son origine géographique. Cf. note 38. »

Christopher s'arrêta.

— Putain, c'est quoi cette note 38 ?!

— Attends… rétorqua Sarah. Éclaire-moi.

De sa main valide, elle ouvrit le classeur qu'elle venait de trouver sur les étagères. Des dizaines d'intercalaires chiffrés s'empilaient entre des feuilles.

— Là, la note 38, dit-elle.

Et à son tour, elle lut à voix haute :

« Note 38 : l'originalité des travaux de Jung sur la psyché humaine et la psychologie des profondeurs nous a particulièrement interpellés lorsqu'il a rejoint la CIA en 1943. Jung était entre autres chargé d'établir le profil psychologique des officiers de l'armée nazie afin de nous aider à anticiper leurs réactions et à adapter notre stratégie. Une forme de mariage expérimental de l'espionnage et de la psychanalyse. Afin de conserver son anonymat, il a alors été nommé agent secret sous le matricule 488. »

— Jung agent secret pour la CIA, s'étonna Christopher. Sous le matricule 488… C'est en son honneur que mon père et ses camarades ont donc donné ce numéro à leur programme...

De plus en plus sidéré par ce qu'il découvrait, Christopher reprit néanmoins la lecture du discours de son père, toujours à voix haute :

« *Au cours des années quarante, j'ai donc eu l'occasion de discuter à plusieurs reprises avec le Dr Jung et d'aborder des sujets qui allaient bien au-delà de ses fonctions officielles. Jung ne cessait de sourire à l'idée que nous voulions explorer l'espace, marcher sur la Lune, sonder les profondeurs des océans pour en percer les mystères, alors que pour lui toutes les découvertes que nous pourrions faire étaient déjà là, dans notre cerveau. Tout simplement parce que chaque homme qui naît porte déjà en lui le souvenir de toute l'expérience de l'espèce. Comme il le disait si bien. Cf. note 54.* »

Christopher tourna la tête vers Sarah qui feuilleta le classeur en hâte et trouva le passage correspondant :

« *Nous ne sommes pas d'aujourd'hui, ni d'hier, nous sommes d'un âge immense.* »

Christopher s'arrêta un instant, troublé par l'implication de ce que Sarah venait de lire. Il poursuivit malgré tout, presque inquiet de ce qu'il allait y trouver :

« *Cet inconscient collectif est en quelque sorte le thésaurus de la mémoire de l'espèce, ou si vous préférez l'album-souvenir de l'humanité depuis la nuit des temps. Les traces primitives de nos ancêtres humains, mais aussi non humains. De tous ceux qui nous ont précédés dans l'évolution.*

Mais je connais vos esprits rationnels et soucieux de douter de ce type de propos. Alors comment Jung a-t-il fait cette formidable découverte de l'inconscient collectif ? Grâce à ses nombreux voyages et à ses études minutieuses, pour ne pas dire maladives, des religions, des mythes et des spiritualités de la plupart des cultures humaines. Au cours de ses recherches, Jung a eu la stupeur de découvrir combien les symboles, les grandes histoires mythologiques, les contes et les rêves de peuples éloignés dans le temps et dans l'espace pouvaient être les mêmes ! Le mythe du déluge se déroule chaque fois de la même façon, aussi bien chez les juifs que chez les Grecs, les hindous, les Chinois, les Mayas et bien d'autres peuples alors qu'ils n'avaient aucun moyen de communiquer entre eux et que certains de ces peuples ignoraient jusqu'à l'existence des autres ! Le mythe de la création est lui aussi identique jusqu'à la caricature chez des civilisations appartenant à des continents différents et n'ayant jamais eu aucun contact. Pour n'en citer qu'un, la Genèse biblique offre un récit similaire presque ligne par ligne avec celui du Popol Vuh des Mayas. Cf. note 68. »

Le frôlement des feuilles que l'on tourne fut suivi de la voix de Sarah :

« *Dans les deux récits mythologiques, la succession des étapes de la Création est exactement la même. D'abord de l'eau étendue à l'infini, puis la terre, puis le souffle du vent qui donne la vie, la végétation, les animaux, et seulement enfin les hommes. Dans cet ordre et pas un autre ! Pourquoi ? Comment l'expliquer autrement que par un inconscient commun à l'espèce humaine ? Par un savoir enfoui et intuitif issu de souvenirs dont nous n'avons même plus conscience.* »

Christopher regarda Sarah. Elle avait l'air aussi troublée que lui. Il continua à lire la suite du discours de son père, de plus en plus attentif.

« Cette description de la Création que l'on retrouve donc dans tous les mythes correspond de surcroît, vous en conviendrez, à l'évolution telle que nous la connaissons aujourd'hui grâce à nos recherches scientifiques ! Tout se passe en fait comme si nous avions, gravée en nous, la chronologie de l'histoire de la vie ! On pourrait parler ici d'archéologie mentale. L'exemple le plus frappant qui démontre cette théorie est le cas du patient Emil Schwyzer. Cf. note 12... »

« Cet homme schizophrène était interné à la clinique de Zurich (où travaillait Jung), commença Sarah, et voyait au cours de ses délires un soleil muni d'un phallus dont les balancements produisaient le vent. Jung ne parvenait pas à comprendre cette névrose si précise et si originale recensée chez aucun autre patient dans la littérature psychiatrique et psychanalytique pourtant déjà abondante à cette époque. Jusqu'à ce qu'il tombe sur une obscure traduction du culte de Mithra, un dieu indo-iranien dont les premières traces remontent à deux mille ans avant notre ère et dont la vénération s'est éteinte aux environs du IIIe siècle : selon ce culte, le vent est produit par un tube suspendu au soleil. Ce mythe de Mithra ne pouvait absolument pas avoir été connu du patient Schwyzer... qui en avait pourtant l'exacte représentation mentale. Peut-être n'était-ce qu'une coïncidence, mais la précision de la description de la vision du malade et sa similitude avec ce mythe ancestral sont, avouons-le, saisissantes. »

Ni Sarah ni Christopher n'avaient jamais entendu parler de ce cas et, malgré l'urgence du moment, ils en perçurent toute l'implication.

— On arrive à la dernière partie du texte, commenta Christopher. La réponse que l'on cherche doit être là :

« *Aujourd'hui, l'existence de cet inconscient collectif semble donc avérée et j'insiste sur ce point, pas seulement chez les schizophrènes ou les personnes atteintes de troubles mentaux : chez tout le monde. Rendez-vous compte qu'autour de cette table, nous sommes tous habités par ces traces de notre passé commun. Chacune des personnes que nous croisons dans la rue, nos voisins, celui qui fait la queue devant nous au supermarché ou qui s'assoit sur le siège d'à côté dans le métro, chaque individu, sans le savoir et en vaquant à ses occupations quotidiennes, transporte avec lui la mémoire de l'existence sur des millions d'années.*

Reste une question. Où réside cet inconscient archaïque dans notre cerveau ? Comment se transmet-il ? Est-il codé biologiquement dans notre ADN comme le sont nos réflexes de survie ? Pour Jung, cette approche physique n'est pas la bonne. Le cerveau ne serait qu'un moyen biologique de formuler ces réminiscences originelles. L'inconscient collectif est transmis de génération en génération via la seule entité qui nous survive après notre disparition, dans la couche la plus profonde de notre être : l'âme.

Mais nous sommes ici entre gens de raison, entre gens de sciences, et une hypothèse ne peut nous suffire. Il nous faut des preuves... Cette âme existe-t-elle ? Où se trouve-t-elle pendant la vie ? Et plus important encore, où se trouve-t-elle avant la naissance et après la mort ?

Le programme Pavor nous a permis de mettre au point un appareil révolutionnaire, le graphortex, capable, grâce à des techniques d'hypnose appuyée par le psychotrope LS 34, de décoder les ondes cérébrales pour les transformer en images lisibles, sur le même principe qui a jadis permis de décoder les ondes radio pour les transcrire en paroles ou en sons intelligibles. Les régressions mentales auxquelles nous avons soumis nos patients nous ont permis de remonter la mémoire de l'humanité jusqu'à la création de l'univers et son chant d'origine, prouvant ainsi les hypothèses de Jung sur la conservation des événements fondateurs de l'espèce au sein de notre inconscient archaïque.

Notre ambition, mesdames et messieurs, est de mener une expérience révolutionnaire capable de transformer l'existence humaine pour toujours en perçant scientifiquement la plus grande énigme de notre condition : l'existence et l'immortalité de l'âme.

Mais pour cela, nous avons besoin de votre autorisation pour utiliser le graphortex afin de voir ce qu'il y a... après la mort. »

44

Le halo de la lampe torche diffusait une lueur qui éclairait à peine les visages de Christopher et de Sarah. Et ni l'un ni l'autre ne trouvait les mots pour formuler son malaise.

— C'est de la folie, laissa finalement échapper Christopher.

— Lazar va téléphoner d'une seconde à l'autre, c'est pas le moment de réfléchir à ce que l'on vient de lire.

En l'espace d'un flash, Christopher revit son père assis dans son fauteuil à la maison, feuilletant le journal comme si de rien n'était alors que toutes ces idées et ces recherches vertigineuses tournaient en boucle dans sa tête. Comment faisait-il pour ne rien montrer ?

Christopher consulta sa montre. Lazar allait appeler dans quelques minutes. Il était prêt.

Ils attendirent en silence, tous deux troublés, réfléchissant aux implications de ce qu'ils venaient de lire.

Quand le téléphone sonna, Christopher décrocha tout de suite.

— Vous avez trouvé la bonne réponse ? demanda immédiatement Lazar.

— Quand je vous aurai donné ce que vous cherchez, où retrouverai-je Simon ?

— Je vous indiquerai une adresse dans un endroit peu fréquenté. Il sera là et vous attendra.

Christopher s'humecta les lèvres.

— Nous avons finalement mis au jour une pièce secrète attenante au bureau de mon père. Elle contenait cette fois des documents révélant, vous aviez raison, la véritable teneur du projet 488. Je vais vous lire ce que nous avons trouvé. Cela devrait vous suffire à vous prouver l'authenticité de ce que vous allez entendre.

— Je vous écoute, répondit Lazar de sa voix fatiguée et malade.

Christopher prit une inspiration et lut l'intégralité du texte et des notes à Lazar.

Un long silence suivit ses derniers mots. Il regarda Sarah, son cœur tapant contre sa poitrine, attendant le verdict de vie ou de mort du ravisseur de Simon.

— L'âme… répéta Lazar. C'est donc ça dont votre père cherchait à prouver l'existence… Votre père était une ordure, mais un génie à qui on aurait dû donner tous les moyens dont il avait besoin pour aller au bout de sa recherche.

— Maintenant que vous savez, à vous de tenir votre promesse.

— Vous avez fait un excellent travail, vous et votre collègue, reprit Lazar avant de partir dans une quinte de toux.

Il se racla la gorge et poursuivit :

— Vous m'apportez des réponses que j'attendais depuis si longtemps. Vous ne pouvez imaginer le sens que vous venez de donner à mon existence…

— Je viens chercher Simon. Dites-moi où !

— Ce que vous venez de lire ne vous donne pas le vertige ? N'avez-vous pas le sentiment que 99 % des hommes et des femmes vivent dans l'ignorance la plus crasse ?

Christopher mordait désormais la chair de son pouce.

— Passez-moi Simon ! Tout de suite !

Et à sa grande surprise, il entendit la voix du petit garçon. Sarah fut elle aussi étonnée, mais n'osa dire à Christopher que ce n'était pas bon signe.

— Simon ! Fais tout ce qu'on te dit et j'arrive, d'accord ? C'est bientôt terminé. J'ai trouvé ce que le monsieur cherchait. Il te fera plus rien.

— J'ai mal, gémit le petit garçon.

— Vous ne lui avez rien donné contre la douleur ?! hurla Christopher.

— Vous l'aimez ce petit, hein ? reprit Lazar.

— Ça suffit maintenant, vous valez mieux que ça.

— Vous l'aimez, oui, bien sûr, mais jusqu'où seriez-vous prêt à aller pour le sauver ?

— J'ai fait tout ce que vous m'aviez demandé ! Tout !

— Vous m'avez apporté la théorie, Christopher. Je veux la pratique. Je veux connaître la réponse à la question que votre père a posée. Je veux savoir s'il y a quelque chose après la mort ! Et si oui, quoi. Vous seuls avez le graphortex en votre possession.

— Mais c'est impossible, il faudrait mour...

Christopher ne termina pas sa phrase.

— Eh oui, l'un de vous deux va devoir mourir pour sauver l'enfant, confirma Lazar. Filmez le déroulé de l'expérience. Je veux être certain que vous n'avez rien inventé. Je vous rappelle dans une heure.

Christopher balaya d'un revers de main les notes de son père qui s'éparpillèrent dans l'obscurité.

— Espèce d'enfoiré ! Ça ne s'arrêtera jamais !

Sa colère déversée, il croisa le regard de Sarah.

— Tu penses à la même chose que moi ? demanda-t-elle.

— Je ne pourrai pas la tuer de sang-froid. Je n'ai pas pu le faire tout à l'heure. C'est pour ça que je l'ai ligotée.

— Avant de passer à elle, jetons un œil à son coéquipier. Il était à l'agonie, peut-être qu'il n'est pas encore mort…

Sarah ressortit du vestibule secret et courut vers le bloc opératoire, suivie de Christopher. Elle avisa immédiatement le corps d'Hotkins allongé par terre dans une flaque de sang.

Christopher, qui venait d'entrer à son tour, se dirigea vers le plafonnier opératoire et enclencha l'interrupteur. À son grand soulagement, la lumière éblouissante d'un spot irradia dans la pièce.

La salle d'opération devait être reliée à un circuit électrique indépendant, songea-t-il, raison pour laquelle le court-circuit qu'ils avaient provoqué tout à l'heure n'avait pas atteint cette partie du bâtiment.

Sarah s'agenouilla près du corps de l'ancien Marine et ausculta son pouls. Après quelques secondes, elle hocha la tête.

— Il vit encore… Aide-moi à le porter sur la table.

— J'arrive pas à croire ce qu'on est en train de faire, rétorqua Christopher en attrapant le corps du tueur sous les bras.

Ils le traînèrent péniblement et le hissèrent sur la table d'opération.

Quand ils lui fixèrent les poignets et les chevilles à l'aide des lanières de cuir reliées au chariot, Hotkins émit un gémissement. Par réflexe, Christopher s'écarta.

Sarah lui tendit les électrodes.

— Ne traînons pas.

Christopher ajusta les pastilles de plastique sur le front et les tempes de l'ancien Marine.

— Je sais même pas si c'est comme ça que ça se pose. Et puis j'ai l'impression qu'il est en train de se réveiller.

— Enclenche le graphortex ! Dépêche-toi !

Le tueur venait d'émettre un gémissement et de tourner la tête. Christopher s'assura qu'il restait suffisamment de papier dans l'imprimante, puis alluma l'appareil. Les cadrans s'éclairèrent et les aiguilles s'agitèrent. L'aiguille de la mesure du temps se plaça sous la lettre P pour désigner le présent. Et l'indicateur du rythme cardiaque afficha une faible cadence entre 19 et 20.

— Et maintenant, on fait quoi ? demanda Christopher. On attend qu'il meure ?

— Filme.

Christopher tira son téléphone de sa poche, enclencha le mode vidéo et cadra le corps d'Hotkins allongé sur la table d'opération, puis le graphortex auquel il était relié.

Le tueur gémit de nouveau et remua franchement cette fois.

Sarah trouva un scalpel parmi les ustensiles médicaux. Elle s'approcha d'Hotkins, sut qu'elle ne devait s'accorder aucun instant de réflexion, inspira et entama un mouvement du bras pour lui trancher la gorge.

Son cerveau ne put donner l'ordre à son corps de procéder au sacrifice. La main tremblante, elle tenta une nouvelle fois d'accomplir ce qu'elle considérait comme un devoir pour sauver Simon. Mais la lame glissa entre ses doigts et rebondit par terre dans un tintement métallique.

Hotkins émit une protestation qui se termina dans un borborygme. Du sang coulait de sa bouche, mais ses yeux vitreux crachaient encore leur haine.

Sarah et Christopher contemplèrent son agonie, écœurés de guetter ainsi le dernier souffle d'un homme pour user de sa mort à leur profit.

Hotkins lutta encore quelques minutes qui furent un supplice d'impatience pour ses bourreaux silencieux. Et enfin, il rendit son dernier souffle dans un murmure à peine audible où l'on ne distingua que le mot « enfer ».

Sarah détourna le regard pour l'orienter vers l'aiguille mesurant les battements du cœur. Elle se rabattit vers la gauche du cadran et se rapprocha lentement de 0.

— C'est fini… Il est mort.

Hotkins avait le visage blanc et sa tête était retombée sur le côté, un filet de salive mêlée de sang coulant au coin de sa bouche. Sarah était de plus en plus dubitative quant à l'issue de leur macabre expérience. Mais, après une trentaine de secondes, on entendit un bip régulier se déclencher. Il émanait du graphortex, comme s'il était en attente d'un signal.

Christopher continuait à filmer, passant du graphortex au visage du cadavre, guettant la moindre manifestation du capteur d'ondes cérébrales qui égrainait son signal comme un radar ne captant qu'un infini silence.

Et puis soudain, l'imprimante se positionna en mode attente, comme si elle venait de recevoir une information qu'elle s'apprêtait à traiter.

Christopher pointa son téléphone vers l'imprimante.

Sarah ne bougeait plus.

L'aiguille du cadran du graphortex marquée de la lette T s'affola et se mit à taper contre la limite – X.

L'appareil émit un son strident, et l'imprimante se déclencha.

Christopher et Sarah ne quittaient pas des yeux la feuille qui sortait lentement dans un concert de crissements.

Quand le bruit cessa, le bras mal assuré, Christopher souleva la feuille et la retourna d'un mouvement lent pour la filmer. Sarah détecta la circonspection dans le regard de Christopher.

— Quoi ?

Il lui tendit la feuille. Elle était blanche.

Sarah l'examina à son tour et leva la feuille en direction du plafonnier. Son regard se plissa sous l'effet de la surprise.

— Il y a quelque chose, murmura-t-elle.

— Quoi ?

— Regarde… là, là et encore à ces trois endroits.

Christopher saisit la feuille entre ses mains pour être certain de ne pas être victime d'une illusion. Mais il dut se rendre à l'évidence, Sarah avait raison.

— Qu'est-ce que ces marques peuvent signifier ? se demanda-t-il à voix haute.

— Pour le moment, ça veut déjà dire qu'on a la preuve… qu'il y a quelque chose… après.

Elle exposa de nouveau la page à la forte lumière du plafonnier.

Marqués en une tonalité gris clair qui pouvait échapper au premier regard, cinq points étaient éparpillés à intervalles irréguliers sur la feuille d'imprimante.

*

— Et merde !

Christopher venait d'écraser son poing contre un mur. Cela faisait plus d'une demi-heure que Sarah et lui se torturaient l'esprit pour savoir à quoi pouvaient correspondre les cinq points qui apparaissaient sur la feuille.

Au départ, ils avaient immédiatement cherché à les relier entre eux pour voir si une forme finissait par surgir. Ils avaient tenté plusieurs combinaisons, mais aucune ne donnait de résultat intelligible, seulement des formes géométriques entremêlées sans aucune logique.

Christopher avait alors cru trouver la solution en voyant dans cette dispersion une constellation d'étoiles. Il avait immédiatement envoyé par téléphone le scan de la feuille à l'un de ses contacts. Un astronome avec lequel il entretenait une relation de confiance et qu'il avait coutume d'appeler lorsqu'il préparait des sujets sur les questions ayant trait à l'espace. Malgré l'heure tardive, le scientifique avait accepté de répondre à Christopher toutes affaires cessantes en comprenant que le moment était grave. Il avait entré le schéma des cinq points dans son ordinateur personnel et lancé une correspondance avec les millions d'alignements d'étoiles répertoriés. Le résultat avait été aussi décevant que l'espoir était grand : aucune constellation ne coïncidait avec cet alignement.

— Non seulement on n'a aucune idée de ce que représentent ces points, mais en plus on n'est même pas sûrs que le résultat soit le même pour chaque individu. Si ça se trouve, on aurait eu une image complètement différente si c'était toi ou moi qui avions été sur cette table !

Sarah s'apprêtait à lui dire le fond de sa pensée, mais Christopher leva la main comme s'il venait d'avoir une idée.

— Attends deux secondes…

Il sortit de la salle d'expérience et revint quelques secondes plus tard en brandissant une chemise cartonnée. Il posa le dossier sur une table roulante. Dessus était écrit « Résultats expériences ».

— C'était dans l'un des tiroirs du bureau secret de mon père. Quand je l'ai vu tout à l'heure, j'ai cru que c'étaient des feuilles vierges avec seulement quelques taches.

Il saisit la première feuille et la leva vers la lumière. Son visage s'éclaircit.

— Regarde… dit-il.

Sarah voyait comme lui très clairement les cinq mêmes points alignés de façon similaire.

Ils vérifièrent sur chacune des feuilles et trouvèrent chaque fois les cinq points positionnés exactement de la même façon.

— Tous les cobayes ont vu la même chose, conclut Christopher. Cette vision *post mortem* semble donc… universelle. Malheureusement, cela ne nous en dit pas plus sur le sens de tout ça.

Sarah appréhendait d'énoncer la seule option qui leur restait.

— On a tout essayé. Quand il appellera, prends les devants et...

— Et je vais lui dire quoi ? Alors voici votre réponse, Lazar : quand vous serez mort, vous verrez cinq trucs flotter dans l'air ?! Il va tuer Simon !

— Christopher, écoute-moi, reprit Sarah de cette voix calme dont elle avait le don.

— Je deviens dingue, soupira-t-il en secouant la tête.

— C'est nous qui avons le pouvoir en main. Appelle Lazar, dis-lui que maintenant, c'est toi qui fixes les règles. Dis-lui que nous avons trouvé la réponse qu'il cherchait. Que tu l'as en ce moment même sous les yeux. Mais que s'il veut la voir, il doit d'abord te rendre Simon sain et sauf.

— Il va continuer à le torturer jusqu'à ce que je cède et que je lui envoie les réponses !

— Alors tu lui répondras que s'il fait ça, tu détruiras la preuve qu'il cherche tant. Tu réalises que ce qu'il nous demande est la quête de sa vie. Il est malade, il n'en a plus pour longtemps. Il n'aura plus l'occasion de reprendre ses recherches. Simon est son dernier moyen de pression. Il ne le supprimera pas.

— Et puis je te rappelle qu'il voulait aussi avoir la tête du responsable du programme MK-Ultra !

— Dis-lui qu'il l'aura dans un second temps.

Christopher sentait intuitivement que les arguments de Sarah étaient les bons. Mais aurait-il le courage de poser la tête de Simon sur le billot en défiant le bourreau d'abattre sa hache ?

Quand ce fut l'heure de la fin de l'ultimatum, son cœur se crispa une nouvelle fois.

— Je vous écoute et votre gamin aussi, gémit Lazar dans le combiné. Afin que vous réfléchissiez bien avant de parler, je vous précise que le couteau de Sergueï ne demande qu'à trancher la main du petit, et pourquoi pas la gorge.

— J'ai trouvé ce que vous cherchiez, déclara Christopher.

La gorge sèche, il était prêt à dire qu'il ferait n'importe quoi pour qu'on ne fasse pas de mal à Simon, mais il croisa le regard de Sarah qui venait de se mettre en face de lui.

— Bien. Je vous écoute, répondit Lazar.

Christopher inspira et tourna le dos à l'inspectrice. Elle se pinça les lèvres, redoutant d'entendre les paroles de désespoir d'un père qui signe l'arrêt de mort de son fils en voulant le sauver.

— Si vous saviez, dit Christopher. Si vous saviez ce que j'ai sous les yeux.

— Eh bien, quoi ? s'impatienta Lazar.

— Eh bien, vous retireriez immédiatement cette lame avec laquelle votre homme de main menace mon fils. Parce que vous auriez trop peur que je fasse de même avec le trésor que vous cherchez depuis tant d'années.

Sarah sourit presque de fierté en entendant Christopher parler avec autant de cran.

— Ne jouez pas à ça avec moi, Christopher, souffla Lazar. Vous avez plus à perdre que moi.

— Je ne crois pas. Et c'est pour cela que vous allez me dire où se trouve Simon afin que je vienne le chercher. Lorsque je l'aurai récupéré sain et sauf, je vous donnerai ce que vous attendez et vous pourrez mourir en paix.

— Voici ce que l'on va faire, Christopher, rétorqua Lazar. Sergueï, amène le gamin qu'on l'entende bien lorsqu'il va crier.

Christopher sentit ses jambes se dérober sous lui.

— Donc, reprit Lazar, votre fils va se faire couper un doigt jusqu'à ce que vous cédiez et que vous m'envoyiez la preuve que vous avancez, avec la vidéo qui montre le processus entier. Je vous laisse trois secondes pour réfléchir. Un...

Sarah retint sa respiration. C'est à cet instant qu'il ne fallait pas flancher. Elle capta le regard de Christopher. Il avait les yeux rougis par l'épreuve.

— Deux...

— Simon, s'étrangla Christopher en parlant dans le combiné. Je suis désolé, mon chéri. Mais maintenant que je sais ce qu'il y a après, je peux te laisser partir. Adieu.

Puis il se tourna vers Sarah.

— Sarah, détruis toutes les preuves, jusqu'à la dernière.

La voix de Lazar ne prononça pas le chiffre trois. Il avait raccroché.

Christopher était abasourdi. Qu'avait-il fait ?

Sonnée aussi, Sarah n'osait plus bouger.

Un poids immense écrasant ses poumons, Christopher chercha fébrilement le numéro du dernier appelant. Oui, il allait rappeler et il allait tout dire à Lazar, et Simon serait sauvé.

— Ne fais pas ça ! le supplia Sarah. Si tu rappelles, tu retires à Simon toute chance de survivre !

Christopher ne l'écoutait plus. Ses doigts ne parvenaient pas à appuyer sur les bonnes touches, il transpirait, tremblait et, dans sa panique, il lâcha le téléphone.

Sarah le ramassa plus vite que lui. Il la foudroya d'un regard de haine.

— Rends-le-moi !

— Fais-moi confiance, répliqua-t-elle alors qu'au fond d'elle tout n'était plus que doute et terreur.

Et soudain, alors que Christopher se sentait capable de la tuer, on entendit le téléphone sonner.

Sarah tendit le combiné à Christopher qui décrocha.

— Voici la façon dont nous allons procéder, murmura Lazar de sa voix râpeuse et fatiguée. Vous avez ma parole que je ne ferai plus aucun mal à votre enfant. Je sais, rien ne vous permet de vous en assurer, mais c'est ainsi, faites-moi confiance. En revanche, je le garde enfermé près de moi jusqu'à ce que vous me fournissiez le film de l'expérience que vous avez menée… ainsi que la tête de celui qui m'a fait endurer ce supplice durant toutes mes années de captivité. C'était le contrat de départ, j'en retire seulement la menace d'amputation physique sur votre gamin.

— Mais comment voulez-vous que…

— Taisez-vous ! éructa Lazar dans un gargouillement ulcéré. Cessez vos jérémiades et agissez ! Je tiendrai ma parole, tâchez d'être à la hauteur des espoirs que votre enfant met en vous. Et dépêchez-vous, car le temps qu'il me reste à vivre se compte en une poignée de jours, pour ne pas dire d'heures. Et si je décède avant d'avoir obtenu mes réponses, personne ne saura jamais où a été enfermé le petit et il mourra de faim et de soif près de mon cadavre. Dès que vous aurez quelque chose, contactez-moi au numéro que je vous envoie à l'instant.

Lazar raccrocha et un SMS révéla quelques secondes plus tard le numéro de téléphone où le vieil homme pourrait désormais être joint.

Le bras de Christopher retomba le long de son corps. Où allait-il trouver la force de poursuivre son combat ? Le désespoir l'envahit jusqu'à ce qu'il sente l'étreinte de Sarah autour de son dos et sa tête se poser dans le creux de son épaule.

— On a peut-être une chance d'aller plus vite que prévu pour trouver ce que Lazar cherche.

45

L'ange décharné se tenait au chevet du mourant, une main tendue vers une statue d'enfant, l'autre pointant un doigt inquisiteur vers un diable grimaçant, guettant la faiblesse des derniers instants. La gravure était intitulée *Ars moriendi* (*L'Art de mourir*), et Mark Davisburry la contemplait une fois de plus, méditant la parole sacrée du Christ inscrite sous la représentation : « *Si vous n'êtes point aussi humble qu'un petit enfant innocent, vous n'entrerez point au royaume des Cieux.* »

Comment être humble lorsque l'on doit mener à bien un projet aussi conséquent que le sien ? Serait-il privé du Paradis pour avoir voulu servir la Divinité mieux que quiconque ?

Dans le bureau qu'il s'était aménagé au sein du centre d'expérimentation souterrain, Davisburry préféra chasser de son esprit les doutes qui s'insinuaient en lui chaque fois qu'il réfléchissait trop aux paroles du Christ.

Dans quelques heures, il serait plus proche que jamais d'obtenir la réponse à laquelle il avait consacré sa vie. Après seize années de recherche et d'expérimentations qui avaient coûté près de trois milliards de dollars, le nouveau module MINOS était sur le point d'être mis en route

Le talkie-walkie posé sur son bureau crépita.

— Monsieur ?

C'était Ernest Grant, le chef de chantier chargé de la mise en place du nouveau module.

Mark Davisburry enclencha le bouton de réponse.

— Je vous écoute.

— Nous avons pris du retard, monsieur…

— Pour quelle raison ?

— Nous avons observé des manifestations intéressantes sur l'ancien système quelques minutes avant de le démonter. Nous avons préféré les analyser avant de le débrancher.

— Vous avez bien fait. Envoyez-moi les conclusions au plus vite et dites-moi dans combien de temps vous serez prêts.

— Dans trente-six heures, le module sera installé. Resteront les branchements qui prendront au moins vingt-quatre heures et la mise en marche vingt-quatre heures de plus.

— Je ne bouge pas d'ici en attendant votre confirmation de l'allumage.

Davisburry coupa le signal de son talkie-walkie et se prépara mentalement à gérer ses affaires depuis ce bureau de fortune pour les quatre prochains jours.

Il commença par vérifier son téléphone pour être certain de ne pas avoir raté un message de Johanna. Pourquoi ne donnait-elle aucun signe de vie ?

Il lui envoya un message écrit sur sa ligne cryptée : « Alors ? » La réponse ne fut pas aussi rapide que d'ordinaire et moins catégorique qu'il en avait l'habitude. « Opération en cours. »

478

Pour calmer son impatience, il consulta le cours de ses multiples actions et envoya plusieurs mails à ses collaborateurs de Medic Health Group pour les prévenir qu'il serait difficilement joignable pendant ces trois prochains jours. À chacun des cadres, il transféra une feuille de route avec des objectifs précis dont ils devraient rendre compte dans les soixante-douze heures.

Ce n'est qu'après s'être acquitté de son devoir de P-DG qu'il s'autorisa un bref moment de détente.

Pivotant dans son épais fauteuil, il dirigea une télécommande vers une chaîne hi-fi. Alors que la Nocturne n° 1 en *si* bémol mineur de Chopin plongeait Mark Davisburry dans cet état si particulier d'«ébriété poétique», son regard dériva sur les dos des trois seuls ouvrages du bureau, rangés côte à côte dans un reliquaire aux courbes dorées et ouvragées : les livres des morts tibétain, égyptien et chrétien.

Il en avait étudié chaque ligne des nuits entières, espérant y trouver ce qu'il cherchait. Depuis, il les gardait là, en souvenir, près de lui, comme de vieux amis qu'on ne voit plus mais qui ont compté dans notre vie.

Un sourire nostalgique sur les lèvres, il quitta des yeux le reliquaire pour regarder en direction du seul objet réellement mis en valeur dans la pièce.

Posée sur une table trônait ce qui ressemblait à une sculpture en résine bleutée à la forme ondulée de nuage. À l'intérieur de cet amas transparent, on voyait distinctement cinq points noirs figés dans l'azur.

*

Ils quittèrent en hâte la salle d'opération, abandonnant le cadavre livide d'Hotkins sur sa table de métal, et rejoignirent la pièce où Christopher avait ligoté Johanna.

Sarah entra la première et découvrit la tueuse, assise par terre, les mains attachées à un tuyau lui-même fixé au mur, le menton reposant sur sa poitrine. Du sang coulait depuis le haut de son crâne sur son front. Sarah se posta devant elle.

— Ton camarade est mort.

Johanna sursauta. Elle releva la tête, son regard dissimulé derrière un rideau de cheveux. Elle se sentait si fatiguée qu'elle parvenait à peine à entrouvrir les paupières.

— Il n'y a plus que toi et nous sur cette île perdue, alors, tu vas nous dire qui t'envoie et où on peut le ou les trouver.

Johanna grimaçait à chaque mot qui parvenait à ses oreilles, comme si les sons s'enfonçaient dans son crâne à coups de marteau.

Et pourtant, c'est une autre douleur qui commençait à la tourmenter. Une sensation d'abandon comme lorsque, près de vingt ans plus tôt, elle avait été témoin de la mort brutale de ses parents. Aujourd'hui, ils n'étaient plus là, mais celui qui dans sa vie avait un peu pris leur place allait à son tour l'abandonner. Elle le savait, Davisburry ne se souciait que d'une chose : avait-elle réussi sa mission ? Sous ses airs de père protecteur, jamais il ne prendrait le risque d'envoyer des secours à sa recherche. Le contrat entre eux était pourtant clair depuis des années, mais c'était la première fois que Johanna avait à l'éprouver. Auparavant, elle était toujours parvenue à accomplir les tâches qu'il lui avait confiées sans encombre.

Sarah lui entoura la tête des deux mains et releva le visage de la tueuse face au sien. Les cheveux de Johanna s'écartèrent, révélant les traits fins qui avaient fait tourner la tête de tant d'hommes. Mais aujourd'hui, sa peau semblait porter le masque livide de la mort et, dans ses yeux, la flamme dominatrice s'était fondue en lueur tremblante.

— Ce qu'on fait de mieux n'est pas toujours ce qu'il y a de mieux pour nous, souffla Johanna alors que sa tête dodelinait entre les mains de Sarah. S'il m'avait vraiment aimée, il m'aurait montré un autre chemin…

— De qui tu parles ? s'emporta Christopher.

Johanna avait entendu la question, mais ces paroles avaient attendu tant d'années pour sortir de sa bouche…

— J'ai voulu croire qu'il pensait à moi, qu'il m'aidait, mais il ne pensait qu'à lui, qu'au service que j'allais lui rendre. Il a détruit ma vie pour arranger la sienne et comme une orpheline en mal de famille, j'ai suivi, pour en arriver là.

Johanna se dégagea de l'emprise de Sarah d'un soudain coup de tête et s'adossa contre le mur en fermant les yeux. C'était donc ici que tout allait finir ?

Impatient, Christopher chuchota à l'oreille de Sarah :

— Elle va crever sous nos yeux avant d'avoir parlé !

— Dites-moi ce que Davisburry voulait cacher et je vous dirai où il se trouve, murmura Johanna.

Christopher s'agenouilla à son tour.

— Davisburry ? C'est un Américain ?

— Il va me laisser mourir pour protéger quoi ? bredouilla Johanna alors qu'elle n'entendait presque plus ce qu'on lui disait.

— Pour protéger la preuve de la survie de l'âme après la mort, lâcha Sarah en parlant près de l'oreille de la tueuse.

Johanna se figea. Puis, lentement, elle explora le regard de Sarah, comme si elle cherchait à vérifier qu'elle avait dit vrai.

Et d'un air las, teinté de sarcasme, elle sourit.

— Vous dites la vérité parce que je vois que cette découverte vous rassure, inspectrice Geringën. Pas tant pour vous que pour ceux que vous avez envoyés à la mort injustement et dont le souvenir vous tourmente. N'est-ce pas ?

Sarah recula d'un pas. L'affirmation de cette tueuse à l'agonie lui avait glacé le sang. Comment avait-elle pu déceler une pensée si intime ?

— Qui… vous… a envoyée nous tuer ? balbutia Sarah, que Christopher n'avait jamais vue si fébrile.

— Votre voix était si forte lorsque vous vous êtes confessée auprès d'Hotkins que son écho est parvenu jusqu'à moi, poursuivit Johanna en désignant d'un coup du menton la canalisation à laquelle Christopher l'avait attachée. Ce que vous avez confié révèle que chaque jour, vous faites semblant de vivre normalement en étouffant votre faute, mais votre existence n'est que peur, inspectrice. Peur du remords qui vous fera sombrer une fois pour toutes dans la folie…

Stupéfait, Christopher vit Sarah s'éloigner de Johanna comme un enfant effrayé par un fantôme, le regard captif, la tête branlante de gauche à droite dans une tentative de déni.

— Taisez-vous ! ordonna-t-il à la tueuse, autant pour protéger Sarah que pour reprendre le pouvoir de l'interrogatoire.

— J'ai tué de nombreuses personnes, répliqua Johanna sans prêter attention à l'injonction. Mais contrairement à toi, je n'ai pas pris la vie d'un gamin.

Tu es belle en apparence, mais au fond ton âme est plus noire que la mienne.

Sarah plongea la tête dans ses mains et se recroquevilla dans un coin de la pièce en murmurant des paroles au sens inaudible.

— Assez ! hurla Christopher. Et maintenant, dites-nous où trouver ce Davisburry.

— Moi, je partirai en paix, siffla Johanna dans un filet de voix qui s'éteint. La mine… abandonnée de Soudan… Minnesota… C'est là-bas qu'il… qu'il poursuit ses rech… recherches.

— Quelles recherches ?!

Mais Johanna ne l'entendait plus. Les muscles de son cou s'étaient relâchés et sa tête venait de retomber lourdement sur le haut de sa poitrine.

Christopher la secoua.

— Quelles recherches, espèce d'ordure !

Le cadavre de la tueuse lui glissa des mains et la dépouille heurta le sol dans un bruit mat.

Il se tourna vers Sarah. Les jambes relevées sur sa poitrine, la tête enfouie entre ses genoux, elle répétait sans cesse « pardon » d'une voix brisée par le chagrin.

Il aurait dû avoir peur. Peur qu'elle l'abandonne là, qu'elle ne soit plus en mesure de l'aider à retrouver Simon. Mais il ne ressentit qu'une immense compassion. Un besoin viscéral de lui venir en aide, de la rassurer, elle qui veillait sur lui depuis le début avec tant de force.

Le temps leur était compté, mais il s'assit à côté d'elle et voulut la serrer dans ses bras. Sarah le repoussa d'un geste agressif et se releva, les yeux rouges de larmes.

— Non ! Tu ne sais pas qui je suis ! Non, je ne suis pas la gentille inspectrice qui sacrifie sa vie par conscience professionnelle ou par amour pour son prochain ! Je fais ça parce que, sinon, je deviendrais folle !

Christopher se leva à son tour et la considéra d'un regard enveloppant.

— Sarah… J'ai entendu ce que Hotkins t'a contrainte à confier.

— Non ! Tu n'as rien entendu du tout ! Tu n'as pas entendu qu'il s'appelait Azmal, qu'il venait de fêter ses huit ans la veille, qu'il avait reçu son premier chevreau et qu'il attendait avec impatience de devenir berger, comme son papa. Tu n'as pas entendu qu'il avait de grands yeux pleins de rêves alors qu'il vivait dans la misère. Tu n'as pas entendu que tous les jours, lorsque je passais avec ma patrouille devant son champ, il m'apportait un petit cadeau qu'il avait confectionné en bois ou en paille et qu'il m'appelait « maman aux cheveux d'épices ». Tu n'as pas entendu que je lui avais promis qu'on était là pour le protéger…

Sarah regardait dans le vide, seule à revivre l'effroyable souvenir. Et sa voix perdit toute émotion pour se faire neutre, froidement descriptive.

— … et qu'il m'a demandé pourquoi, quand c'est moi qui l'ai tué d'une balle dans la gorge.

— Qu'est-ce qu'il s'est passé ? questionna Christopher qui savait qu'il fallait désormais aller au bout de l'aveu.

Elle l'évalua de nouveau un instant et, les yeux baissés, elle raconta ce bref moment qui avait fait basculer sa vie.

— Un matin comme les autres, je suis passée avec mon coéquipier sur la même route que d'habitude. Azmal était là avec son père et d'autres hommes du village. Il m'a regardée approcher et m'a fait de petits signes de la main. J'ai cru qu'il voulait me dire bonjour. J'ai compris trop tard qu'il tentait de m'avertir. Les fermiers se sont approchés de nous comme pour discuter et puis soudain, l'un d'eux a sorti un fusil et nous a tiré dessus. Les autres nous ont attaqués à la machette. On a répliqué, ça a été un carnage. J'ai été épargnée, mais mon coéquipier a eu le bras tranché. Je me suis agenouillée pour l'aider. Je tremblais, j'avais du mal à respirer. Et là j'ai entendu quelqu'un courir dans mon dos, je me suis retournée et j'ai tiré sans réfléchir, par peur, par réflexe, par bêtise. La balle lui a tranché la gorge. Dans la main, il tenait encore une couronne de blé qu'il avait tressée le matin même pour moi. Il a juste eu le temps de demander pourquoi j'avais fait ça.

Malgré la peine qui l'enfermait dans sa culpabilité, Sarah guetta instinctivement la réaction de Christopher à l'écoute de son récit. L'éclair de dégoût qu'elle était persuadée d'apercevoir ne se manifesta jamais.

— Oui, c'est affreux. Oui, c'est une erreur. Mais cela n'enlève rien à ce que tu es. Cela ne m'empêchera pas de te comprendre et de te rappeler tous les jours s'il le faut que l'on t'a mis dans une situation impossible. Que ton âme est aussi belle que tu l'es et que, par-dessus tout, ta peur ne me fait pas peur. Alors, pour une fois, accepte mon aide.

Christopher s'approcha et, comme on apprivoise un animal sauvage aux réactions imprévisibles, il tendit la main vers Sarah. Bouleversée par cette attention aussi déroutante que touchante, elle se laissa faire et s'abandonna dans ses bras.

— Elle est morte... murmura Sarah en reprenant progressivement contact avec la réalité. Elle a parlé ?

— Oui, en partie. En tout cas, on en sait assez pour retrouver le type qui est derrière tout ça.

— Alors, je t'ai fait perdre assez de temps comme ça. Allons-y, tu me raconteras sur le chemin du retour.

Ils abandonnèrent le corps de Johanna à son sort, puis forcèrent les chaînes et le verrou que leurs poursuivants avaient installés sur la porte d'entrée du bâtiment pour sortir à l'air libre. Sarah en tête.

— Le prochain vol au départ de l'île n'est pas avant demain matin. Et de Londres, il nous faudra prendre un vol pour Minneapolis.

Christopher baissa la tête. Il ne comprenait que trop qu'il allait devoir prolonger son supplice et celui de Simon.

— On va y arriver, tenta de le rassurer Sarah.

Mais Christopher savait aussi bien qu'elle que rien ne pouvait garantir une issue heureuse à leur périple.

Et c'est en s'efforçant de faire taire cette angoisse que Christopher s'engagea sur le sentier les ramenant au cottage.

*

Il leur fallut cette fois trois heures pour parcourir le chemin du retour en suivant les signes laissés par leur guide, Edmundo. Et c'est vers 9 h 30 du matin, épuisés, qu'ils émergèrent de la végétation et de la brume au fond du jardin du cottage.

Edmundo taillait les branches d'un grenadier lorsqu'il les vit émerger de la jungle, tels les survivants d'une catastrophe.

— Qu'est-ce qu'il vous est arrivé ? s'inquiéta le vieil autochtone en posant son sécateur sur le gazon.

— Le bâtiment n'était pas en très bon état, mentit Christopher, et une planche d'un escalier a cédé. Ça aurait pu être pire...

Edmundo leva un sourcil. Le front de Sarah était marqué d'un mauvais bleu, le coin de sa lèvre saignait et, si elle n'avait pas eu la présence d'esprit de couvrir son cou, Edmundo aurait vu les traces de strangulation.

— Vous devriez aller à la base militaire. Ils ont une bonne installation médicale. Restez pas comme ça.

— Ça va aller, répondit Sarah. Je me ferai soigner dès mon retour en Angleterre. Sans vouloir vous vexer, je n'ai pas trop confiance dans la médecine de l'île.

— Vous accepteriez de... nous louer deux chambres ? intervint Christopher.

— Euh... bien sûr. Mais vous savez, les touristes ne sont pas nombreux ici, alors je n'en ai qu'une à la location.

— Ça ira, dit Sarah pour mettre Christopher à l'aise.

— Alors, venez, c'est par là. Vous allez voir, c'est très joli. Ça donne sur un petit jardin de bananiers avec une vue sur la mer.

Ils suivirent leur hôte et entrèrent dans une chambre meublée d'un lit double en fer forgé couvert d'une couette ocre. Aux murs, on avait affiché de grandes photos de l'île représentant ici le volcan pris en contre-plongée depuis la mer, là une plage où évoluaient des dizaines de tortues, et enfin, au-dessus du lit, un éclatant massif de fleurs magenta aux pétales géants.

— Alors, je vous laisse vous installer, dit Edmundo. Et j'imagine que vous avez faim, non ?

Christopher consulta Sarah du regard. Il n'avait pas faim. Il ne pensait qu'à une chose : prendre l'avion qui les ramènerait en Angleterre et foncer récupérer

Simon. Mais il savait qu'ils devaient reprendre des forces s'ils voulaient tenir debout.

— Je peux vous préparer quelque chose de frugal.

— Merci, Edmundo.

— Et si vous souhaitez laver vos affaires, n'hésitez pas.

Le vieil homme s'éclipsa en promettant de revenir rapidement avec leur déjeuner afin qu'ils puissent vite se reposer.

— Je vais prendre une douche, précisa Sarah en disparaissant dans la salle de bains.

— Je réserve nos places pour Minneapolis, répondit Christopher distraitement en faisant défiler une sélection de vols sur son smartphone.

Après avoir rempli les dernières modalités administratives pour un vol programmé le lendemain soir à 21 heures depuis London-Heathrow, Christopher laissa échapper un long soupir. Depuis la chambre, il entendait le bruit rassurant de la douche dans la pièce d'à côté et se résolut à se reposer. Que pouvaient-ils faire d'autre en attendant leur vol ?

À la fois éreinté et travaillé par une tension incessante, il tourna la tête vers la fenêtre.

Dehors, une brise faisait onduler les larges feuilles des bananiers dont le froissement berçait l'oreille.

Il entendit le bruit de l'eau couler dans la salle de bains et se concentra dessus. Il sentait qu'il ne devait surtout pas repenser à tout ce qu'ils venaient de découvrir en retraçant les recherches de son père. Même s'il commençait à accepter l'improbable qui avait fait irruption sans prévenir dans sa vie, à savoir se battre pour sa survie et celle de Simon au prix de violence, de peur et de meurtre, il n'était pas prêt pour autant à assimiler l'incroyable bouleversement métaphysique dont lui et Sarah avaient été témoins. Il se sentait bien trop fragile, pas assez préparé pour s'autoriser à penser cette affolante révélation ontologique de l'existence et de la survie de l'âme.

En lutte contre lui-même, il aperçut Sarah sortir de la salle de bains, les cheveux mouillés, les jambes nues, revêtue d'une chemise d'homme blanche trop grande pour elle.

Elle haussa les épaules.

— Je ne me voyais pas remettre mes vêtements tachés de sang et j'ai trouvé ça dans l'armoire de la salle de bains. Elle t'ira certainement mieux qu'à moi.

— Elle est faite pour toi, répliqua-t-il.

Sarah pencha la tête sur le côté, l'air de répondre qu'il n'était pas nécessaire de se moquer d'elle.

Leurs regards se croisèrent et elle l'observa avec une telle intensité qu'il baissa le regard. Un mélange de désir et de culpabilité parcourut son corps.

— À mon tour, je dois te dire quelque chose, confia-t-il.

Sarah se doutait de ce dont il allait parler, mais elle le laissa poursuivre.

— J'ai dû faire un choix lorsque tu étais aux mains de ce tueur... un choix terrible. Mais je l'ai fait.

Il eut le courage de relever la tête et de la regarder en face. Sarah ne put s'empêcher de comparer son attitude franche avec celle fuyante d'Erik, qui l'avait quittée en baissant les yeux.

— J'ai profité que tu étais... prisonnière de ce type pour tenter d'ouvrir le passage menant au vestibule secret de mon père. Alors que tu m'appelais à l'aide...

j'ai fait le choix de t'abandonner, pour essayer de sauver Simon à temps… Je suis tellement désolé…

Sarah ne lui en voulait pas. Comment l'aurait-elle pu ? Elle louait l'instinct de défense d'un homme pour un enfant. Y compris à son détriment. Christopher n'avait fait que suivre la seule voie possible dans une situation impossible.

Cette décision impossible n'avait aucune importance. Non, ce qu'elle retenait de lui, c'est le courage inouï d'un homme qui tenait debout malgré la mort de son frère, l'assassinat de sa mère et le rapt de son fils adoptif. Un homme qui pas une fois n'avait eu peur pour sa propre vie pourvu qu'il sauve celle de Simon.

Et à ce courage physique s'ajoutait désormais une droiture morale quand il osait lui confier, en face et sans attendre, ce qu'il pensait être une faiblesse et un abandon.

Cette réflexion qui mûrissait en elle se traduisit par un regard compréhensif et accueillant qui bouleversa Christopher.

— J'aurais fait la même chose à ta place, se contenta-t-elle de dire.

Transpercé par la bienveillance et la générosité de Sarah, Christopher se leva et franchit les quelques mètres qui les séparaient pour entourer son visage de ses mains chaudes.

Elle se laissa faire. D'un doigt, il repoussa la mèche qui ombrageait la partie meurtrie de son visage et l'embrassa sur son œil encore blessé, le haut de sa joue brûlée, jusqu'à descendre à la commissure de ses lèvres.

Elle plaqua les courbes de son corps contre le sien et l'embrassa à son tour.

Christopher frissonna au contact de cette bouche qu'il avait tant désirée et qui s'offrait enfin à lui.

Alors que sa chemise glissait le long de son dos et que les mains de Christopher caressaient avec fougue la cambrure de sa chute de reins, Sarah sentit que quelque chose de plus fort qu'une simple fièvre charnelle la gagnait. Quelque chose de durable.

Plus tard, quand ils s'allongèrent sous les couvertures, Sarah serrant le bras de Christopher contre sa poitrine sans plus aucune pudeur, leurs corps avaient l'espace d'un moment oublié leurs blessures et leurs crispations. Et leurs esprits, bien qu'encore terriblement inquiets, s'étaient épargné l'effondrement dans l'angoisse en s'octroyant quelques instants d'oubli.

*

Vers 6 heures du matin, Christopher était encore assoupi. Sarah était déjà debout depuis deux heures. Elle réveilla Christopher avec tendresse. Il ouvrit les yeux au contact de ses lèvres sur les siennes.

— Il est l'heure... chuchota Sarah.

— Ça fait combien de temps que tu es levée ?

— Le temps qu'il m'a fallu pour en savoir plus sur ce Davisburry et cette mine de Soudan. Je te raconterai dans l'avion.

Christopher la regarda avec un air qui disait combien il était heureux de l'avoir auprès de lui. Puis il l'embrassa comme si cela faisait plusieurs mois qu'ils vivaient ensemble et se leva pour aller prendre une douche.

Sarah se pinça les lèvres. Et si l'appréhension n'avait pas été aussi tenace, elle aurait souri.

En moins de trente minutes, ils avalèrent le repas qu'Edmundo avait eu la politesse de leur déposer devant la porte et saluèrent à la hâte le propriétaire des lieux avant de rejoindre leur 4 × 4 toujours garé sur la pelouse.

Christopher filait aussi vite qu'il le pouvait sur les lacets de montagne pour gagner la plaine. En à peine vingt minutes, ils atteignirent le centre-ville toujours désert de Georgetown, dont les quelques bâtiments semblaient des maquettes sous le ciel doré du soleil levant.

Ils rendirent le véhicule au loueur du seul magasin de la ville et entrèrent dans l'aéroport de fortune.

Le comptoir de vente de billets était ouvert et, comme personne ne comptait embarquer pour Brize Norton, ils obtinrent facilement deux places pour le vol qui décollait moins d'une heure plus tard.

Alors qu'ils rejoignaient à pied l'appareil déjà prêt à décoller sur le tarmac, Sarah reçut deux messages de son supérieur, Stefen Karlstrom. Le premier lui demandait de donner des nouvelles. Le second lui ordonnait de rappeler dans les deux heures sous peine de poursuites.

Sarah lui répondit par SMS.

L'enquête m'a conduite jusqu'à l'île de l'Ascension. Désormais en direction de Minneapolis. Fais-moi confiance, tu ne seras pas déçu. Accorde-moi encore quarante-huit heures et l'enquête est bouclée.

La réponse ne tarda pas à arriver.

Quarante-huit heures, pas une minute de plus.

— Un problème ? demanda Christopher.

— Non, rien que je ne puisse régler, t'inquiète pas.

Une hôtesse les accueillit à la porte de l'avion en leur disant qu'ils pouvaient s'installer où ils le souhaitaient.

Christopher prit place en se frottant le visage. Il avait envie de croire que c'était bien la dernière ligne droite. Que bientôt, il serrerait Simon dans ses bras et que toute cette histoire serait terminée. Mais rien n'était moins certain.

Christopher essaya de respirer profondément, mais l'air entra par saccades. Il se laissa retomber sur le dossier du siège de l'avion et passa les mains sur son visage.

— Minneapolis, c'est à combien d'heures de vol de Londres ?

— Neuf heures. Et ensuite, en voiture, on doit compter trois heures et demie pour rejoindre la mine.

Sarah posa sa main sur celle de Christopher pour tenter de l'apaiser.

— Et sur place, on va faire quoi ? Est-ce qu'on est sûrs de trouver ce Davisburry ? Et quand bien même on le trouverait, il va tout nous dire, comme ça, pour être gentil avec nous ? Sarah... tu sais comme moi que ce qu'on fait n'a aucun sens !

Les moteurs de l'avion se mirent à tourner. L'appareil recula pour rejoindre la piste de décollage et s'envola.

— Voici ce que j'ai trouvé ce matin, dit Sarah quand l'appareil fut stabilisé. Davisburry est un industriel millionnaire du secteur médical. C'est aussi un fervent défenseur de la foi catholique et un des donateurs de la très prosélyte Liberty University.

— OK, et cette mine ?

— La mine de Soudan est effectivement abandonnée. Mais depuis une vingtaine d'années, ses galeries ont été en partie recyclées pour installer un centre de recherche.

— C'est-à-dire ?

— Le Soudan Underground Laboratory. Un centre d'expérimentation... en physique des particules et astronomie.

Christopher ferma les yeux. Où cette nouvelle découverte allait-elle encore les mener ?

— Je réfléchirai plus tard à ce que ça peut vouloir dire. Dis-moi plutôt comment on fait pour rejoindre un centre de recherche qui doit coûter des milliards et dont l'accès est à mon avis très réservé.

— La mine fait partie des monuments historiques du patrimoine américain, ce qui veut dire qu'on peut la visiter.

— Bon, enfin une bonne nouvelle.

— Si on ne prend pas de retard, et compte tenu des délais d'attente entre chaque vol, on sera sur place dans... vingt-trois heures. Ensuite, il faudra faire au plus vite pour trouver un moyen d'entrer dans le laboratoire, espérer que Davisburry s'y trouve bien et le faire parler. Si on veut prendre le premier avion possible pour le retour, cela nous laisse à peine deux heures pour tout faire.

Sarah croisa le regard de Christopher. L'un comme l'autre mesuraient leurs très faibles chances de réussite. Mais leurs mains ne se séparèrent pas.

46

« *Toutes les religions nous assurent de la survie de l'âme après la mort. Que ce soit sous forme de réincarnation pour l'hindouisme, d'entrée dans le nirvana pour le bouddhisme, de l'arrivée au paradis dans le dogme du christianisme ou dans l'islam, du retour de l'âme dans son corps momifié pour les Égyptiens. J'ai longtemps et patiemment étudié les livres des morts tibétain, égyptien et chrétien. Tous ont la sagesse de nous apprendre à bien mourir, car tous nous assurent que notre âme survivra à notre mort. Ces textes ont été écrits entre 2000 av. J.-C. et le XVe siècle de notre ère. Tous décrivent avec minutie et une précision troublante ce que l'on voit après notre trépas.* »

Mark Davisburry releva la tête, avala une gorgée de café et se massa le visage. La nuit qu'il venait de passer à réfléchir ne l'avait guère reposé. Il lui semblait que le discours qu'il avait commencé à rédiger la veille et qu'il s'apprêtait à donner devant son équipe de recherche pour la mise en route du nouveau module n'était pas à la hauteur de l'événement.

Il s'attarda sur la photo en noir et blanc posée devant lui. Il était aux côtés de Nathaniel Evans, les deux hommes fixant l'objectif d'un air fier, presque de défi, alors que l'on reconnaissait derrière eux l'entrée du baraquement de l'île de l'Ascension. Ce jour-là, ils venaient d'apprendre l'ordre de fermeture immédiate de tous les centres dédiés au programme MK-Ultra et avaient d'un commun accord décidé de poursuivre leurs formidables recherches en marge des autorités. L'un en fournissant un appui financier et politique pour placer secrètement les deux cobayes les plus prometteurs dans des hôpitaux européens. Et l'autre en assurant la supervision à distance des études sur les anciens et nouveaux sujets. De par son statut de directeur de recherche à la CIA et via la Ford Foundation, Mark Davisburry était parvenu à activer ses contacts en Norvège, où le premier sujet 488 avait été placé à Gaustad avec le soutien du ministre de la Défense de l'époque. Le second avait été transféré en France dans un hôpital psychiatrique grâce aux services de renseignements français, dont Davisburry était très proche depuis qu'il les avait aidés à déloger une taupe dans leurs rangs.

Le pacte entre Evans et Davisburry avait scellé le début d'une coopération de plus de trente ans, si efficace et si féconde qu'elle avait permis de mettre en place la seconde et ultime phase de leur opération.

Davisburry reprit sa rédaction, en essayant de faire honneur à l'esprit scientifique et pratique qui avait en permanence guidé leur ambition.

« *Mettons un instant de côté la révérence historique que nous devons à ces textes majeurs, oublions un instant cette croyance qui voudrait que les anciens peuples savaient plus et mieux que nous. Sur quoi reposent ces écrits ? Sur quelles preuves se fondent-ils pour étaler leurs interminables descriptions ? Sur quelles*

496

expériences ? Existe-t-il une seule parole qui nous prouve que ces récits ne sont pas seulement le fruit d'une imagination humaine ? Comment ces hommes ont-ils pu savoir ce qu'il se passait après ? Certains d'entre eux sont-ils revenus de l'au-delà ? Vous connaissez la réponse comme moi : non. Ces textes ne sont pas des comptes rendus, ce ne sont que des conceptions inventées que l'on a habillées des vêtements de la vérité absolue.

Vous comme moi croyons à la survie de l'âme et nous n'avons pas besoin de preuve. Car nous avons la foi. Mais il est grand temps d'élargir notre cercle et de briser une fois pour toutes les résistances athéistes. Il est temps de réenchanter le monde en lui apportant les preuves de l'impensable. Mes chers collègues, le travail que nous accomplissons ici depuis des années va nous faire entrer dans l'histoire, non pas de notre siècle ou des siècles passés, mais dans l'histoire universelle. Grâce à nous, une vague religieuse va déferler sur l'humanité, drainant avec elle ses flots de joie et d'espoir... »

Satisfait, Mark Davisburry but une nouvelle gorgée de café et reprit sa rédaction, gagné par l'euphorie.

« *Les religions vont enfin reprendre leur droit, redevenir les guides qu'elles auraient toujours dû être et le monde cessera de courir à sa perte. Car même les plus sceptiques nous rejoindront. Mes chers amis, nous allons être les pionniers du plus grand rapprochement de l'homme avec Dieu... Nous allons prouver scientifiquement que l'âme... survit à la mort.* »

Davisburry rabaissa l'écran de son ordinateur portable et laissa infuser en lui les mots qu'il venait d'écrire.

Il bascula le dossier de son fauteuil en cuir et posa les pieds sur son bureau. Au même moment, son portable lui annonça l'arrivée d'un message. Il était de Johanna.

Contrat rempli. Risques éliminés. Preuves en cours d'acheminement.

Il reposa le téléphone sur le bureau. Il envoya un SMS à Jonas, son assistant, pour lui dire que tout était réglé et qu'il était convié à l'inauguration du nouveau module le lendemain à 15 heures. Puis il laissa échapper un profond soupir d'accomplissement.

47

Après avoir enchaîné le vol Ascension-Brize Norton puis le trajet de Londres à Minneapolis, Sarah et Christopher avaient l'impression d'avoir la tête prise dans un étau et les poumons encombrés de poussière d'avoir trop longtemps respiré l'air de la cabine pressurisée.

Engourdis, ils passèrent les contrôles d'identité et foncèrent vers le loueur de voitures où leur 4 × 4 réservé les attendait, prêt à démarrer.

Sans perdre une seconde, ils avaient programmé le GPS pour rejoindre la petite ville de Soudan par le chemin le plus rapide et avaient traversé les étendues immenses et boisées de l'État, à l'extrême limite de l'excès de vitesse.

Près de trois heures trente après leur départ de la capitale, ils quittèrent la 53 vers l'est et, après avoir foncé sur une route limitée à 15 miles à l'heure, ils aperçurent enfin le panneau indiquant « Soudan Mine State Park ». Le chemin bordé par les bois grimpait vers les hauteurs d'une butte, et ils distinguèrent soudain le vieux puits d'extraction de la mine perché au sommet d'une colline. Sa structure métallique couleur rouille dépassait des frondaisons verdoyantes s'étendant tout autour à perte de vue.

Pratiquement tous les emplacements du parking étaient libres et ils se garèrent près du drapeau américain flottant au vent, non loin de l'entrée.

Le moteur coupé, Christopher consulta une nouvelle fois sa montre, comme il l'avait fait il y a moins de cinq minutes. Il était presque 10 h 30. Il leur restait deux heures pour entrer dans la mine, trouver les documents, ressortir et foncer vers l'aéroport pour reprendre leur vol.

Juste avant de sortir, Sarah regarda Christopher. Le contour de ses yeux s'était un peu plus creusé, et son regard semblait luire seulement par intermittence, comme une lampe arrivée en fin de vie. Elle-même se sentait à bout de forces.

Ils quittèrent le véhicule et se rapprochèrent en courant du cabanon surmonté de l'inscription « *Tickets* ». La préposée au guichet d'entrée, une étudiante blonde d'une vingtaine d'années aux cheveux gaufrés, leur offrit un accueil souriant avant de leur préciser que la prochaine descente aurait lieu douze minutes plus tard.

Elle leur indiqua du doigt une file d'attente d'environ cinq personnes qui patientaient déjà au pied du puits d'extraction.

Christopher ramassait leurs tickets et venait de demander s'il y avait bien un laboratoire de recherche souterrain dans la mine quand il remarqua que l'expression si souriante de la jeune femme se muait brutalement en une attitude nerveuse. Non pas à cause de la question de Christopher, mais parce qu'elle avait vu quelque chose dans leur dos.

Christopher et Sarah se retournèrent pour voir arriver une berline noire aux vitres teintées, qui se gara elle aussi au plus près du baraquement de l'entrée.

— Euh… finalement, la descente va avoir lieu maintenant, précisa la jeune femme de l'accueil. Si vous voulez bien vous rendre immédiatement à l'ascenseur. Eh oui, il y a bien le laboratoire, mais il n'est pas ouvert au public. Bonne descente !

De la voiture noire sortit un homme assez jeune, en costume. De petites lunettes cerclées d'or sur le nez, il avait les yeux rivés sur son smartphone. Sans lever la tête, il marcha vers l'ascenseur, longea la file d'attente, salua le guide qui attendait à l'entrée et prit place dans la cabine.

Le guide secoua une cloche et pressa les visiteurs d'entrer à leur tour en distribuant à chacun un casque de sécurité bleu.

À peine Christopher et Sarah s'étaient-ils fait une place dans la cage de métal que le guide referma la grille, souhaita la bienvenue aux visiteurs et déclama fièrement qu'ils allaient désormais faire un voyage de plus de sept cents mètres en ligne droite vers le centre de la Terre. Quelques exclamations impressionnées vinrent couvrir le bruit de l'ébranlement de la ferraille annonçant le début de la descente.

Alors que le froid pénétrait lentement à travers les vêtements et que l'ampoule accrochée au plafond s'éteignait par intermittence, Christopher et Sarah tentèrent de voir de plus près l'homme en costume qui était sorti de la berline noire. Mais ce dernier s'était collé au fond de l'ascenseur, dans leur dos, et, dans un si petit espace, il eût paru trop suspect de se retourner. Ils pouvaient cependant être à peu près certains que ce type n'était pas un touriste et qu'il travaillait probablement ici. Soit pour la mine elle-même, soit pour le laboratoire.

Et compte tenu de la diligence avec laquelle le guide avait accéléré le départ, il existait de très fortes probabilités pour qu'il occupe un poste à responsabilités.

Après une poignée de minutes de descente, l'ascenseur ralentit et s'arrêta dans un bruyant soubresaut.

Le rideau de métal coulissa et s'ouvrit sur une galerie souterraine dont la pente rocheuse descendait vers une dizaine de wagonnets à deux places accrochés à une locomotive jaune. Des spots lumineux placés au sol balisaient le chemin jusqu'aux rails.

Christopher et Sarah voulurent s'asseoir dans le dernier wagon pour avoir une vue d'ensemble, mais l'homme en costume les dépassa et s'y plaça le premier. Ils durent prendre place dans le wagonnet juste devant lui.

— Attention au départ ! lança le guide, debout sur la rame locomotrice de tête.

Le petit train s'ébranla et passa devant trois scènes reconstituées avec des mannequins de mineurs de l'époque au travail. Face à chaque tableau, un panneau rappelait en quelques chiffres la dangerosité du métier, mais aussi la fierté de ceux qui y travaillaient.

Au terme de cette introduction, le guide demanda à tout le monde de bien rester assis pendant la suite du trajet, car les conduits par lesquels ils allaient passer étaient bas de plafond.

Le petit train accéléra son rythme et entama un périple tortueux dans une zone éclairée seulement par les phares avant de la locomotive. Si bien que tous les wagonnets de l'arrière étaient plongés dans l'obscurité.

Finalement, le train freina et s'arrêta.

— Personne ne descend ! lança le guide dans un hygiaphone. Cet arrêt est uniquement technique. Nous attendons le positionnement d'un aiguillage. Nous allons repartir dans quelques secondes. Merci ! Et faites attention aux fantômes !

Le temps que quelques personnes gloussent, et le train se remit en marche.

— Merci d'avoir patienté ! Nous voilà repartis !

Au même moment, Christopher perçut du coin de l'œil une forme passer juste à côté de lui. Par instinct, il se retourna. L'homme en costume n'était plus derrière eux.

— Sarah... chuchota-t-il.

— Je sais, murmura-t-elle. Mais attends, pas maintenant...

Christopher vit s'éloigner l'homme en costume qui éclairait son chemin avec une lampe de poche.

— On va le perdre, s'agaça Christopher.

— On y va, lança Sarah.

Sauter du train ne semblait pas impossible, mais restait un exercice périlleux. On n'y voyait rien et l'espace entre les wagons et les parois de la grotte était variable.

Sarah n'attendit pas. Elle se leva, posa un pied à terre dans le sens de la marche et courut tout en s'accrochant à la rambarde du wagon de sa main valide. Puis elle lâcha prise et parvint à freiner sa course sans perdre l'équilibre.

Christopher mit à son tour un pied à terre et, voulant imiter Sarah, il agit avec diligence. Mais surpris par la vitesse, il trébucha et fut rattrapé de justesse par Sarah. À une seconde près, sa tête percutait la paroi rocheuse.

— Merci, souffla-t-il.

Puis il serra la main de Sarah et, suivant chacun la roche du tunnel de l'autre main, ils empruntèrent la même direction que l'homme en costume dont la lueur venait de disparaître vers la droite.

Ils s'approchèrent sans faire de bruit et découvrirent un boyau creusé qui quittait la galerie centrale vers la droite.

L'homme en costume se tenait au bout du conduit rocheux, devant une porte. Il était penché sur un petit haut-parleur enchâssé près du battant, visiblement agacé.

— C'est quoi, ce foutoir ? Ça fait plus de deux minutes que j'attends ici ! Vous étiez où ?

Une voix essoufflée surgit du petit amplificateur vocal.

— Pardon, monsieur Kenston, mais la mise en marche du nouveau module est imminente et... et... excusez-moi, j'ai couru, j'ai du mal à parler, et les ingénieurs avaient besoin de tout le personnel pour fixer les derniers éléments dans les plus brefs délais. C'est M. Davisburry qui l'a demandé. Il est impatient, comme vous le savez. J'ai donc dû m'absenter quelques instants. Je confirme votre identité tout de suite. Allez-y.

Jonas Kenston plaqua la paume de sa main sur l'écran biométrique et on entendit un son électrique qui commandait l'ouverture de la porte blindée.

Sans prévenir, Sarah surgit de leur cachette.

L'assistant de Davisburry tourna la tête en entendant le martèlement des pas derrière lui et se précipita pour franchir la porte. Sarah le rattrapa et le poussa, tant et si bien que l'homme bascula en arrière. Une fois au sol, Sarah le retourna face contre terre, un bras coincé dans le dos.

Christopher déboula derrière et se faufila juste avant que la porte ne se referme.

Ils étaient dans une espèce de sas aux murs et au sol gris, au sommet d'un escalier en métal descendant encore plus bas dans les profondeurs. Un homme en tenue de gardien leur faisait face, l'air paniqué. Il tourna la tête vers un bouton d'alarme fiché dans le mur.

Sans réfléchir, Christopher se jeta dans sa direction. Plus rapide et entraîné qu'il en avait l'air, le garde détourna l'offensive maladroite de Christopher, qui chuta sur les marches de l'escalier.

Et alors que le garde s'apprêtait une nouvelle fois à enfoncer le bouton d'alarme, il fut surpris par Sarah qui se ruait sur lui. Elle évita le coup que le gardien tenta de lui porter avant de lui écraser son poing dans le flanc. L'homme se plia en deux et Sarah l'assomma.

Elle releva la tête juste à temps pour apercevoir la silhouette de Jonas dévaler les escaliers.

Christopher, qui venait de reprendre ses esprits, se releva et sauta les marches trois par trois. Sarah s'empressa de le rejoindre, mais dut avouer que Christopher faisait cette fois preuve d'une célérité étonnante.

Malheureusement pour eux, Jonas avait pris de l'avance.

Christopher pencha rapidement la tête au-dessus de la rambarde et aperçut l'assistant de Davisburry qui dévalait les dernières marches. Le type allait leur échapper et prévenir la sécurité.

Sans réfléchir au danger, Christopher enjamba la balustrade et sauta dans le vide. Ses pieds dérapèrent sur l'une des épaules de Jonas, projetant celui-ci si violemment vers l'avant qu'il percuta le sol de face. Christopher roula sur le côté, mais, à son tour, il rata sa réception et une cinglante douleur irradia ses côtes en lui coupant le souffle.

Sarah débloula en bas de l'escalier. L'homme qu'ils poursuivaient avait perdu connaissance. Près de lui, Christopher se tenait le côté, grimaçant, cherchant désespérément à respirer. Sarah le positionna sur le dos en lui relevant légèrement la tête.

Christopher semblait à l'agonie.

Elle plaça une main sur son ventre et colla sa bouche à la sienne avant de souffler. En projetant de l'air dans ses poumons, elle débloqua la contraction musculaire de son diaphragme et Christopher respira l'air à pleine goulée.

Il avait à peine avalé une gorgée d'air qu'il fit signe à Sarah de s'occuper de l'homme qu'ils avaient réussi à arrêter.

Elle retourna ce dernier, s'assura qu'il n'avait que le nez de cassé et qu'il respirait encore. Puis elle le fouilla pour lui retirer son téléphone et, enfin, elle le secoua pour le réveiller. À peine avait-il ouvert les yeux qu'elle le saisit à la gorge d'une poigne glaciale.

— Qu'est-ce que vous cherchez ici ? lui siffla-t-elle à l'oreille.

— Lâchez-moi ! éructa l'homme.

— Tais-toi ou tu meurs.

Jonas Kenston ne répondit pas.

— Qu'est-ce que vous cherchez dans ce laboratoire ? répéta-t-elle.

— Vous ne saurez rien, et n'allez pas vous imaginer une seule seconde que j'ai peur de mourir.

Sarah vit alors Christopher arriver derrière elle.

— Tiens-le bien et fais en sorte qu'on ne l'entende pas crier.

Sarah s'exécuta sans comprendre ce que Christopher comptait faire.

— On n'a plus le temps pour la compassion, murmura-t-il, et il écrasa lentement le nez brisé de Jonas.

Ce dernier écarquilla les yeux de douleur en essayant de se débattre dans tous les sens, mais Sarah le maintenait muet et immobile avec force.

— Tu n'as pas peur de mourir, mais tu es comme tout le monde, tu as peur de souffrir. Parce que ça se passe ici et maintenant et que ça s'arrêtera seulement si tu réponds à nos questions.

Le corps de Jonas se soulevait au rythme d'une respiration saccadée déclenchée par la souffrance qui venait d'irradier dans tout son corps.

— Je répète donc : qu'est-ce que vous...

Jonas montra d'un mouvement des sourcils qu'il voulait parler. Sarah décolla lentement sa main, sans trop l'éloigner de sa bouche au cas où il lui viendrait l'envie d'appeler à l'aide.

— Comment... comment avez-vous fait pour arriver jusqu'ici... vivants ? bégaya Jonas.

— Bon, je vois que tu ne comprends pas, s'agaça Christopher.

Il allait lui écraser le nez de la paume de sa main.

— Attendez, souffla Jonas. Attendez, dit-il en tremblant. Arrêtez.

Son front perlait de sueur, la peur transpirait dans son regard et il guettait la main de Christopher comme le chien battu guette le coup qui peut s'abattre à n'importe quel moment.

— À… quoi… sert… ce… laboratoire ? siffla Christopher entre ses dents.

Jonas tourna la tête et baissa les yeux.

— C'est un centre d'étude et d'analyse du rayonnement cosmique.

Jonas vit les sourcils froncés de Christopher qui s'apprêtait de nouveau à appuyer sur sa fracture.

— Nous cherchons à capturer une… particule fantôme.

Christopher s'attendait à un délire scientifique, à une expérimentation hasardeuse. Mais ce qu'il venait d'entendre n'avait rien d'absurde ou de risible. Cet homme venait d'évoquer l'un des plus grands défis auxquels la science était confrontée depuis près de soixante-dix ans.

Sarah chercha le regard de Christopher pour l'éclairer.

— Ils… ils tentent d'identifier la plus grande énigme de l'univers, dit-il.

Sarah lui fit comprendre qu'elle en attendait plus.

— Eh bien… c'est quelque chose de très bizarre à accepter, mais… disons que pour faire simple, quand tu regardes le ciel, les étoiles, les planètes ou même moi en ce moment, dis-toi que tu ne vois que 4 % de ce qui existe.

— Quoi ?

— 96 % de l'univers est constitué d'une matière qu'on ne voit pas, qui passe à travers les murs, à travers nos corps, à travers la terre, les métaux. Un truc

508

qui existe à peine et qui pourtant régit toutes les règles de l'univers. Sans ces 96 % de matière inconnue dans l'univers, on ne pourrait pas expliquer la rotation des étoiles, les mouvements des galaxies. Le problème, c'est qu'on sait qu'elle existe, mais on ne sait pas ce qu'elle est, puisque personne n'a réussi à la voir et encore moins à la capturer pour l'analyser. Elle échappe à tous les instruments de mesure. C'est le seul élément au monde que l'on n'arrive pas à saisir. C'est pour ça qu'on l'appelle matière noire ou matière fantôme…

— Et c'est quoi le rapport avec ce qu'on a trouvé sur l'île et les recherches de ton père ?

Christopher se tourna de nouveau vers Jonas qui fermait les yeux, sur le point de s'évanouir.

— Pourquoi cherchez-vous à capturer une particule fantôme ?

Jonas rouvrit à moitié les yeux. Christopher leva le poing au-dessus de son visage, menaçant.

Quand Jonas parla, sa voix témoignait d'une pensée mûrie et si sérieuse qu'aucun doute n'était permis sur son authenticité.

— Parce que… nous sommes certains que les particules fantômes de matière noire sont… les âmes.

Christopher abaissa son poing.

— Les âmes…

— Oui. C'est pour cette raison que la science ne parvient pas à saisir les particules de cette matière, ou même à les voir. Elles sont fantômes au sens propre du terme. Ces particules sont les âmes des êtres défunts… et celles des êtres à venir, celles qui attendent d'être incarnées.

Christopher resta interdit. Sarah elle aussi semblait chamboulée.

— Comment êtes-vous arrivés à cette conclusion ? demanda-t-elle.

Jonas respirait bruyamment et faisait désormais des efforts visibles pour lutter contre l'envie de dormir.

— Grâce au graphortex et aux enregistrements des visions des morts… balbutia-t-il.

— Nous sommes au courant pour les cinq points, précisa Christopher.

Jonas rouvrit les yeux, un mélange de surprise et de terreur dans le regard.

— Vous avez…

— Oui, nous avons fait ce qu'il fallait pour savoir. Alors, quel est le lien entre les cinq points et ce que vous affirmez sur les particules fantômes et les âmes ?!

— Qu'est-ce que vous allez faire de tout ça ?

Christopher posa la main sur le visage de Jonas et ce dernier comprit qu'il allait de nouveau souffrir. Il remua la tête. Au fond de lui, il savait que ses paroles ne changeraient de toute façon plus rien à leur immense projet. Mieux encore, plus ils les gardaient dans ce vestibule, moins il leur laissait l'occasion de perturber l'expérience en cours.

— Il existe une première cartographie en trois dimensions de la matière noire située dans l'espace, qui a été exécutée par un groupe d'astronomes. Nous avons analysé cet amas… et…

Jonas jeta un œil vers la porte du couloir. On venait d'entendre des applaudissements.

— … et… ajouta-t-il. Et… nous y avons découvert cinq étoiles dont l'alignement est exactement celui des cinq points que l'âme perçoit à l'instant de notre mort. Un alignement qui n'est présent dans aucune autre région de l'univers connu. Seulement dans cet amas.

Cette fois, même Sarah se laissa distraire de son rôle de guet et tourna la tête vers Christopher. Leurs regards se croisèrent, aussi bouleversés l'un que l'autre.

— Les âmes sont la matière noire, conclut Jonas. La vie éternelle existe, les religions ont toujours eu raison.

Christopher se ressaisit, essayant de mettre de côté l'abîme métaphysique qui continuait de s'ouvrir en lui.

On entendit de nouveau des acclamations provenant de derrière la porte, comme si un groupe de personnes félicitait quelqu'un.

— Qu'est-ce qui se passe là-bas ? demanda soudainement Sarah.

Jonas sourit, comme s'il visionnait un rêve éveillé.

— Nous allons être les premiers au monde à capturer une particule de matière noire.

— Et comment ? lui opposa Christopher.

— Nous avons mis l'argent, le temps et le savoir qu'il fallait pour fabriquer le piège à particules cosmiques le plus fin jamais inventé. Le seul qui devrait être capable d'isoler un seul de ces éléments, dont plusieurs millions traversent actuellement votre ongle sans que vous vous en rendiez compte.

— Et après ? insista Christopher. Vous allez en faire quoi ?

La lumière du couloir clignota au moment où on perçut une forte secousse. Jonas ne put s'empêcher de sourire.

— Nous allons prouver que cette particule est une âme et le monde sera changé pour toujours.

— Où se trouvent les preuves de tout ce que vous venez de nous dire ? demanda Sarah.

Jonas désigna du menton la porte au fond du couloir.

— Dans le bureau de Mark Davisburry, le directeur… en haut de la passerelle. Allez-y, mais votre présence ne changera désormais plus rien.

— Le mot de passe de son ordinateur ?

— Prométhée, soupira Jonas.

Sans attendre l'approbation de Christopher, Sarah compressa le nerf vagal de Jonas et ce dernier perdit connaissance. Ils traînèrent le corps sous l'escalier et ouvrirent avec prudence la porte derrière laquelle on venait d'entendre une salve d'applaudissements.

48

Mark Davisburry se tenait sur une passerelle sur-plombant la gigantesque salle du centre d'expérimen-tation. Un espace voûté de quatre-vingt-deux mètres de long. Presque la dimension d'un terrain de football, s'étalant sur la largeur d'une autoroute à quatre voies et la hauteur d'un immeuble de quatre étages. Au centre reposait une sphère de métal de six mille tonnes, d'un diamètre de huit mètres, recouverte de milliers de pho-todétecteurs octogonaux, constituant le maillage le plus fin jamais produit de piège à particules cosmiques.

Par moments, des impulsions de lumière émaillaient la surface sphérique, indiquant qu'une particule char-gée électriquement venait de traverser la nasse. Cette décharge était immédiatement analysée pour éliminer les particules de photons, protons et autres matières connues pour ne retenir que l'énigmatique particule fantôme, qui jusqu'alors n'était apparu sur aucun écran de détecteur parmi la petite dizaine en fonction dans le monde.

Tout autour de la sphère, une vingtaine de per-sonnes équipées de casques de chantier admiraient le chef-d'œuvre de technologie qui allait leur permettre d'entrer dans l'histoire.

Le technicien en chef leva un regard interrogateur vers l'architecte de ce projet titanesque. Gonflé par la solennité du moment, Mark Davisburry inspira.

— Mes collègues et amis, précurseurs et génies infatigables. C'est aujourd'hui que tout votre travail trouve son accomplissement. D'ici quelques heures ou même quelques minutes, l'histoire du monde prendra un nouveau virage.

Davisburry adressa un signe de tête au technicien en chef qui se tenait près d'une console de contrôle. Ce dernier appuya sur un bouton vert. Toutes les lumières du centre s'éteignirent brièvement lorsque le courant fut injecté dans le détecteur et un vrombissement fit trembler le sol. L'équipe, qui avait jusque-là retenu son souffle, laissa échapper une clameur de joie.

Mark Davisburry se revit plus jeune, priant à genoux dans une église de son petit village de Pennsylvanie, sentant vibrer au fond de lui l'existence de cette âme qui ne pouvait mourir. Il revécut l'enthousiasme fou qui s'était emparé de lui lorsqu'il avait décidé de financer et de superviser la folle quête de Nathaniel Evans à la CIA. Puis les images des premières expériences sur les cobayes humains se mêlèrent à ses lectures nocturnes des livres des morts, et enfin les premiers résultats. Les cinq points, ces nuits entières passées à scruter l'espace jusqu'à l'intuition géniale de la matière noire et enfin la preuve qui allait tout changer. Celle qui allait asseoir la religion au sommet de la société. Celle qui allait transformer toutes les peines humaines, toutes les angoisses en espoir.

Un bip bref et particulièrement fort le tira de ses pensées. Comme l'ensemble des scientifiques présents ce jour-là, il savait ce que ce signal voulait dire.

Le technicien en chef contrôlait déjà les écrans et procédait aux vérifications à toute vitesse. Il s'y reprit à deux fois pour être certain, toute l'équipe suspendue à son verdict.

Finalement, il releva la tête, les yeux luisants d'une émotion indicible. Mark Davisburry serra les poings de victoire : en quelques minutes, la puissance de leur capteur s'était avérée sidérante. La sphère géante venait de capturer une particule fantôme. Une première mondiale qui ne représentait pourtant que la moitié de l'objectif final.

Restait maintenant le dernier test. Celui qui consistait à décrypter le code électrique de cette particule cosmique pour voir s'il traduisait une forme de pensée intelligente. Une expérience inédite fondée sur les toutes dernières découvertes de la pensée binaire.

— Procédez à l'analyse, ordonna fébrilement Davisburry en descendant de sa passerelle à toute vitesse.

Le technicien responsable du programme tira une chaise et s'installa devant un autre ordinateur, entouré de toute l'équipe qui regardait par-dessus son épaule. Il pianota quelques instructions sur son clavier et une série de 1 et de 0 envahit brutalement l'écran.

— Il envoie un signal, murmura-t-il les yeux écarquillés. Il envoie un signal...

Mark Davisburry venait d'arriver à son tour près de l'ordinateur, une main écrasée sur la bouche, ne croyant pas lui-même au miracle auquel il assistait.

Dans son équipe d'hommes et de femmes, certains faisaient le signe de croix ou tripotaient leurs médailles et crucifix tandis qu'un autre lisait à voix basse une longue prière qu'il avait écrite exprès pour l'occasion.

L'écran cessa d'afficher sa série de chiffres et un curseur clignotant attendit une validation pour le décodage.

Mark Davisburry leva le doigt solennellement et pressa la touche « Entrée ». Une jauge de calcul s'afficha sur l'écran et commença à grandir, au fur et à mesure du déchiffrage.

D'ici quelques secondes, ils liraient le message inscrit dans la particule de matière noire qu'ils venaient de capturer. Une découverte inouïe qui prouverait l'existence et la survie de l'âme.

La barre venait de dépasser les 50 % de progression et une impatience insoutenable électrisait le groupe de scientifiques. Mark Davisburry lui-même, d'ordinaire calme, ne put s'empêcher de se rogner la peau du pouce.

72 %. L'air semblait manquer à chacun. Une des chercheuses tourna de l'œil. Deux de ses collègues la soutinrent sans pour autant quitter des yeux le décompte. 96 %.

Mark Davisburry s'arrêta de respirer.

À ses côtés, les membres de l'équipe s'étaient instinctivement rapprochés de l'écran. Et soudain retentit un bip annonçant l'affichage du décodage final.

Mark Davisburry n'osait ouvrir les yeux. Autour de lui, il entendit quelqu'un retenir sa respiration de stupeur. Un autre murmura : « Mon Dieu… ça a marché… La vie éternelle est… une réalité… »

— Monsieur, regardez ! Nous avons la preuve que la particule est vivante et… consciente.

— Le Salut du Seigneur existe… chuchota une femme dans une explosion de soulagement. Il existe…

Mark Davisburry venait de saisir le rebord du bureau supportant l'ordinateur, comme quelqu'un essayant de lutter contre un vertige. Il avait réussi.

Il se tourna vers les chercheurs dont les cris d'allégresse s'envolaient dans l'air. Certains s'embrassaient, d'autres pleuraient de joie en s'étreignant.

Davisburry les regarda, d'abord avec de la joie dans le cœur et le regard. Mais lorsqu'il reporta son attention sur l'écran de son ordinateur, la jubilation laissa place à l'inquiétude. La puissante machine qu'ils avaient développée au cours de ces années était parvenue à décrypter une fraction de la mémoire de l'âme capturée. Et ce qu'il y vit le glaça d'effroi.

Cela ne pouvait pas être possible. Il devait y avoir une erreur. Forcément !

Les membres tremblants, Davisburry allait relancer le décodage de la particule capturée lorsque le détecteur signala l'acquisition de cinq autres éléments.

Alors qu'autour de lui l'équipe scientifique redoublait d'élans de satisfaction, Davisburry redoutait le pire. Désormais seul à regarder l'écran de contrôle, il réordonna le décryptage de la première particule et exécuta en parallèle le décodage des traces mnésiques des cinq nouveaux signaux électriques.

Les résultats tombèrent l'un après l'autre et seule son immense fierté lui épargna de s'évanouir devant son équipe.

— Mon Dieu, pardonnez-moi, chuchota Davisburry.

Livide, il allait ordonner à tout le monde de se taire, de cesser immédiatement cette débauche pour leur annoncer leur échec, leur monstrueux échec. Mais il se ravisa. L'erreur était trop grave.

Alors, sans que personne ne lui prête attention au milieu des congratulations mutuelles et des esprits grisés, Davisburry s'éloigna lentement du groupe et regagna son bureau.

*

Christopher et Sarah avaient profité de la diversion provoquée par la mise en marche du nouveau capteur géant de particules cosmiques pour s'introduire dans la vaste salle du module.

Cachés derrière des chariots de matériel, ils avaient attendu que Mark Davisburry descende auprès de son équipe pour emprunter l'escalier et grimper discrètement en haut de la passerelle.

De là, ils avaient pénétré dans son bureau, déverrouillé son ordinateur grâce au mot de passe révélé par Jonas et commencé à télécharger l'intégralité du disque dur sur une clé USB.

Désormais accroupi devant l'ordinateur, Christopher surveillait le téléchargement tandis que Sarah continuait à filmer avec fébrilité l'événement qui se déroulait à quelques mètres sous leurs pieds.

— J'ai l'impression qu'ils ont bientôt terminé.

— Allez, allez ! s'impatienta Christopher, voyant qu'il n'en était qu'à 56 % de téléchargement.

Sarah entendit soudain des pas approcher vers le bureau. Elle se positionna juste à côté de la porte et fit signe à Christopher de se cacher sur-le-champ.

Le transfert allait se terminer d'une seconde à l'autre et Christopher avait déjà la main sur la clé USB, prêt à la retirer, quand la porte du bureau s'ouvrit.

Sarah attrapa le bras de l'intrus et le jeta à terre avant de lui plaquer une main sur la bouche.

Mark Davisburry laissa échapper un cri de peur et de douleur. Sarah leva la main pour l'assommer.

— Attends, lança Christopher. Vous êtes Mark Davisburry ?

L'homme cligna des yeux.

— Ma coéquipière va retirer sa main de votre bouche. Mais si vous appelez à l'aide, elle vous brise la nuque. C'est clair ?

L'homme d'affaires observa les deux intrus qu'il croyait morts et abaissa de nouveau les paupières en signe d'acquiescement.

Sarah relâcha lentement sa pression.

— Écoutez-moi bien, déclara Christopher, très nerveux... Je ne fais pas ça pour la gloire, l'argent ou je ne sais quoi, je fais ça pour sauver mon enfant. Dites-moi ce que vous avez trouvé en lançant votre nouveau programme. J'en ai besoin pour le sauver.

Davisburry fit non de la tête.

Au même moment, on entendit un bip numérique. Christopher se retourna et vit que le téléchargement sur sa clé USB était terminé. À bout de nerfs, Sarah commit une faute et relâcha elle aussi son attention.

Davisburry profita de ce bref instant pour se dégager, foncer vers un tiroir de son bureau dont il tira une arme à feu.

— Christopher ! cria Sarah en voyant que l'homme d'affaires le visait.

Davisburry pointa son arme vers sa tête mais, dans la panique, il rata sa cible. Il mit Sarah en joue et elle se jeta derrière un meuble pour éviter la balle qui siffla au-dessus d'elle.

Quand elle reprit ses esprits, Davisburry avait disparu. Christopher décrocha la clé USB, mais, trop nerveux, elle lui échappa des mains et tomba derrière le bureau.

Mark Davisburry avait fui et descendait les marches de la passerelle à toute allure. Il contourna son équipe qui se remettait à peine de sa joie et traversa la haute salle d'expérimentation en courant.

Il se dirigea vers une porte située tout au fond du hangar. Il glissa la main dans sa poche et en sortit une épaisse clé pour serrure blindée. Il ouvrit, entra, jeta un dernier coup d'œil à son équipe de chercheurs dont l'un des membres le regardait maintenant d'un air perplexe et referma le lourd battant.

La salle était vide, à l'exception d'un capteur magnétique installé sur le mur d'en face. Il y apposa son badge et la paroi s'escamota pour révéler une niche munie seulement d'une serrure dans laquelle il enfonça une clé.

Davisburry prit ensuite une longue respiration.

— Pardon, mon Dieu. Je me suis trompé.

Et il tourna la clé.

*

La première explosion se produisit juste à côté de la gigantesque sphère et secoua tout le laboratoire. Christopher et Sarah sentirent une vague de chaleur monter jusqu'à eux.

En contrebas, les corps ensanglantés et carbonisés de plusieurs scientifiques gisaient à terre tandis que des flammes dévoraient les parois du module.

Sarah eut à peine le temps de rejoindre Christopher qu'une deuxième détonation fit voler en éclats les vitres du bureau.

— Il faut partir, Christopher !

Obsédé par la récupération de la clé USB, Christopher se coucha sur le flanc pour l'attraper. Les vibrations de l'explosion l'avaient rapprochée des bords du bureau et il put la saisir du bout des doigts. Il allait se relever avec l'aide de Sarah quand une nouvelle déflagration leur fit perdre l'équilibre. Christopher tomba à la renverse. Un pan du plafond se détacha, s'écrasa sur le bureau et retomba sur sa jambe. Ses cris de douleur furent couverts par une nouvelle détonation.

Au-dessus de lui, il avisa deux autres morceaux de dalle qui s'apprêtaient à se décrocher. Sarah poussa de toutes ses forces sur la dalle de béton qui retenait Christopher prisonnier. Mais elle était bien trop lourde et elle ne parvint pas à la faire bouger.

Une nouvelle détonation secoua les murs et des pans entiers du plafond se détachèrent dans le hall pour s'écraser sur le gigantesque capteur de particules cosmiques. D'ici quelques secondes, le hangar souterrain serait enfoui sous les décombres.

— On n'a plus le temps, Sarah ! Prends la clé et va-t'en, lâcha Christopher. Sors d'ici et va sauver Simon. Jure-le-moi !

Sarah força de nouveau sur la dalle en hurlant de rage, mais elle ne bougea pas d'un millimètre. Elle n'y arriverait pas.

D'autres éclats chutaient autour d'eux, chacun menaçant de les achever. Christopher lui mit les clés de la voiture et le support USB dans la main. Elle serra ses doigts. Ses yeux devinrent humides. Ce ne pouvait pas être vrai. Elle ne pouvait pas être en train de vivre cet abominable moment.

— Sauve Simon, dit Christopher. Dis-lui que je l'aime... Dis-lui qu'avec son papa et sa maman, on sera toujours là pour lui.

Sarah ne voyait presque plus le visage de Christopher derrière le voile de larmes qui couvrait ses yeux. Elle lui enveloppa le visage de ses mains et l'embrassa.

— Regarde les étoiles, balbutia Christopher, la mâchoire tremblante. Pour cette vie, il est trop tard, mais de là-haut, j'aurai tous les jours le temps de te dire... je t'aime.

Un morceau de béton effleura le bras de Sarah en lui arrachant un morceau de peau. Christopher la repoussa. Elle desserra son étreinte, tourna la tête et partit en courant.

49

Plus tard, Sarah ne se souviendrait jamais clairement comment elle était parvenue à sortir vivante du souterrain et à rejoindre la cage d'ascenseur qui l'avait ramenée à la surface. Elle se rappelait simplement avoir couru, être tombée et avoir senti le sol trembler sous ses pieds à plusieurs reprises.

Quand, au bout de sa course pour la survie, les portes de la cage d'ascenseur s'ouvrirent en grinçant, Sarah fut immédiatement prise en charge par un pompier qui l'entraîna vers une ambulance en lui demandant comment elle se sentait.

Le parking, désert à peine une demi-heure plus tôt, était saturé de camions de pompiers dont les gyrophares rouges se reflétaient sur les casques luisants de l'armée de sauveteurs.

— Asseyez-vous. Je vais vous ausculter, dit le pompier quand ils furent à côté de l'ambulance.

L'inspectrice s'assit et se laissa faire, hébétée.

Le pompier retira les écouteurs de stéthoscope, vérifia la dilatation des pupilles avec une lampe dirigée sur l'iris et prit la tension de sa patiente.

— Votre rythme cardiaque est très élevé, mais la tension est bonne. Vous êtes solide, conclut-il en retirant le brassard du tensiomètre. Restez ici. Un policier va venir vous voir. Ça va aller ?

Sarah hocha machinalement la tête et resta sans bouger, indifférente à l'activité autour d'elle, ses yeux ignorant les silhouettes qui circulaient, les voix qui criaient des ordres.

— Madame, que s'est-il passé ? lui demanda une voix pressante et presque enjouée.

Sarah se retourna pour voir la caméra braquée sur elle et le micro tendu sous son visage. La journaliste qui voulait recueillir son témoignage l'encourageait d'un regard faussement compatissant.

Sarah fit signe qu'on la laisse tranquille et tourna le dos à l'équipe de télévision. La reporter et son cameraman tentèrent leur chance avec un autre survivant.

Plusieurs minutes s'écoulèrent. Et puis Sarah crut entendre un pompier crier que l'ascenseur remontait. Elle se redressa. Quatre pompiers sortirent en hâte avec deux civières sur lesquelles gisaient les corps brûlés et ensanglantés de deux personnes.

Lorsque les sauveteurs passèrent à côté d'elle en courant, elle reconnut deux touristes qui étaient avec eux lors de leur descente. Un des pompiers informa son collègue qu'il n'y avait plus personne de vivant en bas.

Un policier s'approcha d'elle.

— C'est bon, je n'ai rien, dit Sarah.

— Nous avons besoin de votre déposition, madame.

Sur le parking, l'agitation avait laissé place à une activité intense, mais désormais concentrée sur les soins à apporter aux blessés. Sans espoir, Sarah regarda en direction de l'ascenseur. Les portes étaient fermées.

Elle tourna de nouveau son regard vers le policier et répondit à ses questions en jouant la touriste venue faire une visite de la mine. Elle ne savait pas ce qu'il s'était passé et voulait seulement rentrer chez elle. L'homme prenait des notes et finit par lui demander ses papiers.

Sarah lui tendit son passeport. Le policier l'examina puis le lui rendit. Il lui notifia une convocation pour venir faire une déposition plus complète le lendemain au commissariat de la ville. Puis l'agent s'en alla en direction d'autres blessés.

Dévastée, Sarah toucha la clé USB au fond de sa poche. La vie de Simon ne dépendait plus que d'elle. Et même si elle n'était plus que l'ombre d'elle-même. Même si bouger, penser, respirer lui était insupportable, elle avait promis.

Elle consulta sa montre. L'avion qui aurait dû les ramener, elle et Christopher, à Paris décollait dans moins de deux heures. Mue par sa volonté hors du commun, elle se leva et rejoignit leur voiture de location comme un automate.

Elle passa devant l'équipe de télévision qui annonçait une terrible explosion au centre de recherche de Soudan, dont le responsable serait selon les premiers témoignages le célèbre Mark Davisburry, que la police était actuellement en train d'interpeller à sa sortie des décombres.

Elle entra dans la voiture, enfonça les clés dans le démarreur et fondit en larmes, brisée.

Se ressaisissant, elle s'apprêtait à démarrer quand elle devina une agitation parmi les sauveteurs. Des pompiers se dirigeaient vers l'ascenseur. Sarah s'arrêta et, dans la poussière soulevée par les allées et venues des secours, elle aperçut la porte de l'ascenseur s'ouvrir et deux silhouettes s'effondrer dans les bras des secouristes.

Sarah quitta son véhicule et marcha d'un pas de plus en plus rapide.

L'une des deux victimes, allongée sur un brancard, passa à côté d'elle. Elle portait une blouse blanche déchirée, maculée de sang et de poussière. Sarah ne la reconnut pas.

Son cœur s'accéléra. Elle se mit à courir, mais impossible de voir le visage du second blessé, les pompiers s'affairant autour de lui.

— Madame, s'il vous plaît ! l'interpella le policier. Où allez-vous ?

Sarah ignora l'injonction, parcourut les derniers mètres qui la séparaient de l'équipe de secours, les mains jointes en prière, et s'agenouilla. Le blessé dut percevoir sa présence et tourna lentement la tête vers elle. Sarah étouffa une exclamation de joie.

Les joues noyées de larmes, elle colla son front à celui de Christopher et sentit qu'il posait à son tour sa main tremblante sur sa nuque.

Le pompier qui avait failli intervenir pour demander à Sarah de s'en aller comprit que ses soins ne feraient jamais autant de bien à son patient que la présence de cette femme. Il s'arrangea pour poursuivre son travail malgré elle. Christopher avait les vêtements en lambeaux, des éraflures plein le visage, mais sa jambe n'était pas cassée.

— Combien de temps ? murmura Christopher.

— Une heure trente-cinq…

L'un comme l'autre savaient qu'ils n'atteindraient jamais l'aéroport dans les délais.

Et c'est probablement pourquoi ils eurent la même idée en regardant l'ambulance.

*

Comme prévu, les secours conduisirent Christopher et Sarah à Minneapolis en moins d'une heure. Les infirmiers à bord fixèrent une attelle sur la jambe de Christopher.

Ce dernier en profita pour envoyer à Lazar la vidéo de tout ce que Sarah avait filmé pendant l'activation du capteur de particules cosmiques. On n'y distinguait pas clairement les visages des protagonistes, mais le son était bon.

Une dizaine de minutes plus tard, alors que Christopher était traversé de sueurs froides à l'idée d'avoir échoué, le téléphone sonna.

— Et le commanditaire ? demanda Lazar d'une voix qui n'était plus qu'un rauque raclement de gorge.

— L'homme qui a commandité les expériences sur vous et d'autres patients depuis 1960 s'appelle Mark Davisburry. Et à défaut d'être mort, il passera le reste de ses jours en prison.

— Les preuves, Clarence !

— Branchez-vous sur n'importe quelle chaîne d'informations américaine...

Lazar garda Christopher en ligne tandis qu'il connectait son ordinateur portable à CNN. Dans le haut-parleur, Christopher distingua le débit si caractéristique des voix de reporters américains.

Lazar fut saisi d'une émotion dont lui-même fut surpris lorsqu'il reconnut sur son écran le visage de l'un de ses tortionnaires. Une photo officielle de Davisburry était présentée en encart dans le coin de l'écran tandis que des images filmées à la volée montraient la police encadrant un brancard. Le présentateur expliquait que le millionnaire Mark Davisburry, ancien agent de la CIA reconverti dans l'industrie médicale, était le suspect principal dans l'explosion criminelle qui venait de détruire le centre d'expérimentation de la mine de Soudan.

— 130, chemin Saint-Pierre-de-Féric, à Nice.

Et Lazar raccrocha.

Christopher demeura bouche bée jusqu'à ce que Sarah lui demande ce que Lazar avait dit.

— 130, chemin Saint-Pierre-de-Féric, à Nice. On a réussi, Sarah.

Elle le serra dans ses bras en posant la tête dans le creux de son épaule tandis que Christopher répétait l'adresse à voix haute pour être certain de ne pas l'oublier.

Quand ils parvinrent à Minneapolis, Christopher signa une décharge et demanda aux infirmiers qu'on le laisse partir. Ils embarquèrent dans un taxi et, trente minutes plus tard, ils passaient les portes de l'embarquement pour le vol AF 93021 Minneapolis-Paris de 13 h 45.

Ce n'est qu'après avoir décollé que Sarah prit le temps de demander à Christopher par quel miracle il avait réussi à sortir vivant de la mine.

Il lui raconta alors comment un des membres de l'équipe de Davisburry avait survécu aux éboulements grâce à son casque de sécurité et l'avait sauvé. En cherchant un moyen de s'enfuir, le scientifique était passé par le bureau de Davisburry et avait vu Christopher blessé et prisonnier. Il avait fait levier avec une hache de secours qu'il avait avec lui et était parvenu à le libérer puis à le soutenir jusqu'à la sortie.

Sarah détourna le regard pour observer les rebonds nuageux du ciel, meurtrie de ne pas avoir été celle qui l'avait sauvé.

— Tu n'avais aucun moyen de m'aider, la consola Christopher. Aucun. Surtout, ne t'en veux pas. Je te dois tout.

Il posa sa main sur la sienne. Leurs doigts se nouèrent et se serrèrent. Malgré l'angoisse sourde qui continuait à résonner en lui en attendant de pouvoir tenir Simon dans ses bras, Christopher entrevit un bonheur immense aux côtés de cette femme qui l'avait accompagné jusqu'en enfer.

Après quelques instants, Sarah se tourna vers Christopher et inspecta son visage. Elle semblait recenser le nombre de coupures et de bleus sur sa peau et embrassa chacune de ses blessures de la pulpe de ses lèvres. Puis elle serra de nouveau la main de Christopher.

Ils restèrent ainsi, se nourrissant mutuellement de la douceur et de la chaleur de l'autre sans que ce contact parvienne pour autant à vaincre les affres de l'inquiétude. Lazar tiendrait-il parole ? Avait-il dit la vérité en affirmant que Simon était encore vivant ?

50

Lorsqu'ils atterrirent enfin à Nice après avoir pris un autre vol à Paris, Christopher commença à se sentir vraiment mal. La chaleur du sud de la France mêlée à l'anxiété et à la fatigue le rendait fébrile. Et le discours du chauffeur de taxi l'agaçait.

— Joli quartier, lança la voix chantante du conducteur niçois lorsque Christopher lui eut donné l'adresse du 130, chemin Saint-Pierre-de-Féric. Je sais pas si vous connaissez ce coin, poursuivit le chauffeur en quittant le parking de l'aéroport. C'est sur les hauteurs, y avait de belles villas là-haut dans le temps... mais maintenant, c'est un peu laissé à l'abandon.

— Nous sommes fatigués, trancha Sarah. Merci de nous conduire rapidement à destination.

— OK, OK... Vous avez un petit accent qui me rappelle celui de la fille au pair de ma belle-sœur. Vous viendriez pas d'un de ces pays du Nord ou d'un truc comme ça ?

Sarah tourna la tête vers la vitre sans répondre. Le taxi sembla cette fois comprendre le message et marmonna quelques banalités sur la différence entre la convivialité des gens du Sud et ceux des pays froids.

Mais ni Sarah ni Christopher n'avaient envie de faire des efforts pour les politesses de convenance.

Serrant contre lui la pochette contenant tous les documents qu'il allait remettre à Lazar, Christopher souffrait davantage chaque seconde qui le séparait de Simon et Sarah se sentait désormais impuissante à le rassurer.

Après avoir suivi une grande route, la voiture s'engagea sur un petit chemin tracé à même un coteau. De part et d'autre de l'étroite voie, on apercevait de grands jardins laissés en friche et des villas dont la plupart ne semblaient plus habitées.

Quand ils passèrent devant le n° 120, Sarah demanda au chauffeur de les arrêter.

— C'est pas au 130 que vous vouliez aller ?

— Arrêtez-vous ici !

— Pop, pop, faut pas vous énerver. Moi, je dis ça pour vous éviter de la marche inutile, hein, mais c'est vous qui décidez.

Ils payèrent et sortirent, laissant le taxi s'en aller.

Le jour déclinait et une lumière d'incendie brûlait les nuages survolant les montagnes du parc du Mercantour.

— Donne-moi les documents, dit Sarah.

— Pour quoi faire ?

— Si j'étais Lazar, je n'aurais aucun scrupule à nous tuer et à prendre ce qui m'intéresse sur nos cadavres. On va les cacher quelque part ici et la première chose qu'on lui annoncera avant même de le voir, c'est que l'on n'a pas les informations sur nous et que, s'il les veut, il devra tous nous garder en vie, y compris Simon.

Christopher reconnut qu'il était si impatient de retrouver Simon qu'il aurait effectivement commis cette ultime faute. Il tendit à Sarah la pochette contenant les documents et la clé USB.

Elle s'assura qu'ils étaient vraiment seuls en regardant autour d'elle et cacha soigneusement la pochette et la clé derrière des buissons qui dépassaient d'une clôture.

— C'est le moment, on y va.

Le numéro 130 abritait l'une des rares villas dont le portail était éclairé. Protégée par une haute palissade en métal, on ne pouvait pas voir l'intérieur, mais, à la longueur de l'enceinte, la propriété semblait vaste.

Sarah remarqua la présence d'une caméra, mais Christopher, n'y tenant plus, sonnait déjà à l'interphone.

— Je préfère vous prévenir tout de suite, dit Christopher sans savoir si on l'écoutait. Les documents ne sont pas sur nous. J'exige de tenir Simon dans mes bras avant de vous donner quoi que ce soit.

Sarah poussa prudemment le portail entrouvert, dévoilant une majestueuse allée bordée par les silhouettes élancées de cyprès de Florence.

Ils suivirent le chemin de cailloux blancs conduisant à une maison en pierre de taille, juchée sur une butte, au milieu d'un immense jardin planté d'arbres fruitiers. On entendait seulement leurs pas crisser sur le gravier et le chant lointain de quelques cigales accompagné d'un gazouillis insouciant de rossignol. Il faisait encore bon et pourtant, à l'horizon, une masse de nuages gris s'amoncelait.

Ils parvinrent au pied d'un grand escalier blanc séparé en deux qui menait à l'entrée nichée sous une arche typique des villas à l'architecture baroque.

Ils gravirent les larges marches et poussèrent la porte d'entrée ouvragée qui s'ouvrit sans effort.

Le hall de marbre blanc qui les accueillit luisait de propreté et face à eux s'étalait la courbe d'un long escalier menant à l'étage. Une large tenture recouvrait un mur et plusieurs portes distribuaient d'autres pièces. Christopher avait envie de toutes les ouvrir en criant le nom de Simon.

Mais en tendant l'oreille, il crut distinguer un bruit lent et régulier, comme un souffle. Oui, c'était ça, le même son qui était en fond lorsqu'il parlait à Lazar : le va-et-vient d'un appareil d'assistance respiratoire. Et ce bruit provenait de l'étage.

Ils gagnèrent le palier et suivirent la rambarde du couloir menant jusqu'à une porte entrebâillée, Sarah jetant des œillades inquiètes à gauche et à droite.

Devant la porte entrouverte d'où provenait le souffle artificiel, Christopher éleva la voix.

— Il y a quelqu'un ?

Pas de réponse.

Sarah poussa du bout de la main la porte, qui s'ouvrit lentement sur une grande chambre tapissée d'une moquette grenat et d'un papier peint aux motifs en arabesques.

Une brise entrait par la fenêtre, et au souffle mécanique de l'appareil respiratoire se mêlait le bruissement d'un tilleul. Un homme au crâne parsemé de rares filets de cheveux grisâtres était allongé dans un lit, la tête basculée vers la fenêtre.

— Lazar ? s'inquiéta Christopher.

La silhouette étendue ne bougea pas. Cette fois, Christopher traversa la chambre à toute allure et se planta devant le lit du malade. Sarah ne céda pas à l'impatience et scrutait chaque recoin.

— Lazar ! hurla Christopher.

Le cœur de Sarah se serra. Ce cri laissait augurer du pire. À son tour, elle se dirigea vers le lit et comprit. Christopher secouait Lazar par les épaules.

— Où est Simon ?! Espèce de salopard ! Parle !

Mais le vieil homme n'ouvrit pas les yeux, son corps remuant sous les secousses de Christopher comme un mannequin sans vie.

Et pourtant, l'appareil respiratoire fonctionnait encore. Lazar était toujours vivant, mais probablement dans le coma, un sourire lénifié sur les lèvres. Mais ayant emporté avec lui leur dernière chance de retrouver Simon.

— Simon ! hurla Christopher à tue-tête sans savoir dans quelle direction diriger son appel. Simon ! C'est moi, Christopher !

Et il se mit à vider les tiroirs, à fouiller chaque recoin de la chambre à la recherche du moindre indice qui pourrait l'aider à retrouver le petit garçon.

Plus calme, Sarah étudia avec soin le corps inconscient de Lazar. Elle repéra des tatouages discrets sur deux des doigts de la main droite du vieil homme : l'un en forme de rose des vents et l'autre représentant un poignard. Très certainement la marque de l'organisation criminelle russe Vory v Zakone, songea-t-elle. Ce qui expliquait où cet ancien cobaye de la CIA échappé d'un asile avait trouvé les moyens de se payer une telle villa et de financer la traque de ses tortionnaires pendant tant d'années.

Sarah souleva le drap du malade, dévoilant un torse lui aussi tatoué, mais cette fois d'une Vierge à l'enfant arborant un sourire. D'ailleurs, à bien y regarder, Lazar affichait un sourire similaire. Et si cruel avait-il été, cet homme ne pouvait avoir l'air aussi apaisé sans avoir fait la paix avec sa conscience. Il avait certes accompli le but de son existence en vengeant ses années de supplice et son angoisse s'était probablement évanouie à la certitude de survivre après la mort. Mais ce dessin serein sur ses lèvres possédait quelque chose de plus généreux.

Sarah remarqua alors que le poing gauche de Lazar, qui était jusque-là caché sous le drap, était serré et qu'un morceau de papier en dépassait.

Elle délia les doigts un à un et libéra un bout de papier chiffonné. Elle le déplia.

— Christopher...

Mais Christopher était déjà dans la pièce d'à côté, traînant sa jambe handicapée, fouillant chaque placard, regardant sous chaque lit, frappant contre chaque mur en hurlant le nom de Simon.

Elle le rejoignit et lui mit le mot sous les yeux.

— C'est quoi ?! s'emporta-t-il.

— Un message que Lazar nous a laissé.

— « Derrière la tenture du hall d'entrée », lut Christopher à toute vitesse.

Et Sarah lui dévoila alors la clé qu'elle avait trouvée à l'intérieur du papier chiffonné.

Alors qu'au loin on entendait les grondements du tonnerre, ils rejoignirent l'escalier, descendirent les marches, et Christopher se précipita, autant que sa jambe blessée le lui permettait, vers la tenture recouvrant l'un des murs du hall d'entrée. Il souleva l'épais tissu comme s'il voulait l'arracher.

Dans le mur se découpait une porte dissimulée munie d'une minuscule serrure.

Sarah y glissa la clé et ouvrit la porte qui donnait sur un escalier de service que Christopher gravit sans attendre.

Ils atteignirent un couloir en bois poussiéreux qui distribuait deux portes, anciennement les chambres des domestiques. Les deux portes étaient fermées, mais la clé ouvrait l'une d'entre elles.

Le cœur frappant dans sa gorge, le sang bourdonnant à ses oreilles, Christopher entra.

La pièce sentait le renfermé. Les volets étaient clos et seule une lumière triste posée par terre diffusait une lueur blanchâtre. Un petit train en bois était couché sur le côté et, dans un coin de la pièce, une silhouette était prostrée.

Christopher reconnut la chevelure désordonnée de Simon. Le petit garçon serrait contre lui un vieil ours en peluche blanc qu'on avait dû lui jeter. Il respirait par saccades.

— Simon, bredouilla Christopher.

Le petit garçon serra plus fort sa peluche, en tremblant. Le voile qui noyait le regard de Christopher lui brûlait les yeux. Il s'approcha en boitant.

— Mon cœur... c'est moi. C'est fini, les méchants sont partis. Je suis là...

Simon releva lentement la tête, le regard luisant. Christopher s'agenouilla près de lui et se retint de le prendre dans ses bras, de peur de le brusquer.

Le petit garçon le fixa, comme s'il n'arrivait pas à faire la différence entre le rêve et la réalité, sa peluche sale plaquée contre sa poitrine.

— Tu as été tellement fort… tellement… bafouilla Christopher, ému à ne plus pouvoir parler.

Simon se redressa sur ses petites jambes, lâcha sa peluche, prit Christopher par le cou, enfouit le visage dans son épaule et l'étreignit avec la force de la vie retrouvée.

La gorge serrée, Sarah contempla ce moment d'amour infini.

Une déflagration explosa dans le ciel lorsque le tonnerre frappa juste au-dessus de leurs têtes. L'instant d'après, un torrent de pluie crépita sur la toiture de la bâtisse.

Christopher souleva Simon dans ses bras et retourna dans le hall d'entrée. Le petit garçon s'était endormi.

Sarah appela un taxi, mais on leur demanda d'attendre que la tempête cesse.

Ils patientèrent en silence, Christopher caressant les cheveux de Simon comme s'il voulait absolument être certain qu'il ne vivait pas un rêve éveillé.

Dehors, l'orage grondait sous des rideaux de pluie chahutés par des bourrasques de vent. La tempête soufflait si fort que la silhouette longiligne des cyprès se courbait en des angles approchant le point de rupture.

— La clé et les documents ! se rappela soudain Christopher.

Sarah avait comme lui oublié les preuves qu'elle avait cachées dans un buisson au bord de la route.

Elle se rua dehors.

— Sarah, non, c'est trop dangereux !

En l'espace d'une poignée de secondes, Sarah se retrouva aussi trempée que si elle était tombée à l'eau. Alors qu'elle courait, ses pieds disparaissaient dans les profondes flaques d'eau qui s'étaient formées sur le chemin et, à plusieurs reprises, elle manqua perdre l'équilibre sous les rafales de vent.

Du hall d'entrée, Christopher la vit se fondre derrière l'écran que formaient les trombes d'eau en se disant que cette femme était définitivement hors du commun.

Quand Sarah atteignit enfin la cache des documents, elle ne put que constater qu'une puissante coulée d'eau avait arraché les buissons des bas-côtés, raviné la terre jusqu'à la roche et tout emporté sur son passage. Il ne restait plus rien. Elle parcourut quelques dizaines de mètres vers le bas de la pente pour découvrir qu'une bouche d'égout tentait d'avaler le torrent d'eau qui dévalait vers elle. Par acquit de conscience, elle inspecta les alentours, mais aucune trace de clé USB et encore moins de feuilles.

Elle regagna la villa.

En la voyant revenir les mains vides, Christopher comprit qu'ils venaient de perdre les preuves d'une découverte inestimable. Mais après tout, c'était peut-être mieux ainsi et puis, rien ne pouvait de toute façon être plus beau et plus important que de sentir Simon respirer dans ses bras.

Le petit garçon s'était endormi, et Sarah le couvrit d'un sourire affectueux en le regardant blotti contre son oncle.

Ils patientèrent à l'abri de la villa, en silence. Le taxi arriva une demi-heure plus tard, et ils se rendirent à l'hôpital pour faire examiner Simon. En chemin, Christopher lui demanda de ne pas dire la vérité au médecin. Qu'il était encore trop tôt. Qu'on en reparlerait plus tard, tranquillement une fois à la maison.

Le petit garçon fut pris en charge par une infirmière, à qui ils expliquèrent qu'ils étaient partis faire une randonnée dans le Parc du Mercantour et qu'à l'heure du pique-nique, leur enfant avait échappé à leur vigilance tandis qu'ils se disputaient. À un moment ils ne l'avaient plus entendu. Ils l'avaient cherché pendant près d'une heure avant de le retrouver en pleurs à l'abri d'un arbre. Simon avait l'air d'aller bien mais ils voulaient s'assurer qu'ils n'avaient pas raté une blessure, une piqûre ou quelque chose de ce genre.

L'infirmière leur adressa un regard de reproches et invita gentiment Simon à la suivre. Christopher et Sarah attendirent dans la salle d'attente parmi d'autres parents et accompagnants de malades dont certains feuilletaient des magazines froissés tandis que d'autres étaient absorbés par l'écran de leur smartphone.

Christopher acheta deux cafés au distributeur automatique et en tendit un à Sarah. Ils sirotèrent chacun leur boisson en silence en regardant les gens autour d'eux.

— Je sais que c'est un peu banal ce que je vais dire, mais ça me fait tellement bizarre d'être revenu à une espèce de vie normale, murmura Christopher. Là, au milieu de ces gens qui… qui ne savent pas. Je ne sais pas comment je vais faire pour revivre normalement.

Sarah posa la tête contre son épaule.

— D'expérience, le quotidien guérit beaucoup de choses, répondit-elle sans trop y croire.

— C'est gentil d'essayer de me mentir.

— Avec un enfant dont on doit s'occuper, je pense que c'est un peu moins un mensonge.

Christopher entoura les épaules de Sarah et la serra contre lui.

— Si Simon n'a pas besoin d'être hospitalisé, nous allons nous reposer une nuit à l'hôtel avant de prendre un vol pour Paris…

Elle baissa la tête, gênée, et se décolla lentement de l'étreinte de Christopher.

— Je… je dois rentrer à Oslo faire mon rapport. Désormais, j'ai les réponses à toutes mes questions, et je sais qui a tué ce… patient 488 et pourquoi, ajouta-t-elle. J'ai terminé mon enquête, je dois boucler le dossier et m'expliquer sur mon absence auprès de mes supérieurs. Et puis, je vais aussi témoigner de tout ce que j'ai vu et qui te dédouanera de toute poursuite. Il faut le faire vite pour t'éviter de gros ennuis. Dépose-moi à l'aéroport.

— C'est ton amoureuse ?

Simon venait de quitter le cabinet de l'infirmière. Il semblait en forme.

— Je, euh… balbutia Christopher.

— Simon va physiquement bien, annonça l'infirmière. Il n'a pas de blessures apparentes. En revanche, son état psychique m'a semblé fragile.

Christopher prit Simon dans ses bras d'un geste enveloppant et tendre avant de confier à l'infirmière qu'il était le père adoptif du petit garçon. Il ajouta que Simon avait perdu ses deux parents il y a peu et que cela expliquait la raison de sa fébrilité émotionnelle.

L'infirmière accorda un sourire affectueux au petit garçon avant de persiffler à l'attention de Christopher que cet enfant avait assez souffert et méritait un père adoptif un peu plus attentif et responsable. Elle décocha un regard de reproche à Sarah et s'éclipsa en poussant un profond soupir.

Christopher accusa le coup en hochant la tête d'un air d'approbation. Après tout, cette infirmière n'avait pas complètement tort.

— Alors, c'est ton amoureuse ? insista Simon en regardant Sarah qui les observait avec tendresse.

— Tu dormais dans le taxi, alors je ne te l'ai pas présentée. Voici Sarah. C'est aussi en grande partie grâce à elle que tout s'est bien terminé...

Simon hocha la tête avant de se renfrogner de surprise devant la moitié du visage sans cils ni sourcils de Sarah.

— Qu'est-ce que tu t'es fait à l'œil ?

— Eh bien...

— Sarah est une femme douée pour énormément de choses, intervint Christopher. Mais elle ne sait pas s'épiler. C'est son seul défaut.

Sarah sourit.

C'était la première fois que Christopher voyait son visage s'éclairer et il en fut intimidé.

Sarah le remarqua.

— Eh oui, je sais sourire aussi et même rire.

— J'y suis pour quelque chose ?

— Non. Rien à voir, c'est le décalage horaire, c'est tout, lança-t-elle en décochant un clin d'œil à Simon.

— Tu rentres à la maison avec nous ? demanda le petit garçon plein d'espoir.

— Non. Je dois retourner chez moi, en Norvège. J'ai beaucoup de travail qui m'attend là-bas.

Un nœud de tristesse dans le ventre, Christopher brûlait de lui demander pourquoi elle refusait de venir avec lui.

S'il s'était agi d'une autre femme, il aurait probablement cédé à l'impérieuse tentation de la convaincre. Mais s'il avait compris une chose du peu de temps qu'il avait passé avec Sarah, c'est qu'elle n'aimait pas qu'on lui force la main et encore moins qu'on cherche à savoir ce qu'elle voulait garder caché. Alors, même s'il en souffrait, il respecta son choix.

— On va accompagner Sarah à son avion et ensuite, on ira se reposer.

Simon sembla déçu à son tour, mais se résigna.

Dans le taxi les conduisant vers l'aéroport, le petit garçon s'endormit abandonné à la confiance que lui procurait la présence de Christopher.

Une fois devant le terminal des départs, Christopher insista pour accompagner Sarah jusqu'aux portillons d'embarquement. Il souleva Simon assoupi dans ses bras et marcha à ses côtés.

Une voix intérieure lui disait de briser cette abnégation imbécile, qu'une femme préférerait toujours l'amour à la révérence. Qu'il devait avoir le courage de lui dire qu'il était amoureux. Mais ne risquait-il pas au contraire de la braquer et de la faire fuir définitivement en lui parlant trop franchement ? Il n'avait plus qu'une poignée de minutes pour se décider.

Sarah acheta un billet pour le premier vol au comptoir de la Norwegian et quand ils furent devant le passage des douanes, elle ralentit le pas.

Christopher sentait son cœur battre si fort dans sa poitrine. Des mots confus faisant trembler ses lèvres. Comment lui dire tout ce qu'il lui devait ? Comment lui dire qu'il avait découvert la femme à la fois la plus impressionnante et la plus généreuse de sa vie ? Comment lui faire comprendre qu'il n'avait jamais ressenti cela pour personne et qu'il ne voulait plus la quitter de toute sa vie ?

Elle le regarda, comme si elle entendait chacune de ses pensées.

Elle s'approcha de Christopher et lui prit une main.

— Je sais, se contenta-t-elle de dire. Mais je ne peux pas. Je dois régler certaines choses avec mon passé avant de pouvoir reconstruire ma vie, Christopher. Et je ne sais pas combien de temps cela va prendre. Ne m'attends pas.

— Laisse-nous une chance, Sarah.

— Si je ne fais pas ce ménage dans mon existence, je te rendrai malheureux.

Elle serra un peu plus fort les doigts de Christopher, se hissa sur la pointe des pieds et l'embrassa en lui caressant la joue.

Puis elle passa une main sur les cheveux de Simon et lui déposa un baiser sur le front.

— Christopher, tu es la meilleure chose qui ait pu arriver à cet enfant.

— Sarah !

Christopher avait trouvé la force de soutenir péniblement Simon d'un seul bras pour retenir Sarah de l'autre.

Déchirée par la décision qu'elle venait de prendre pour leur bien à tous les deux, les yeux brûlants de tristesse, elle le regarda une dernière fois.

— Si ce n'est pas dans cette vie, alors ce sera dans l'autre, murmura-t-elle.

— Je t'attendrai dans celle-là.

Elle sourit avec douceur, se retourna et avança sans s'arrêter jusqu'au poste de douane.

À un moment, il sembla à Christopher qu'elle ralentissait sa marche, mais elle finit par disparaître au coin d'un couloir.

Il resta ainsi plus de dix minutes, espérant chaque seconde la voir réapparaître.

— Elle est partie ?

Christopher sursauta. Simon venait de se réveiller dans ses bras.

— Oui.

— Pour toujours ?

Christopher se pinça les lèvres.

— Je ne sais pas.

— Tu l'aimais bien ?

— Oui.

— Alors, pourquoi tu l'as laissée partir ?

Christopher inspira une grande goulée d'air.

— Justement parce que je l'aime.

Simon ne répondit pas et reposa la tête sur l'épaule de Christopher qui le serra dans ses bras.

— Je veux rentrer à la maison, dit le petit garçon.

— Oui, mon chéri. On rentre.

51

Six mois plus tard.

Assis à son bureau, devant l'écran de son ordinateur, Christopher terminait d'envoyer un mail. Dans la salle de bains, il entendait l'eau du robinet couler alors que Simon se brossait les dents avant d'aller se coucher. Pendant ces six derniers mois, le petit garçon avait dormi dans le lit de Christopher, collé à lui et se réveillant plusieurs fois par nuit en pleurant ou en criant.

Chaque fois, Christopher devait allumer la lumière, lui dire qu'il était à la maison, lui montrer un objet familier, lui expliquer qu'il avait juste fait un cauchemar et qu'il n'y avait aucun méchant. Et ce soir, pour la première fois, il avait demandé à redormir seul dans sa chambre.

— Alors, c'en est où ce brossage ? s'exclama Christopher depuis son bureau.

— Chai bienyo fishni... répondit Simon, du dentifrice plein la bouche.

— Couche-toi, demain, on a une grosse journée.

— Je veux une histoire ! Celle du furet qui se trompe de maison, lança Simon en faisant irruption dans le bureau.

— Encore ? Mais je te l'ai racontée hier. Et puis t'es peut-être un peu grand pour cette histoire maintenant, non ?

— Oui, mais elle est trop rigolote avec le furet qui va chez la vache et après chez le cochon... J'ai envie.

Christopher soupira. Simon le regarda d'un air embarrassé.

— Pourquoi t'as l'air triste ? C'est encore à cause de Sarah qui t'a aidé à venir me chercher ? Elle t'a pas répondu ?

— Mais non ! Je suis seulement un peu fatigué de dormir à côté d'un autocollant en forme de petit garçon. Allez, au lit !

Simon rigola.

— T'aurais préféré que ce soit un autocollant en forme de dame rousse, c'est ça ?

— Dis donc, t'as sacrément grandi en quelques mois ! Va dans ta chambre. J'arrive.

Le petit garçon quitta le bureau. Christopher consulta une dernière fois ses mails, comme il le faisait maladivement depuis six mois, en espérant un message de Sarah. Mais, à part quelques documents administratifs qu'elle avait fait envoyer par d'autres, il n'avait reçu aucune nouvelle.

À regret, il éteignit son ordinateur et considéra un instant la somme de papiers qui s'accumulait sur son bureau.

En quelques mois, il avait dû gérer les nombreuses auditions policières, l'enterrement de sa mère et de son père, la succession, le traumatisme de Simon et le sien tout en reprenant son travail et en essayant d'offrir à son neveu la vie la plus équilibrée et la plus sécurisante possible.

— Hé, je suis prêt ! s'impatienta Simon.

Christopher sursauta. Il venait d'avoir un de ces moments d'absence dont il était victime depuis son retour. Qu'il le veuille ou non, il avait été très affecté par les événements. Et même si la violence et les peurs finissaient par s'estomper, restaient les révélations vertigineuses dont il avait été témoin et dont il ne pouvait encore parler à personne.

Parfois, il s'arrêtait dans la rue et regardait les gens marcher, discuter et vaquer à leurs occupations quotidiennes sans s'imaginer une seule seconde que l'histoire de l'univers était inscrite en eux. Sans savoir que oui, les âmes existent autour de nous, nous survolent, nous traversent chaque seconde. Et que oui, leur âme leur survivrait à leur mort physique pour rejoindre l'immensité invisible de la matière noire.

— Christopher ! appela Simon.

Christopher se leva et entra dans la chambre de Simon, éclairée par la lampe de chevet champignon qui diffusait une lueur tamisée et apaisante.

Il s'assit à côté du petit garçon dans le lit et lui raconta son histoire préférée en mimant tous les personnages. Voir Simon les yeux grands ouverts imaginer chaque scène et rire des situations le rendit heureux.

Quand il eut terminé, il éteignit la lumière et aida Simon à remonter sa couverture avant de lui caresser le front. Le petit garçon tourna la tête vers la fenêtre dont il ne voulait pas que l'on ferme les volets. Dans la pénombre de la chambre, on voyait bien les étoiles brillant dans le ciel.

— Tu crois que maman, papa, grand-père et grand-mère sont dans les étoiles et nous regardent ?

Christopher leva à son tour les yeux vers la voûte étoilée et sourit.

— Je crois que oui, mon chéri.

— Mais avant tu disais que tu savais pas. Pourquoi tu dis plus la même chose ?

Christopher fut étonné de constater que le petit garçon se souvenait de cette réponse alors qu'ils n'avaient eu cette conversation qu'une seule fois avant le drame.

— C'est vrai, je ne disais pas tout à fait la même chose. C'est parce qu'avant je ne savais pas.

— Et pourquoi tu sais maintenant ?

— Parce qu'avant je n'avais pas bien cherché...

— Comme quand tu trouves pas les clés de la voiture ?

Christopher sourit.

— Oui, c'est à peu près ça. Tu peux dormir tranquille, tous ceux que tu aimes veillent sur toi.

Le petit garçon se pelotonna sous sa couette.

Christopher l'embrassa sur le front et Simon tira sur le pull que Christopher portait.

— Tu veux que je reste encore un peu à côté de toi, c'est ça ?

Simon fit non de la tête.

Alors Christopher comprit. Il retira son pull et le donna à Simon qui le serra contre lui comme un doudou, avant de fermer les yeux, le visage apaisé.

Ému, Christopher contempla Simon jusqu'à ce qu'il s'endorme. Puis il s'éclipsa de la chambre sur la pointe des pieds. Il s'assit dans son canapé, partagé entre la joie immense d'avoir pleinement un fils et le sentiment d'être pourtant si seul.

Il prit une douche, choisit un livre d'anticipation scientifique et s'installa dans son lit. Après une vingtaine de pages, il plongea dans le sommeil.

Une bonne heure s'était écoulée lorsque la clochette de son téléphone le réveilla, lui annonçant l'arrivée d'un message. Il songea que son portable était dans le salon et qu'il avait la flemme de se lever. Il se retourna et entreprit de se rendormir. Mais une intuition diffuse le maintint éveillé. Il rassembla son courage et gagna le salon. L'écran du téléphone projetait son éclat bleuté dans la pièce. C'était un SMS d'un numéro inconnu. Encore de la publicité, se lamenta-t-il. Il ouvrit malgré tout le message. Son cœur se gonfla aussitôt et il crut littéralement qu'il rêvait.

C'était une photo de Sarah, emmitouflée sous un bonnet de laine et une grosse écharpe d'où s'échappaient quelques mèches rousses. Elle avait le nez un peu rougi par le froid et ses yeux bleus pétillaient de plaisir. Elle avait posé de sorte que la partie droite de son visage soit bien exposée et que l'on puisse voir que ses cils et ses sourcils avaient complètement repoussé.

En guise de légende, elle avait écrit : « S'il n'est pas trop tard, cette fois, c'est moi qui t'attends. P.S. : tu m'en voudras pas si je ne suis pas épilée. »

Christopher alluma toutes les lumières du salon pour être certain d'être bien éveillé. Et c'est seulement à ce moment-là qu'il s'autorisa à libérer, du plus profond de lui, un sentiment encore plus vertigineux que tout ce qu'il avait vécu au cours de sa vie.

– ÉPILOGUE –

La chasuble du prêtre bruissait dans le long couloir menant aux cellules des condamnés à perpétuité. Son écharpe violette autour du cou, sa bible serrée dans la main droite, l'homme d'Église aux tempes grisonnantes avait la pénible charge d'écouter les dernières paroles d'êtres monstrueux et demandant parfois l'absolution.

Le gardien qui le précédait s'approcha d'une porte et regarda par le judas. Il referma le clapet d'un geste sec et s'empara de son trousseau de clés. Il déverrouilla la porte dans un vacarme de cliquetis.

— Davisburry, le prêtre est là, dit-il.

Le gardien fit comprendre au visiteur qu'il pouvait entrer.

— Frappez quand vous aurez terminé. Je viendrai vous ouvrir.

Le claquement métallique de la porte qui se refermait résonna avec l'écho d'une caverne. Le prêtre fit quelques pas dans la cellule médicalisée.

Mark Davisburry était allongé sur un lit, respirant difficilement, des pansements recouvrant la moitié de son visage et une grande partie de son corps.

Les brûlures qu'il avait subies dans la mine le tuaient lentement.

Les yeux vitreux, amaigri, regardant droit devant lui, il sembla ignorer la venue de son visiteur.

Le prêtre tira un tabouret pour s'asseoir près du prisonnier et attendit.

— Alors, ils vous ont dit que j'allais y passer sous peu, murmura Davisburry d'un ton rauque.

Le prêtre s'éclaircit la voix, gêné.

— Je suis le père Alexander Finn. Votre médecin m'a dit que votre corps fatiguait plus vite ces derniers jours. Bientôt, Dieu sera face à vous et vous devrez affronter son jugement. Il est encore temps de demander pardon.

Davisburry sourit.

— Pourquoi souriez-vous ?

— Je souris parce que Dieu va me remercier.

Le prêtre humecta ses fines lèvres.

— Vous avez tué plus de soixante personnes en déclenchant ces explosions dans la mine. Des hommes et des femmes qui n'avaient commis pour seule faute que de bien faire leur travail de scientifique ou de n'être que de simples visiteurs.

— Un maigre dommage collatéral pour ce que j'ai sauvé.

— Que pensez-vous avoir sauvé ?

Davisburry souffla.

— Vous, Dieu, l'Église, la religion, le monde !

Le prêtre tripota sa bible.

— En tuant des innocents ?

L'ex-homme d'affaires secoua la tête.

— Je vais vous faire une confidence, dit-il. Toute ma vie, j'ai œuvré pour le triomphe de la religion, j'ai consacré ma fortune à vouloir prouver à tous les incroyants à quel point ils se trompaient. J'ai voulu leur démontrer que la religion disait vrai, que l'âme humaine était bel et bien immortelle si l'on croyait en Notre-Seigneur ! J'ai voulu consacrer la religion comme l'ultime vérité, le seul pouvoir qui vaille, alors que je ne faisais que creuser sa tombe, préparer sa défaite cinglante et envoyer le monde vers le chaos et la déchéance.

— Je ne suis pas sûr de bien comprendre.

— Qu'importe. Lui me comprend. Lui sait à quel point je me suis trompé. Mais la vérité n'apparaît parfois qu'au bord du précipice, alors qu'elle était sous mes yeux tout au long du chemin !

Le prêtre se dandina sur son tabouret et lissa son écharpe.

— Permettez-moi d'insister. De quelle vérité parlez-vous ?

Davisburry se laissa le temps de réfléchir avant de parler.

— J'ai cru que la religion avait besoin de preuves pour exister. J'ai cru bon de prouver à l'homme que son âme survivrait s'il avait la foi et qu'alors il adhérerait à la cause religieuse aveuglément et lui rendrait grâce chaque jour. Mais quelle erreur ! Ce que j'ai trouvé prouve tout l'inverse : l'âme survit à la mort du corps, qu'elle ait eu la foi ou non ! Voilà la vérité ! L'immortalité de l'âme n'a aucun lien avec nos croyances sur terre. Aucun !

— Calmez-vous, mon fils… et dites-moi plutôt ce qui vous fait dire une chose pareille ?

— Parmi les six âmes que j'ai pu capturer et dont j'ai décodé une partie de la mémoire, pas une n'avait mené une vie de croyant ! Pas une n'avait cru en Dieu. Tout dans leurs traces mnémoniques disait le contraire : ils et elles n'étaient que des athées, sans aucune considération ni respect pour la chose religieuse !

Haletant, Davisburry reprit son souffle avec difficulté.

— L'immortalité de l'âme est une garantie de l'humain, qu'il soit croyant ou incroyant ! C'est là la cruelle vérité que j'aurais dû révéler au monde. Vous imaginez le désastre ? À quoi bon croire si on a la certitude de la vie éternelle ? L'homme n'a plus besoin de Dieu pour espérer l'obtenir ! Il n'a plus à s'imposer aucune discipline, aucun respect pour quoi que ce soit puisqu'il est assuré de voir son âme survivre ! Quoi qu'il fasse, quoi qu'il dise ou qu'il pense, son immortalité est garantie. Rendez-vous compte du chaos, de la débauche, de l'anarchie que j'aurais créés si j'avais prouvé cela ?

Le prêtre Finn s'accorda un instant de réflexion pour mesurer les propos de Davisburry. Il ne pouvait dire qu'il croyait ce qu'il entendait, mais les hypothèses formulées par son condamné le troublaient.

— Alors, vous prétendez que vous avez tué tous ces gens pour protéger... Dieu ?

— Non, lui n'a pas besoin d'être protégé. L'homme, oui. C'est pour l'humanité que j'ai fait ça. C'est pour l'humanité que j'ai enterré ce secret. Car sans la religion, sans la croyance en Dieu, l'homme aurait sombré dans une telle déchéance, une telle anarchie qu'il aurait disparu depuis longtemps de la surface de la Terre. Il doit continuer à croire qu'il sera comptable dans sa vie d'après de ce qu'il a fait dans sa vie terrestre.

Et il n'existe qu'une seule chose qui fait que les hommes croient en Dieu, mon père.

— L'espoir ? L'amour ? suggéra le prêtre, ne voyant pas où Davisburry voulait en venir.

— Non, mon père, mais je ne ricane pas de votre naïveté ou de votre hypocrisie, que sais-je. J'ai tenu le même raisonnement pendant tant d'années alors que j'aurais dû m'avouer la vérité : la première et seule raison de la croyance n'est ni l'amour ni la joie ou je ne sais quelle autre réjouissance. C'est la peur. (Davisburry ferma les yeux quelques secondes, puis reprit :) Sans la peur, aucune raison de croire. Sans la crainte du rien après la mort, aucune raison d'avoir la foi. Dieu devient inutile.

Le prêtre sentit une goutte de sueur perler le long de sa tempe.

Par réflexe, il serra sa bible contre lui, récita une prière, mais fut pris d'un malaise soudain.

— Vous ne pouvez pas croire à ce que vous dites. Pas vous qui avez si bien servi Dieu tout au long de votre vie.

Davisburry sourit et aurait même ri s'il en avait encore eu la force.

— Alors, je vais vous le prouver. Je refuse l'absolution. Je refuse votre pardon.

— Mais… vous connaissez les conséquences ?

À ces mots, Davisburry sentit son cœur ralentir.

— Je n'en ai pas besoin, balbutia-t-il. Je suis assuré de la survie de mon âme. Qu'elle soit bonne ou mauvaise…

Le père Finn se sentit déstabilisé pour la première fois de sa vie d'homme d'Église. Davisburry laissa se dessiner un sourire vague au coin de ses lèvres.

— Mais, mon père, si vous aimez les hommes, ne le dites à personne, ou vous serez comptable de la fin des Temps.

Les paupières de Davisburry se fermèrent et sa poitrine cessa de se soulever.

Le prêtre Finn demeura longtemps sans bouger, comme pétrifié par ce qu'il venait d'entendre. Il tenta de se ressaisir en faisant machinalement le signe de croix au-dessus de la tête de Davisburry. Mais il fut incapable d'aller jusqu'au bout.

Mal à l'aise, il frappa à la porte pour signifier au gardien qu'il souhaitait sortir. Le vigile le regarda passer, sans un mot, le visage blafard.

Puis l'homme de Dieu s'éloigna lentement dans le couloir, avec dans la bouche, le goût amer de la vérité.

– REMERCIEMENTS –

La grande majorité des informations dévoilées au travers de cette histoire sont historiques et ont fait l'objet de plusieurs recoupements journalistiques.

Vous pourrez le vérifier par vous-mêmes en fouillant notamment sur Internet. Vous y trouverez, entre autres, l'intégralité du rapport officiel du sénat américain (3 août 1977), dévoilant en détail la nature des expérimentations secrètes du projet MK-Ultra, de multiples sites révélant l'histoire militaire de la fascinante et méconnue île de l'Ascension, ainsi que de nombreuses informations sur le triste passé psychiatrique de l'hôpital de Gaustad.

Bien évidemment, mes recherches ne se sont pas cantonnées à une collecte digitale et les bons vieux livres m'ont apporté ce savoir qui fait la différence. Les ouvrages de Carl Gustav Jung m'ont permis d'explorer en profondeur le troublant concept d'archétypes et d'inconscient collectif, sa biographie m'a prouvé son rôle d'agent secret pour la CIA sous le matricule 488. Dans un autre registre, je ne peux que vous conseiller la lecture d'ouvrages consacrés à la matière noire au risque de vous provoquer quelques peurs vertigineuses.

Et des peurs, j'en ai connu au cours de l'élaboration de cet ouvrage. Je tiens donc à remercier tous ceux qui m'ont aidé à les surmonter. En premier lieu ma femme, Caroline, dont l'amour, l'enthousiasme et la confiance sont inépuisables, aussi bien dans la vie qu'en tant que première lectrice. Eva et Juliette, nos deux filles, qui donnent du sens à tout ce qui n'en a pas. Ma mère pour sa foi en moi. Alban pour son soutien indéfectible. Mon père pour son impatience dès le premier mot écrit. Mes beaux-parents pour leur gentillesse et leur confiance. Et mes amis pour leur présence, leur regard et leurs francs conseils au long de ces quatre années de fabrication. Merci aussi à tous mes bêta-lecteurs pour leur temps et leur générosité.

Et enfin, un merci infini à l'équipe « littéro-médicale » de XO pour avoir fait de cette histoire une réalité. Leur chirurgien en chef, Bernard Fixot, qui appuie là où ça fait mal jusqu'à ce que le livre soit parfaitement guéri, son anesthésiste, Édith Leblond, qui œuvre en douceur pour aider le patient à moins souffrir, et Caroline Ripoll, la sage-femme, qui parvient à faire de l'accouchement du roman un moment presque plus agréable que la conception.

Et à vous d'avoir eu la curiosité de lire jusqu'ici.

Composition et mise en pages
Nord Compo à Villeneuve-d'Ascq

Imprimé en Espagne par:
BLACK PRINT
en août 2021

POCKET, 92 avenue de France, 75013 Paris

S27986/20